Alibaba.com®
Global trade starts here.™

阿里巴巴神话

马云的美丽新世界

孙燕君◎著

图书在版编目(CIP)数据

阿里巴巴神话／孙燕君著．—南京：江苏文艺出版社，2007.11

ISBN 978-7-5399-2553-0

Ⅰ.阿… Ⅱ.孙… Ⅲ.纪实文学－中国－当代 Ⅳ.I25

中国版本图书馆CIP数据核字（2007）第175974号

阿里巴巴神话——马云的美丽新世界

著　　者：孙燕君
责任编辑：于奎潮
文字编辑：李江华
图片提供：ChinaFotoPress
责任监制：卞宁坚　江伟明
出版发行：凤凰出版传媒集团
江苏文艺出版社
集团网址：凤凰出版传媒网 http://www.ppm.cn
经　　销：江苏省新华发行集团有限公司
印　　刷：三河市南阳印刷有限公司
开　　本：787毫米×1092毫米　1/16
字　　数：306千字
印　　张：20
印　　次：2007年12月第1版，2008年3月第2次印刷
书　　号：ISBN 978-7-5399-2553-0
定　　价：30.00元

目录

第四章 对市场的大举进攻

第五章 会当凌绝顶

第六章 独孤但不是求败

第七章 梦幻十八

序 幕

上市风暴

阿里巴巴于2007年11月6在香港上市。

阿里巴巴终于上市了。为了这一天，有人等待了12年，有人等待了8年，还有很多人没有等到这一天。

8年前阿里巴巴创业时，天下IT精英蜂拥而至。其中不少人是为了阿里巴巴的上市，是为了阿里巴巴的股份。这些人中的大部分没有等到这一天。他们或是在阿里巴巴的冬天逃走了，或是在阿里巴巴大裁员时被裁掉了。

马云和他的十八罗汉以及阿里巴巴团队中的骨干，他们不是为了上市为了股份而来的，他们是为了“做一家中国人创办的世界上最伟大的公司”的理想而干的。

当然，他们也不是没有想到上市和股份。

马云是个理想主义者，也是个浪漫主义者。在阿里巴巴创业最艰难的时刻，他曾用宝马车、用花园洋房激励过这些骨干，但他很少用股权激励他们。其实谁都知道股权激励才是最大的激励。

倘若马云和的他的团队骨干一心想着上市和股权，阿里巴巴可能走不到今天。

阿里巴巴上市引入的豪华投资名单还包括AIG(美国国际集团)、中国工商银行、嘉里控股有限公司控股股东郭鹤年和新鸿基地产郭炳湘郭氏家族。蒙牛集团董事长牛根生、前外经贸部副部长龙永图将担任阿里巴巴B2B（企业与企业之间）公司独立董事。

2007年11月6日对于阿里巴巴来说是一个历史性的是时刻。阿里巴巴的香港上市再一次震动了业界。

据新浪科技最新报道：

11月6日16：00消息，阿里巴巴(1688.HK)今天上午在香港联交所挂牌上市，该股今日高开30港元，早盘前半段窄幅振荡，一度下探28港元，11：08后开始单边上扬，尾盘收于39.5港元，较发行价13.5港元大涨192%，打破了新鑫(3833.HK)首日劲升1.2倍的纪录，问鼎今年港股新股王。阿里巴巴此次发行8.59亿股，其中6.315亿为旧股，其余为新股，招股价范围在12～13.5港元之间，最终以13.5港元定价，融资约15亿美元。阿里巴巴董事局主席马云今天在港交所宣布，对阿里巴巴的股价很满意，准备今天执行超额配股。计入13.2%的超额配股后，阿里巴巴融资规模接近17亿美元。由于获得资本市场热捧，阿里巴巴刷新了港股另一项纪录——冻结的资金达4475.18亿港元，规模“险胜”5月百丽国际(1880.HK)的4463.5亿港元。据悉，阿里巴巴国际配售部分获超过1800亿美元的认购金额，扣除战略投资者部分，超额认购逾186倍；公开发售部分接获56.62万份申请，超购约256倍，1手中签率仅为6%，为近期中签率率最低新股。

在上市新闻发布会上，马云说：“今天对于整个阿里巴巴集团来讲也是一个非常重要的事情，今天的IPO也证明了我们当时的判断，我们认为香港已经成为世界顶级的上市场所。所以，我们希望通过阿里巴巴今天的上市，能够吸引更多的中国、亚洲和全世界的高科技公司，能够在香港上市，也跟阿里巴巴一样，能够得到香港股民和世界股民的关注。就像几个月前我们希望也坚信一点，好的公司是可以吸引世界各地的投资者来投资。所以，阿里巴巴这次得到股民的支持，我们深感荣幸，也表示感谢。对阿里巴巴集团来讲，今天只是刚刚的开始，我们要走的路还很远、很长。在几年以前我们说过上市是个加油站，你上市的目的是为了加了油能够走得更远。阿里巴巴是一家年轻的公司，刚经过了8年，还有94年的路要走。我们现在还是一个孩子，不管市值多高，不管股票多高，我们今天还是一个小公司，它只有8岁，员工的平均年龄只有27岁。我想未来几年我们不会因为各种各样的压力，我们不会因为市场的压力、各方面的压力来改变我们的策略，我们还会一如既往地发展中国电子商务的基础建设，建设中国的电子商务的生态环境。”会后马云表态：“本次IPO中分给阿里巴巴集团的资金也会全部投入到电子商务的基础设施中来，不会有一家股东套现。阿里巴巴上市后，整个公司将拥有20亿美元的现金储备。阿里巴巴将在未来3到4年投入100亿元建设电子商务的产业链与生态链。很多人看来是雅虎控制了阿里巴巴，在我看来控制这家公司的永远是客户，是市场，我不会让任何资本家控制它。杨致远是我的朋友，他是分享这个公司，而不是控制。”

阿里巴巴上市的意义非同小可。

资深IT人士方兴东这样评论：“十年前搜狐、新浪、网易三大门户是互联网的第一波浪潮，2002年冬天短信、游戏是第二波热潮。第三次浪潮何时出来？真正的高峰可能就是阿里巴巴上市，目前它一下子融资就是几十亿美元，而且市场价值业绩好的话可以到100亿美元，所以阿里巴巴上市以后会开辟一个全新的时代。阿里巴巴上市将会使互联网出现第三次浪潮。”

两年前，百度在美国上市引起业界轰动。当时马云曾对我说：阿里巴巴上市一定会超过百度。

两年后，马云的话变为了现实。以眼下的股价和融资规模计算，阿里巴巴的市值已经超过了百度。同时阿里巴巴的业绩也超过了百度。高盛集团预计今年阿里巴巴网站的利润可达8380万美元，比2006年大增186%。而华尔街预计，百度今年的利润可增长105%至7700万美元。阿里巴巴超越百度已经成为事实。

阿里巴巴的成功上市是一件值得大书特书的事。它不仅宣告了经过8年艰苦创业的阿里巴巴的成功，也宣告了中国B2B电子商务模式的成功，同时宣告了第三次互联网高潮的到来。

阿里巴巴的成功上市，是阿里巴巴上下欢腾的大喜事。马云的高兴自不用提，但最高兴的恐怕是阿里巴巴的骨干创业者和员工。

据阿里巴巴B2B招股书披露，与马云一同创办阿里巴巴的蔡崇信持有7681万股，身价为9.22亿港元，阿里巴巴B2B CEO卫哲持有4825万股，身价为5.79亿港元，B2B CFO武卫持有965万股，身价1.16亿港元。

阿里巴巴B2B上市带来的员工百万富翁数量更是空前的。招股说明书披露，目前有约4900名员工持股，平均每名员工有9.05万股，若以11港元的招股中间价计算，每人通过IPO得到的财富刚好100万港元。

阿里巴巴上市造就的千万富翁有千人之多。

阿里巴巴集团旗下5家全资子公司（阿里巴巴、淘宝、支付宝、中国雅虎和阿里软件）的高管都会成为百万富翁甚至千万或者亿万富翁，目前公开可以预测的富翁名单如下：

阿里巴巴集团董事局主席马云

COO李琪

CFO蔡崇信

CTO吴炯

阿里巴巴B2B公司和淘宝网董事崔仁辅

阿里巴巴集团副总裁金建杭

阿里巴巴B2B公司总裁卫哲

淘宝网总裁孙彤宇

中国雅虎总裁曾鸣

支付宝总裁陆兆禧

阿里软件总裁王涛

阿里巴巴B2B公司财务部

阿里巴巴B2B公司法务部

阿里巴巴B2B公司投资部

阿里巴巴B2B公司企业资源部

阿里巴巴B2B公司北京分公司总经理

阿里巴巴B2B公司成都分公司总经理

阿里巴巴B2B公司天津分公司总经理

阿里巴巴B2B公司石家庄分公司总经理

阿里巴巴B2B公司大连分公司总经理

阿里巴巴B2B公司武汉分公司总经理

阿里巴巴B2B公司重庆分公司总经理

阿里巴巴B2B公司合肥分公司总经理

阿里巴巴B2B公司南京分公司总经理

中国雅虎社区及资讯事业部总经理李俊凌

中国雅虎搜索事业部总经理张忆芬

中国雅虎副总裁沈建明

中国雅虎广告副总裁江志强

这是中国互联网企业历史上从未有过的面积最广泛、数量最巨大的造富运动。

当年跟着马云艰苦拼杀的阿里巴巴创业者们得到了超乎想象的回报。在创业初期，马云给他们的允诺是："阿里巴巴一旦成为上市公司，我们每一个人所付出的所有代价都会得到回报。"

马云当年的允诺超值兑现了。但别忘了马云当年最先给他们的允诺是"一天12个小时的苦活、不到2000元的低工资、苦难、屈辱和不被理解"。

当然所有人中持股最多的是马云。但作为阿里巴巴董事局主席和创始人的马云只持有阿里巴巴B2B子公司5%的股份（1.89亿股），以招股价上限计算，上市后马云身价为22.7亿港元。在胡润百富发布的《2007胡润IT富豪榜》中，百度李彦宏以180亿元身价成为IT首富，史玉柱、马化腾分别以135亿元、120亿元的身价占据了二、三的位置。而即将在香港交易所IPO的阿里巴巴的马云则以50亿身价的估值位列第8。

原因很简单，马云在这些人中持股水平最低。马云只持股5%，而盛大的陈天桥持股75%，百度的李彦宏持股25%。

毫无疑义，每个网络公司的上市都是一次造富运动。但阿里巴巴的上市却是一次与众不同的造富运动：不造首富而造群富，不追求个人巨富而追求员工共富。

别忘了阿里巴巴始终是团队集体控股和公司全员持股的。这是马云的理念，也是阿里巴巴成功的秘诀。

此时我又想起了两年前那个夜晚马云对我说的话："我已经不可能成为世界首富了，也不想成为世界首富，从未想过。"

由此可见马云的胸怀和境界。从中你可以看见一个伟大企业家的端倪。

今天的马云已经是名震神州世界知名的企业家。今天的阿里巴巴已经是中国最成功的互联网企业。马云的成功是一个神话，阿里巴巴的成功更是一个神话。

你知道神话是怎样发生的吗?

让我带你走进马云的内心世界，带你走进阿里巴巴的神话世界；让我告诉你一个真实的马云，告诉你一个真实的阿里巴巴。

Alibaba.com®
Global trade starts here.™

第一章 秋风舞“黄页”

因为我知道我看见了这个东西，我太想做一样东西。很多年轻人是晚上想想千条路，早上起来走原路。中国人的创业，关键不是因为你有出色的想法、理想、梦想，而是你是不是愿意为此付出一切代价，全力以赴地去做它，证明它是对的。

——马云

Alibaba

1 中国故事

如果要书写美国互联网的历史，必然要写“雅虎”，因为它是世界上第一个门户网站；必然要写杨致远，因为他是雅虎的创建者。如果要书写中国互联网的历史，必然要写“中国黄页”，因为它是中国第一个商业网站；必然要写马云，因为他是中国黄页的创建者。

如今十年过去了，雅虎已经成为世界上最大的门户网站，杨致远已经成为世人皆知的巨富和酋长；而中国黄页却早已销声匿迹，但马云没有销声匿迹，他也成为了闻名遐迩的世界最大B2B网站的掌门人和领袖，只不过他所领导的网站不叫中国黄页而叫阿里巴巴。

倘要追溯中国互联网的源头，不能不提中国黄页；倘要追溯阿里巴巴的历史，也不能不提中国黄页。黄页是中国互联网史上的第一块界碑，黄页是阿里巴巴的前世今生。

触网

触网这个词现在已经不流行了。遥想当年，这个词曾风靡世界。

当然我们说的这个网不是铁丝网，也不是高压电网，而是互联网。这个网在西土叫Internet，在本土，被翻译成互联网或英特网。

上个世纪末，这个网是个魔术网。点石成金，一碰就灵。在美国Nasdaq，每天都有触网的企业上市，个个股价都坐着火箭；在中国股市，上市公司一触网，股价就一路飘红。那真是一个令人陶醉也令人疯狂的年月，那会儿似乎只有傻子才不触网。

然而好景不长，到了本世纪头两年，还是这个网却变成了死亡网。鬼气森森，一碰就死。在华尔街，网络股一泻如注，在中国大陆，五花八门的网站尸横遍野。于是，触网一词渐渐被人淡忘。

互联网是人类有史以来最伟大的发明之一。它诞生在当今世界科技中心美国是顺理成章的。美国第一个触网的人已不可考。没有证据表明马云是中国第一个触网的人，也许他能排在前10名之内，或许他在100名之内，但他的确是第一个触网而动的中国人。

马云1989年被分到杭州电子工业学院当英语老师。后来又兼学院外办主任。他在这座校园里待了整整6年。

马云从来就是一个激情四射而又躁动不安的人。平静的校园生活让他感到憋闷。还在1992年，国内商潮涌起，马云就和朋友一起创办了一家“海博翻译社”。这是他第一次涉足商海。当时，马云应算是兼职。折腾了几年，海博翻译社并没赚到多少钱，但马云却从中尝到了商海的滋味。

到了1994年，马云更加心神不安了，一天到晚都在想如何离开学院。他觉得自己马上就到30岁了，再不干点什么的话一辈子就这么过去了。

马云第一次听说互联网正是1994年。他们学院有一个叫比尔的外教，是美国西雅图人。这一年，比尔回了一趟美国，从美国回到杭州后，比尔和马云大谈互联网，马云听得热血沸腾，甚至比说者比尔还激动。

这是马云第一次听说互联网，但他此时还没有触过网。

1995年4月，马云第一次出访美国（1985年马云去过一趟澳大利亚）。这一年，马云的海博翻译社介入了一场涉外合同纠纷。一个叫菲力蒲·卡文纳的美国商人签约投资浙江一段高速公路，合同到期，美国商人拒付合同金。于是中方聘请号称“杭州英语第一人”的马云为翻译兼顾问，到美国去参加美方董事会并调解纠纷。

马云是带着数百万民工和浙江省交通厅的重托只身飞往美国的。但一到洛杉矶就被菲力蒲·卡文纳软禁在一座别墅里，这个美国商人原来是个骗子。

以后的故事有点像美国惊险大片了。

一个大块头加州人，带着马云游山玩水并劝说马云加入一家并不存在的美国公司。当他把马云带到拉斯维加斯赌场时，还故意亮了一下腰上挂着的手枪。当马云拒绝了对方十分明显的贿赂后，恼羞成怒的美国人扣压了他的行李并把他锁在了海滨别墅二楼的一间房间里。到这时马云已经明白他所调查的这家美国公司肯定有问题，也明白了自己已经处于危险之中。

接下来就是一场调查与反调查，一场斗智与斗勇。

凭着天生的伶牙俐齿，马云终于让菲力蒲·卡文纳相信他是有诚意与其合作的。凭着天生的冒险精神，马云终于逃到了西雅图。

在西雅图马云找到了一位美国朋友。这位朋友其实是比尔的女婿。

1995年的美国，互联网方兴未艾。美国朋友见到马云很亲热，寒暄过后就迫不及待地把马云带到一家名为ISP的小公司，公司两间小屋里坐着5个面对电脑屏幕不停敲击键盘的年轻人，朋友把马云带到计算机旁说："Jack（马云的英文名字），这就是Internet，你可以在上面搜索任何东西。"马云站在电脑前发愣，说："这东西我不敢动，弄坏了很贵的。"在这之前，马云从未碰过电脑。在他的印象里，电脑在中国可是个贵重物品，只有有钱的公司里才有；放在有空调的房子里，由最漂亮的小姐看管着，很高深。至于小姐在里面用电脑打字还是玩游戏别人就不知道了。听说他们学院也有电脑，但马云在那待了6年都与其难见一面。

朋友说："Jack，没事，它不是炸弹，不会爆炸的，你试试看。"

听朋友这么说，马云放心了。于是坐在电脑前在雅虎搜索栏里敲了一个词："Beer"（啤酒），很快就蹦出了一大堆：美国啤酒、日本啤酒、德国啤酒……就是没有中国啤酒。马云很好奇，又在键盘上敲了一个"China"，搜索的结果是"no data"（没有数据）。

在神奇的互联网上居然没有中国，这事让马云既沮丧又惊奇。于是他对朋友说，能不能把杭州的海博翻译社放在网上试试？

朋友帮助马云做了一个海博翻译社的网页，挂在网上。网页做得又简单又丑陋，只有文字没有图片。文字说明部分也只有海博翻译社的翻译人数和价格。

上午9点半挂在网上之后，马云就去逛街了。12点，朋友打来电话说，马云你快来看，有5封给你的E-mail。马云回去一看，真有5封E-mail，有来自美国的、日本的，也有来自欧洲的；有机构、公司，也有当地留学生。信上说，这是我们发现的第一家中国公司的网站，你们在哪里？我们想和你们谈生意。

马云兴奋不已。直觉告诉他，这玩意儿有戏！

这是互联网历史上第一个中国企业的网上广告。这个广告改变了中国互联网的历史，也改变了马云的一生。纵观马云十年脉络，后来的中国黄页，再后来的阿里巴巴，B2B的电子商务，C2C（个人与个人之间）的淘宝，都和这个广告有关。

马云在美国洛杉矶遇险，有点像阿里巴巴遭遇四十大盗。美国骗子商人没能要了他的命，却让他无意中发现了藏宝的山洞。于是一个新版的阿里巴巴的故事从此开了头。

1995年的马云肯定看见了宝洞，但对开门的咒语一无所知。

在拉斯维加斯赌场，马云用25美分在老虎机上赢了600美元。当马云从洛杉矶逃出时，那个加州大块头告诉他：到了售票处说你是马云，他们就会把我们为你买好的机票给你。马云到了售票处才知道，根本没有什么“马云的票”。

上了当的马云用赌来的钱买了到西雅图的机票，并最终用这笔钱买了一台386笔记本电脑。马云从杭州下飞机时，兜里只剩下了一元钱，但书包里多了台电脑。在以后的几年里，马云就是用这台笔记本打江山的。

马云的触网很偶然也很简单，但它却成为了中国互联网历史中的一页。如果马云1995年没有出访美国，或者马云没有一个玩网络的美国朋友，中国互联网的历史就会是另一种样子。

1995年，在美国触网的中国人很多，在中国触网的也大有人在，例如中科院高能物理所的专家；但一经触网就立刻看到了未来的网络世界，看到了网络改变世界的巨大能量，看到了网络背后隐藏的无限商机的人，却寥寥无几，而看到未来看到商机立即付之行动者则只有马云一人耳。否则，中国第一个商业网站就不会叫中国黄页，中国的互联网之父就轮不上马云了。

马云触网的结果是诞生了中国第一家互联网商业网站——中国黄页，并在5年之后，诞生了世界最大的B2B网站阿里巴巴。从此，互联网江湖上多了一个长相奇特的西湖怪人，多了一个自称“风清扬”的网络高手，多了一个永不放弃永远出新永远搅局的新经济企业家。

人们都说，机会属于有准备的人。其实，机会还属于有智慧、有胆魄、有梦想、有决断的人，属于敢于孤注一掷、敢于破釜沉舟、敢于赌、敢于拼的人。

今天那些面对马云和他的团队耀眼的辉煌而惊诧不解的人，不妨回想一下10年前你是如何面对那起于青萍之末的网络风的？

所有的成功都有原因，所有的浩荡都有源头，于是马云触网便成了我们这部企业神话的缘起。

创业

其实，马云的创业是在美国西雅图开始的。

当收到回应海博翻译社的五个E-mail时，互联网公司已经诞生在马云的脑子里。马云当即对美国的朋友说：我们合作。你们在美国负责技术，我回国内去做公司。

把中国企业的资料收集起来，翻成英文，寄到美国，然后让美国的朋友做成网页放到网上，这是马云脑海里的第一幅商业蓝图。

两个星期后，马云从美国回到杭州。下飞机的当晚，他就迫不及待地把24个朋友邀到家里，面对一屋子人，马云掏出笔记本电脑，开始激情演说。

当时被邀的24人之一的宋立兴后来回忆说："听马云说晚上要和我们商量事，我们都想会是一件好事。大家又可以共同做点事，赚点钱了。"

出乎所有朋友的意料，这次马云从一开始就大侃互联网，侃互联网企业，侃如何通过互联网把中国企业介绍给全世界。云山雾罩侃了两小时，最后，马云坚定地说："我现在就准备辞职开始做这个企业了，这个企业叫做Internet。"马云侃了半天，屋子里的朋友都没听懂。

马云事后回忆说："那时候，根本没人懂网络。想想看，我一个不懂电脑的人，把24个朋友叫到家里说，明天我就要开始做一家网络公司，结果会如何？"

朋友们的反应出奇地一致。大家都觉得马云的这些想法超出了正常人的思维范围。一个朋友说："这玩意太邪了吧？政府还没开始操作的东西，不是我们干的，也不是你马云干的；你也不是很有钱，有几千万资金？"

另一个朋友说："你马云开酒吧、开饭店，就是办个夜校都一定行，就是不要干这个Internet"。

那天晚上，尽管马云的动员充满激情并极具煽惑力，尽管马云的宏图大业前景远大，但结果是24人中23人反对，只有一人表示愿意试试。这个人就是何一冰，是马云的大学同学，学自动化的，搞过芯片，会编程。

一周以后，也就是1995年的4月，马云自己拿出了6000元，又从亲友那借了几万，再加上海博翻译社办公家具的折价和另外两个股东的钱，一共凑出了10万元。马云、张英（马云夫人，也是杭电的英语教师）、何一冰3人一起创办了浙江海博网络技术有限公司，公司的实体就是中国第一家商业网站——中国黄页。

马云任公司经理，何一冰任副经理。分工是马、何负责跑业务，张英负责给客户发E-mail。公司一开始就是股份制的公司，有4个股东，3个创办者。马云夫妇出资8万，宋卫星出资1万（宋没有参与经营），何一冰出资1万，马云给了何一冰10%的股份。

那是1995年的4月，那一年马云刚好30岁。同年9月，马云辞去了学院的公职。

辞职时，学院的领导被马云的突来之举搞懵了。他大惑不解地盯着马云问："马老师，你不是在开玩笑吧？你书教得好好的，为啥突然间辞职？是学院委屈了你吗？"

"不，不是的。"马云连声解释。"学校对我挺好，我是想趁自己现在还年轻出去闯闯。"

在校领导办公室，马云足足解释了一上午，校领导还是真诚挽留。对此马云大为感动。

但互联网的商机不能错过，鱼和熊掌不能兼得。

最终校领导还是同意了马云的辞职。马云辞职的消息传开后，在学校引起不小震动。事后，马云说："当初扔掉铁饭碗，去搞不被人理解和看重的互联网，如果失败对自己意味着什么，那是不言自明的。"

马云当初辞职下海的决心和勇气来源于对互联网未来的判断。如今已没人怀疑马云十年前的抉择。

马云说："因为我知道我看见了这个东西，我太想做一样东西。很多年轻人是晚上想想千条路，早上起来走原路。中国人的创业，关键不是因为你有出色的想法、理想、梦想，而是你是不是愿意为此付出一切代价，全力以赴地去做它，证明它是对的。"

中国第一家商业网站——中国黄页就是这样诞生的。

它诞生于一个浙江青年的第一次触网中，诞生于从西雅图飞往杭州的飞机上，诞生于西湖畔一间普通的写字楼中。

它是灵感、激情和梦想的产物，也是胆魄、勇气和眼光的产物。

中国黄页诞生时，绝大多数中国人还不知网络为何物，神州大地还无处上网，中国政府还没有决定是否加入这个信息高速公路。

也许连马云自己都没想到，他的一次躁动和冲动，竟然揭开了中国互联网历史的第一页。

2 从残酷开始

创业从来都是艰辛的，在一片蛮荒之地进行开拓式创业就更加艰辛。

开创一个崭新的产业，创造一个崭新的商业模式，是一件充满风险充满挑战的事；其开拓者的命运有两个：要么成为占尽先机的英雄，要么成为异常悲壮的先烈。

如今，人们只记住了那些成功者的大名，但却忘记了数倍于成功者的失败者。人们只记住了英雄，但却忘记了先烈。历史就是如此无情。

但有时，成功与失败只在一念之间。这一念就是坚持还是放弃。

在1995年的上半年，草创时期的中国黄页步履维艰。那时，中国还没有开通互联网，人们对互联网还一无所知，无论是谁要想通过互联网做生意，首先就得宣传普及互联网，而这是一件既费钱又费时的事，其资金成本和时间成本都是像中国黄页这样的10万元起家的民营小企业无法承担的。但你不承担也得承担，否则就别想做网站，更别想通过网站赚钱。

当中国黄页的客户根本看不到网络，也无法通过网络看到他们的产品时，马云被人当成骗子的命运是无法避免的，当囊中羞涩，急于找钱时，马云不止一次地被别人骗的命运也是无法避免的。

从1995年到1999年这5年里，马云经历了无数艰辛、苦难、挫折和失败。多少酸甜苦辣，多少弹痕伤痕，多少泪水和汗水，多少委屈和打击，如今回首往事，马云感慨万千："黄页发生的许多事都可以写成电影剧本。"

中国的互联网大潮兴起于1998年。在中国网络界，马云一直是个异数。他没有名牌大学出身，没有洋学位，没有MBA，甚至没有基本的电脑知识。

2000年，阿里巴巴创建仅仅一年，马云就已成为中国五大著名网站的掌门人之一，但他与王志东、张朝阳、王峻涛、丁磊四位掌门人的最大区别是：马云是老将，他们是少帅；马云是二次创业，东山再起；他们是初次创业，首战告捷。

与他们相比，马云比他们多了五年探索、五年实践、五年苦难、五年屈辱。

马云说：“五年苦难是我们最大的财富，也是成功的重要原因；别人可以拷贝我们的网站，但无法拷贝我们五年的苦难。”

不追溯这五年苦难，就难以探求阿里巴巴成功的原因。

草创时期

1995年4月到1995年的12月是中国黄页的草创时期，也是公司最艰难最凄惨的时期。

公司开办时只租了一间办公室，办公室里只有一台电脑，就是马云从美国带回来的386。付完房租后10万元资金就所剩无几了，以后资金匮乏就一直困扰着这个年轻的公司。最凄惨的时候，公司账上只剩下200元。资金眼看告罄，但业务局面却迟迟打不开。

中国黄页启动时的运营模式很简单：租用美国的服务器，把中国企业的资料(包括2000个文字和一张照片)翻译成英文用EMS寄到美国西雅图，让美国的合作者将其主页送到网上去；然后把网上的主页用彩色喷墨打印机打印出来，用UPS寄回杭州。马云他们拿着打印件再去向企业收钱。如果企业不相信，马云他们会把主页的网址和美国的电话号码给企业，让他们查询。如果有，就收钱；没有，就不收钱。每个主页收费的价格是2～3万元。

当时的中国黄页是中国的第一个商业网站。马云他们推出的中国黄页(chinapage.com）页面，也是互联网上第一个中国商业网页。

中国黄页在互联网上推出以后，许多海外华人看见了非常兴奋，这毕竟是第一家中国人的主页啊。他们纷纷致函，给了马云他们很大的鼓励。

但是中国黄页在国内业务的开展却是另一回事。

创新是艰难的。一个崭新商业模式的早期寂寞是不可避免的。公司启动时步履维艰，因为绝大多数企业都没听说过互联网，并对这种网上广告的作用半信半疑。

马云他们采用的策略是“兔子先吃窝边草”，几乎所有的朋友的公司和企业都被当成了目标。

中国黄页上的第一个网页是海博网络公司自己。接着做的几个网页都是朋友的企业，开始也都是免费，只有一家朋友企业象征性地给了6000元。

第一个付费的客户是杭州的一个四星宾馆。这是向朋友开刀的成果。宾馆老板是马云的朋友。这一单收了2万元，但其中的1.2万元被美国的合作方拿走了，因为按协议美方分成60%。当时美国那边的服务器租金虽然便宜，但制作网页的人工费用却很高。辛苦半天马云他们只落下8000元。

朋友再多也是有数的。所有的朋友都被“宰”完了，但常规客户的突破依然遥遥无期。

由于互联网的不为人知，马云他们不得不承担起宣传和普及互联网的重任。没钱做广告，他们就一家一家地演示游说。为了宣传互联网，马云不放过任何机会，也不管时间和地点。一位朋友曾在杭州的大排档里见到马云，此时的马云喝得有点醉，手舞足蹈，向身边的市民大侃互联网。朋友说起此事，马云毫不在意地说：“我有一副天生的好口才，为什么不能在大街上宣传我的公司？”

马云像着魔一般宣讲互联网。逢人就讲，无处不讲。同时一家家公司，一家家企业扫过去，向他们推销互联网，推销中国黄页。马云那时的角色，就是狂热的义务宣传员和疯狂的推销员。

一连数日不知疲倦地的奔波，精诚所至，金石为开，马云他们终于拿回了第一单生意。这一单的支票还是张英拿回来的，是一家民营衬衫厂付的，虽然只有1.5万元，毕竟是中国黄页业务的第一次真正意义的突破。它第一次向公司三个创始人证明马云臆想出来的这个史无前例的商业模式也许有戏。

至今张英还忘不了那天怀揣支票往回奔时难以言传的兴奋心情。第一单生意第一笔收入是如此地振奋人心又是如此地坚定军心。

但以后的每一单依然艰难。

为了拿下一家杭州企业的生意，马云一连跑了五趟。但企业老总老是怀疑电子商务是骗人的东西。为了说服这位老总，马云为他收集了大量有关电子商务的资料，一遍又一遍向他讲解电子商务是一种新型商业模式，在网上做广告比在其他媒体上做有更广泛的效应。任凭马云费尽口舌，老总还是将信将疑。面对这块难啃的骨头，马云没有放弃。走时他向老总要了一份企业的宣传材料，几天以后马云带着一台笔记本电脑又杀了回来，当企业老总看到了电脑上显示的自己企业的网页时，终于同意付款。

草创时期的每一单几乎都是如此艰难。

接着，他们又艰难地敲开了钱江律师事务所、望湖宾馆、杭州第二电视机厂的大门。

其后，他们又把生意拓展到外省，把无锡小天鹅和北京国安足球俱乐部的主页放到了网上。

草创时期的几个月，历尽千辛万苦终于做成了几单生意，局面也慢慢打开了。但由于收入的大头被美方拿走了，中国黄页没剩下多少钱。于是马云有了自己做网页的念头。李琪的加盟使这一念头很快成为现实。

到了年底，经过8个月的苦苦打拼，公司的账目已经接近平衡，营业额也已突破100万元。

1995年12月，四个股东之一的宋卫星提出撤资，虽然公司还没赚钱，但马云还是给了他1.5万元。马云的大度第一次表现出来。

几个月后，黄页推行代理制。按协议代理金是不能退的。但有的代理商交了钱后没多久又往回要，马云还是全部退还了。马云的大度再次表现出来。

宋的抽走资金，表明他对中国黄页没有信心。其实，他只要再坚持两年，他的1万元股本也会翻几番。

代理商讨要代理金，说白了，也是不看好中国黄页，不相信马云。

但马云坚信自己能成功，当时的黄页团队也相信马云能成功。

信心来自信念和眼光，而长远的眼光并不是人人都具有的。

骗子与被骗

草创时期的几个多月里，马云几人兜售的实际上是一种在国内还看不到的商品。

几份美国寄来的打印纸和一个美国电话，并不能让所有的客户信服。有人怀疑这些打印纸是马云他们自己在电脑上制作出来的，并不在网上，于是有人怀疑马云是个骗子。

尽管马云是真诚的，尽管马云在老老实实做生意，尽管马云在不辞劳苦地义务宣传互联网，但他还是不能被人理解，还是一次又一次地被人当成骗子。也许是因为马云太超前了，也许这就是一个网络先锋一个互联网开拓者必须付出的代价。

直到1995年7月上海开通了44K的互联网专线，马云才有了洗刷自己骗子罪名的机会。

1995年8月的一天，在西子湖畔一间普通的民房里，马云找来一台486笔记本电脑，找来了望湖宾馆的老总，找来了杭州明珠电视台的记者；马云让记者把摄像机对准电脑，然后从杭州打长途到上海联网，三个半小时以后，终于从网上调出了望湖宾馆企业的主页……

多么漫长的三个半小时啊！

客户兴奋了，来宾兴奋了，记者兴奋了。但最兴奋的还是中国黄页的创业者，经过四个月的煎熬，他们终于从网上亲眼看见了自己的网页！

委屈和幸福的泪水在流淌。马云终于洗去了骗子的罪名。

从此，杭州人相信了马云。

但怀疑马云是骗子的不仅是杭州的客户。当马云第一次北上到京城，游说中央各部委和新闻媒体时，仍有人怀疑他是骗子。甚至当上海、杭州开通了互联网业务后，在那些没有开通的省市拓展业务时，当地人还把马云当骗子。一直到1998年网络潮起，马云才最终摆脱了骗子的罪名。

马云被当成骗子从一开始就是误解和猜忌的结果，但马云被骗从一开始就是残酷的现实。

由于资金匮乏，公司举步维艰。为了寻找资金，马云费尽了心机。1995年下半年，五个深圳老板主动到杭州找马云，说愿意出资20万元，做黄页的代理。马云一听感激涕零，立刻将公司模式，技术支持和盘托出，老板们听完说还没弄明白，马云便派技术人员到深圳，昼夜不停地为其建立系统，老板们终于满意了，通知马云三天后到杭州与黄页签合同。马云苦等了三天，音信全无，再催，得知老板们刚刚开过新闻发布会，拿出来的东西与黄页的一模一样。此时马云才知道受骗了。"当时真受不了，但我还是把它扛下来了。"事后马云这样说。

在创建中国黄页的几年中，马云至少被骗过四次。骗他的不仅有商人，有企业，有机构，甚至还有媒体。

在一个信用缺失的年代，被骗几乎是每个企业家的宿命，是其必经的磨难。

不管有多少损失，多少委屈，也不管有多大打击，多大压力；马云都扛下来了。"打碎了牙咽到肚子里"，马云从小练就的抗击打能力，在残酷的商战中得到了不断提升。

不管有多少人骗他，马云从一开始就坚守诚信的道德底线。尽管他曾被人当作骗子，但他绝不骗人。他奉献给客户和社会的，是货真价实的东西，是崭新的观念，崭新的产品，是崭新的商业模式。

就像那个传说中的阿里巴巴，他带给人间的是真正的财宝。

第一次北上

1995年12月，马云第一次北上，目的地是北京。

到了1995年底，经过数月苦战，中国黄页成功地发布了杭州电视机厂、望湖宾馆、无锡小天鹅、北京国安足球俱乐部等中国第一批互联网主页，为互联网商务应用播下最初的火种。12月，中国黄页和浙江省合作，成功地把浙江省的"金鸽工程"发布到互联网上，此事引起了不小的轰动，连美国都发来了贺电，祝贺中国政府上网。

这一年，公司还是有点亏损。虽然中国黄页成功地把一些中国企业的主页发布在互联网上，虽然不少被送到网上的企业收到了反馈，甚至也有企业从网上得到了订单，但总体效果还不理想。其中一个重要原因是访问中国黄页的人太少了。

全部是企业广告的中国黄页，访问者自然很少。为了扩充丰富网站内容，为了把新闻、信息、体育、文化等搬上中国黄页，马云决定北上，因为北京才是信息的大本营。

同时马云也感到杭州这个城市太小了，既不是全国的信息中心，也不是全国的经济文化中心。当他们到外省市发展业务时，上海、广州等大城市根本不买杭州小公司的账。马云感到杭州已经制约了中国黄页的发展并渐渐萌生了将公司总部迁往北京的念头。

马云开始是只身赴京的。在北京他得到一个叫钱锋的朋友的帮助。钱锋外号钱大爷，其实当时还不到30岁，他开始在四通公司干，后来自己出来做BB机生意。为了帮马云，钱大爷放下了自己的生意，开着一辆捷达车，全天候陪同马云，那真是舍命陪君子（钱锋后来去了加拿大）。

从此在寒风凛凛的北京街头，在各个部委的大楼前，在几大媒体的大门前，多了两个永远是脚步匆匆的人。小个是马云，肩上老是背着一个笔记本电脑，高个是钱锋，手里老是握着把汽车钥匙。

那时的北京还没人知道中国黄页，更无人知晓马云。

为了在北京造势，马云首先想把从杭州带来的资料拿到北京一家媒体上发表。在当时这是一件很困难的事，因为北京的媒体还不敢大张旗鼓地宣传互联网。当时中国政府对于互联网的态度还不明朗。有关网络高速公路的争论也刚刚开始。两种观点针锋相对，一种观点认为，中国不能发展信息高速公路，否则将被西方发达国家所控制；另一种观点认为，中国必须加快发展互联网，否则中国将被数字鸿沟挡在信息时代之外。

政府没表态的事，媒体当然不敢轻举妄动。

马云最后还是通过一个报社的司机找到了一位报社的老总，这位老总就是我，当时我在《中国贸易报》任副总编辑。

马云和钱锋到我家里来，开始只打算谈两小时，后来谈了整整半天。那是我和马云的第一次见面，从此开始了我们之间长达十年的友谊。

马云那天依然是背着那台386笔记本。他从电脑中调出中国黄页的主页，一页一页演示给我看。当时因为网速太慢，所有的网页都是储存在硬盘里的。面对电脑屏幕，马云神采飞扬，云山雾罩地侃了几小时，而钱锋在旁一言不发。

回想当时，马云的确把我说动了。我相信互联网一定是未来发展的大趋势，互联网不仅将改变中国而且将改变世界。我也相信马云扮演的是网络产业伟大开拓者的角色，相信开拓这个前景无限的互联网产业要靠政府力量，也要靠民间力量。但我当时还不能坚信马云一定会成功，我依稀感到马云有可能成为成功的网络先锋，也有可能成为第一批英勇牺牲的网络烈士。不管结果如何，我都有责任和义务帮助他。

几天以后，我把《中国贸易报》记者江勇写的5000字长文《走近马云》发表在《中国贸易报》上，这是北京媒体第一次报道马云和中国黄页。

马云急于把新闻、文化、体育等各种信息搬上黄页，于是我带他拜访了国家信息中心。合作没谈成，对方顾左右而言他，潜台词是，堂堂国家信息中心怎会与你这个个体户合作?

后来我又带他拜访了《经济日报》(我曾在那工作过十年)信息部，结果也没有实质进展。接着马云和钱锋又去拜访文化部、国家体委，得到的还是闭门羹；马云甚至提出把自己抢先注册的“中国文化”、“中国体育”域名免费奉送，人家也毫不领情。

这时,马云认识了在中央电视台“东方时空”栏目工作的杭州老乡樊馨蔓。樊馨蔓非常仗义，虽然她听不懂马云的网络模式，但却被他的热情打动了。她对马云说：“马云啊，你的后果自负，跟我没关系，只要是合法的。但我可以记录你的这个事情，因为我们做的是‘生活空间’，这个节目就是讲述老百姓自己的故事。你有理想很好，我们可以记录你实现理想的过程，但是结局你是要自己收场的。你这个牛吹出去了，万一你是胡闹，或者最后结果证明你是典型的胡思乱想，我们也无非记录了一个善于幻想的人的一段经历。”

樊馨蔓的态度代表了当时大多数媒体记者的态度。他们还不能理解马云和他的互联网。向来号称敏感的记者尚且如此，遑论他人。

虽然不能理解，但樊馨蔓还是做了一件功德无量的事。她拍了一部名为《书生马云》的专题片，真实记录了马云在京的凄凉遭遇。如今这部专题片弥足珍贵，片中可以看到当年马云在北京现场推销的画面，看到他到处碰壁到处吃闭门羹的画面。

“在片子里，他就像一个坏人，虽然滔滔不绝，但表情总有一点鬼鬼祟祟。他对人讲他要干什么什么，要干中国最大的国际信息库，但再看听者的表情就知道，人家根本不知道他说的是什么。”樊馨蔓如此评说。

这部片子是互联网早期在中国遭遇的真实写照。从中可以看出，马云当时是多么超前。

马云在北京的上门推销，在各大部委和各大媒体中的高层公关，都以失败而告终。马云不但没有签下一个合同，没搞到一条信息，甚至没有拿到一份订单。

马云走访《人民日报》时，开始露出一线曙光。

当时一些工程院院士认为网络不符合中国国情信息高速公路，离中国太遥远。马云在《人民日报》信息部讲课时，愤慨激昂地说：“对于发展国家来说，中国搭上的是末班车，错过了就很难再有机会了，对于处于劣势的我们来说进攻是最好的防御。”

时任《人民日报》总编辑的范敬宜，听完马云的讲课后深受启发并认为政府上网是一种必须。第二天范敬宜就给中央打报告，申请《人民日报》上网。报告很快就批下来了。《人民日报》上网工程启动了。马云为了拿下这个工程，把中国黄页最好的工程师调到北京，为《人民日报》精心制作了好几个主页。毫无疑问，在制作网页方面，中国黄页当时的技术是国内最好的，但《人民日报》主管工程的人还是把这个项目给了别人。

马云又是竹篮打水一场空。唯一的安慰是《人民日报》为他报销了杭州到北京的来往路费。

数日后，我帮马云在长安俱乐部的雷吉尔餐厅搞了个新闻发布会，请来30多位报界老总，也请来了几位有投资能力的地产商。因为我知道马云急缺资金。

马云和他的技术人员为了准备这个新闻发布会，苦干了两天两夜。但要开会了，又听说上面发下文件不让宣传互联网，弄得马云整个一个没脾气。

新闻发布会开始后，黄页的工程师们摆上电脑，当场演示从电话线上下载的中国黄页的页面，马云激情演讲了一小时，从网络应用到网络前景，但莅会的老总和记者们似乎只听懂了三分。会后会餐时，我为马云找来了两个大款，目的是想帮急缺资金的马云融点资。马云又为老板们演示讲演了一小时，讲完，两位实力雄厚的企业家反问：“这样的东西国家会让民营企业来搞吗？”我和马云无言以对。

老板们的担心不无道理。

既然网络技术国家都没有放开，何谈网络内容？

还是那句话，马云太超前了。中国黄页生不逢时。

《书生马云》专题片的最后一幕是，马云疲惫地坐在北京的公共汽车上，望着车窗外的街灯，一脸茫然，神色凝重„喃喃地说：“再过几年，北京就不会这么对我，再过几年，你们都得知道我是干什么的，我在北京也不会这么落魄！”

1995年底，正是杨致远的雅虎起飞之时，也正是贝索斯的亚马逊诞生之时。假设马云的北上成功，假设马云顺利地把新闻、财经、文化、体育装进中国黄页，中国黄页会不会成为中国雅虎，成为中国的第一个门户网站？果真如此，中国门户网站的诞生就无需等到1998年，中国互联网的历史就得重新改写，中美网络产业的差距就会大大缩短。

但果真如此，马云的阿里巴巴呢？马云的B2B呢？中国的电子商务呢？

然而历史从不接受假设。1995年底马云的失败是历史的必然。那时的中国还没有做好准备接受互联网，也没有做好准备接受马云这位中国互联网的先驱！

记得在《人民日报》演示时，马云激动地说："现在要迅速抢占信息时代的制高点，在操作系统和网络电子商务上中国再落后，那么全世界就要被洋鬼子抢去了。"

马云是个精明的有远见的商人，但同时也是一个爱国者。他看到了美国互联网高速发展的势头，也看到了网络带来的巨大机遇和挑战；他想帮祖国迎头赶上，他想帮祖国抹平数码鸿沟；他不明白国家民营一齐上有什么不好？

在资金极其困难的时候，马云花钱在报纸、杂志和电视上普及网络知识，宣传互联网应用，并为此付出了极大的热情和精力，这些本该是国家应做的事。

马云是网络时代的先行者和探索者，是中国商用互联网的开拓者和创业者。是马云第一个把商用互联网引入了中国，开创了企业主页发布的互联网商用模式。

筚路蓝缕、披肝沥胆、千辛万苦……这些马云都能忍受，唯一不能忍受的是人们的冷漠、歧视、不理解；是人们视其为骗子，是人们无视他拳拳爱国心。

有时，我看着他布满血丝的双眼和四处奔波的背影，心里一阵发酸：难道这就是历史送给先行者的礼物吗？

我并不是马云前五年创业的见证者，我只看到了他在北京碰壁的那一小段。但我能理解为什么提起当年，马云要用"五年苦难，五年残酷"这样的词。

当时，我隐约感到，马云的事业代表着未来的方向。他也许会成功，但不是在现在而是将来，因为他太超前了。

3 高位出走

中国黄页是马云超人商业智慧和敏锐市场洞察力的产物，是马云抢到的中国互联网市场上的绝对先机。从1995年上半年到1997年底整整两年半的时间里，马云为黄页倾注了所有的智慧、心血、时间和精力，为黄页创造了运营模式和盈利模式，并最终为黄页创造了年营业额700万的奇迹。

但最终的结局是什么呢？马云不得不被迫辞职北上，不得不被迫放弃所有股份。

辛苦一场到头来黄页给了马云什么呢？一无所有！

但并非真的一无所有。黄页给了马云苦难、磨难、委屈和打击，给了马云经验、教训、失败和成功。所有这些都是比金钱和股份更为宝贵的东西。

中国黄页是马云的失败也是马云的成功！没有中国黄页就不会有阿里巴巴！

泪别黄页（当然马云没有哭），很悲壮也很耐人寻味。“风萧萧兮易水寒，壮士一去兮不复还。”杭州那天大雨滂沱，天冷水寒，但马云在挥手告别故乡时说的是：“杭州你等着，我会回来的，我一定会回来！”

竞争对手

“从中国互联网十年历史看，我是第一人。”马云的这句话没有错。

成立于1995年4月的海博网络技术有限公司的确是中国第一家网络公司，其中国黄页也的确是中国第一家商业网站。黄页创办一个月后，张树新的瀛海威在北京问世。

马云是中国互联网的先驱无可置疑。然而马云究竟领先了对手多少呢？细算只有一个月，最多不过半年。

在商业大潮汹涌澎湃的九十年代，中国市场上拷贝跟进的速度是惊人的。

从1995年上半年到下半年，经过几个月地艰难开拓，马云和他的中国黄页团队成功创办和运营了中国第一个商业网站，成功推出和验证了一个崭新的电子商务模式，虽然这个模式很简单，就是在网上发布企业广告。年末盘点，中国黄页还没有盈利，但当时的营业额已经突破百万，而且离做平只差一点点。特别是浙江省“金鸽工程”的推出，开了中国政府上网的先河。中国黄页的开创作用和示范效益是巨大的。

到了1995年年底，马云遇到了第一个竞争对手，“中国之窗”，这个网站的背景是中科院。中国之窗给中国黄页造成的威胁并不大。

但是到了1996年初，几乎一夜间冒出了好几家堪称强大的竞争对手：“东方网景”、“亚信”、“西湖网联”……新生的中国互联网市场的竞争骤然激烈起来。

中国的互联网市场从此不再寂寞，而中国黄页也从此不再孤独。

田溯宁实力雄厚的亚信差点成了中国黄页的死敌，幸好田溯宁发现在网站业务这块自己的优势并不比中国黄页大，于是转向光纤铺设和网络工程建设。田溯宁几年后成了中国网通的掌门人。

西湖网联就不同了。这是家门口的对手，而且两家实力悬殊。当时西湖网联是拥有3亿多资本的国企，而中国黄页的注册资本只有10万元。西湖网联从中国黄页的成功中看见了互联网市场的前景，于是开始全力抢占这块市场。

这是一场实力悬殊的不公平竞争。西湖网联财大气粗，中国黄页势单力薄；西湖网联有政府背景，中国黄页只有民间身份；西湖网联垄断着网络技术平台，中国黄页只能依靠海外服务器。在杭州老百姓眼里，西湖网联是正规军，中国黄页是游击队。正规军打败游击队是没有问题的。但竞争的结果却是中国黄页占了上风。连杭州市政府都承认，中国黄页做得比西湖网联好。

中国互联网产业从一起步就有政府搞还是民间搞的争论。由于马云的率先创业，使中国第一家互联网企业有了民营色彩。

早在1995年，弱小的民营中国黄页就曾经战胜过强大的国营西湖网联。这个案例早早预示了民间互联网企业的强大生命力。

在1996年初，马云的中国黄页的一时取胜，并不能化解公司面临的危机。资金匮乏，资源匮乏，信息匮乏。身处杭州的黄页要想完全摆脱西湖网联的阴影也是不现实的。

马云北上失败，把新闻、体育、文化装进中国黄页的计划泡汤，把中国黄页变成中国雅虎的壮志落空，也使把中国黄页总部放在北京的计划根本无法实现。

1996年初，黄页一度发不出工资。好在马云启动的代理制很快有了成效。纺织进出口行业的广告代理签单。10万元打进黄页账号，解了黄页燃眉之急。

为了生存，为了长远发展，为了得到资金支持，也为了背靠大树好乘凉，马云决定中国黄页与西湖网联合资。

中国黄页将资产折合人民币60万元，占30%的股份；西湖网联所属的南方公司投资140万人民币，占70%的股份。

在合资后的股份公司中，马云仍出任总经理，但大股东肯定是南方公司。

对于10万元人民币起家长期患资金饥渴症的中国黄页来说，140万就是个天文数字。有了资金支持的中国黄页业务扩展大大加快，到了1996年年底，中国黄页不但实现了盈利而且营业额突破了700万。

分道扬镳

对于一个正在成长的创业公司来说，有时，合资并不是一条出路，尤其是两种文化两种模式两种所有制的合资。

从某种意义上来说，中国黄页与南方公司的合资是一种变相收编，也是一种变相国有化。

合资之后，尽管公司业务在推进，但双方的裂痕则愈来愈深，直致破裂。

1995年和1996年的马云，心中一直装着一个伟大的梦想：把中国黄页打造成中国雅虎。应该说马云当时还是有机会有可能的。第一，中国黄页毕竟是中国第一家互联网企业，占有绝对的先机；第二，中国互联网产业起步虽晚但市场巨大；第三，马云的创新能力和市场感悟使中国黄页一启动就找到了一种成功的盈利模式。正是这个盈利模式以后困扰了中国网络企业多年，无数网站倒闭的根本原因也是徘徊多年死活找不到一个盈利模式。

但马云还是失败了。摧毁马云伟大梦想的是两把重锤：一是北上失败，二是合资失败。相比而言，无疑是第二把重锤制造了毁灭性的效果。

中国黄页与南方公司合资不久，裂痕就出现了。

马云的战略目标是打造中国的雅虎，为此制定了一系列品牌培育策略，但南方的目标是赚钱，为此它也有一套急功近利的经营策略。对此马云曾说："做'.COM'公司如同养孩子，你不可能让三岁小孩去挣钱吧！"

随后，双方分歧日深。几乎马云所有的经营方案都被大股东否决。此时，马云这个总经理已经难有作为了。

几个月后，破裂终于不可避免。

马云带人到外地拓展业务，回到杭州一看，公司大变。南方自己又注册一家自己的全资公司，名字也叫"中国黄页"。

为了利用中国黄页已有的品牌声誉，东方公司建立了一个"chinesespage.com"网站，和中国黄页的"chinapage.com"相近，而且中文名字都叫中国黄页。于是杭州有了两个"中国黄页"。

新黄页利用老黄页之名开始分割老黄页的市场。两家黄页一个套路，同城操戈，自相残杀。做一个主页，你收5000，他就收1000……刚刚起步的商用互联网陷入混乱之中。

直到现在马云才明白，西湖网联并无合作诚意。"因为竞争不过你，才与你合资，合资的目的是先把你买过来灭掉，然后去培育它自己的100%的全资黄页。"

马云一手创办了黄页，在他眼里黄页就是他的亲生儿子。两年多来，马云带领黄页团队左突右杀、浴血奋战，好不容易打出一片天地，到头来突然发现"儿子"已经改姓，天地已经易主。

悲愤至极痛苦至极的马云，为了保住黄页，为了迫使对方关掉新黄页，愤然提出辞职。紧接着，中国黄页的全体员工也提出辞职。

黄页的辞职风潮惊动了《人民日报》记者。

辞职风潮后来虽然平息，但马云知道大势已去，这个别人控股的黄页已经不可久留。

就是与美国的网络先驱比，马云创建中国黄页的时间也并不算晚。

然而两年之后，雅虎如日中天，亚马逊闻名遐迩，而中国黄页却面临分崩离析。再次饱尝失败苦酒的马云，不禁仰天长叹。

但马云并没有流泪，也没有被击倒。“每次打击，只要你扛过来了，就会变得更加坚强。通常期望越高失望越大，所以我总是想明天肯定会倒霉，那么明天真的打击来了，我就不会害怕了。你除了重重地打击我，还能怎么样？来吧，我都能扛得住。”马云事后如是说。

自从1995年上半年下海创办黄页到1997年下半年黄页变色，马云已经在网络江湖闯荡了两年半。虽然大业未成，但也名声在外。

1997年10月，马云偶然认识了外经贸部的王建国。

不久，久闻马云大名的外经贸部中国国际电子商务中心（EDI）诚邀马云加盟，共创大业。

马云考虑再三决定二次北上，毕竟外经贸部这棵大树比杭州通信粗多了，但真正使马云下决心再次北上的原因，还是EDI的业务与马云的电子商务情结之间的联系。

到了1997年底，马云去意已决。

离开黄页对于马云来说，不仅是自断其臂，而且是自剜其心。中国黄页曾是他的所有事业和未来，是他的全部希望和梦想！

1997年11月的一天，马云和他的中国黄页团队（这时的黄页已经有了将近40人）一起乘车前往桐庐的红灯笼度假村。这是一次集体出游也是一次集体婚礼，几对黄页的新人要在度假村举办集体婚礼。

在度假村的晚宴上，马云站起来让大家安静一下，然而宣布了北上之事，并宣布了随他一起北上的8人名单。突如其来的消息让大家惊呆了。对于这些同创业共患难，朝夕相处，亲如兄弟姐妹的年轻人来说，这消息犹如晴天霹雳。因为走的不是别人，而是黄页的创始人，是整个团队的领袖和灵魂。谁都知道马云的离开意味着什么。

长时间的沉默之后，人群中突然迸发出哭声。开始一两个，后来一大片，当时在场的女员工几乎都哭了。“男儿有泪不轻弹”，从不掉泪的马云没有哭，即将随行的8员大将也没有哭。

回到杭州时，大雨倾城。几十个情绪激动的年轻人，以雨洗面，以泪洗面，走进了一家餐馆，含泪举杯为马云一行饯行。马云也动情地说：“我去北京但并没有离开黄页。去北京是去做一个事业，想把黄页带起来。如果北京能做成，杭州至少也会有一个分公司，那时一定回来，回来和大家相聚，我不会丢下你们不管的。希望留下的人在杭州好好工作，等我们回来！”

那时的马云并没有想完全放弃黄页。马云带走的8个人，应该说都是中国黄页的骨干。他们只是第一批。后来黄页中还有人陆续北上进京。这些人后来都成了阿里巴巴的创始人。

走还是不走，当时的抉择决定了许多人一生的命运。

马云并没有带走中国黄页所有的骨干。他为黄页留下了不少人才，甚至把最好的工程师也留给了黄页。

不管过去发生了什么，马云还是真心希望中国黄页在他走后，还能生存，还能发展。

两年之后，我又问起中国黄页的命运。马云说，黄页还存在，还坚守着那块阵地。“我是在黄页赚钱时走的，那年黄页的营业额是700万。我马云不会在失败时放弃，只会在成功时离开。黄页毕竟是我们的儿子，不管黄页今后怎样，我们都不会动它一根手指。”

李芸是马云的第一个秘书。马云在夜校教英语时，李芸是马云的学生。1995年9月，李芸加入中国黄页并成为马云的秘书。李芸除了专职秘书外，还负责公司财务和招聘。她在这个岗位工作了两年多。

1997年11月泪别桐庐时，李芸也在场，但那时还没结婚。几周后，李芸结婚。新婚的李芸不顾两地分居还是跟随马云到了北京。但李芸在北京只待了一个月就回到了杭州回到了黄页，原因是她觉得家庭的稳定更重要。

1998年2月，马云夫妇回杭，由何一冰牵头，包括李芸在内的黄页老员工一起请马云夫妇吃饭。宴会上的气氛很融洽。会上还谈到把EDI的业务分给黄页一些，帮助黄页度过发展期的话题。但不久李芸就发现马云和何一冰渐渐产生了矛盾。马、何的矛盾让李芸很为难。

1999年初马云重回杭州创建阿里巴巴时，打电话叫李芸参加。马云知道李芸的难处，建议她先回家待三个月，然后再到阿里巴巴来，这样压力会小一些。李芸思索再三最后还是没有去。

几个月后，收购马云股份的10个员工中有李芸。2003年8月，李芸离开名存实亡的黄页来到一家化妆品公司任职直到现在。

李芸没有去阿里巴巴，也没有再回到马云身边。假如李芸去了阿里巴巴，她的人生轨迹就会完全不同。

5年之后，马云和我谈起此事，依然充满感伤和遗憾。5年之后，李芸和我重提旧事，眼圈里依然有泪水。“有时候去看看他，一起聊聊天，这样也蛮好。”李芸最后对我说。

4 “我要创办全世界最好的公司”

马云二次北上的目的地还是北京,目的不是去找信息而是与官方合作二次创业。

这一次，马云没能把黄页的总部迁到北京，但把他的部分团队带到了北京，可谓移师京城易地再战。

这次马云和他的团队在北京只待了一年零两个月。他们做成了许多事：做了外经贸部的内网，也做了它的外网；搞了合资公司，并做到了一年盈利。似乎一切都很成功。

但这次马云还是失败了。他最后还是放弃了北京，率队再回杭州创建阿里巴巴。

马云在京的日子似乎并不快乐，有时甚至很郁闷。他说：“在北京那一年多吃的苦胜过在黄页时……”可他团队中的大多数人的感觉却是开心。

马云在北京到底承受了多少压力和痛苦,他与外经贸部的相关部门到底发生了什么分歧，将永远成谜。因为马云从不告诉任何人。

移师北上之后紧接着就是挥师南下,杀回老家重新创业,那已经是第三次创业了。时间是1999年2月。此时的中国大地已是网络大潮排山倒海，新浪、搜狐、网易、8848相继而起，来势逼人，而作为中国互联网先锋和元老的马云依然两手空空、前路茫茫。于是有人说，他才是起了个大早，赶了个晚集。

但这一切并不是结局。马云没有认输，没有放弃，也没有退出历史舞台，互联网的好戏还在后头。

二次北上

1997年12月，马云率队二次北上。这次北上是坐火车走的。

第一批跟随马云进京的有8人：孙彤宇、吴泳铭、盛一飞、麻长炜、楼文胜、谢世煌，再加上马云和张英。后来又有了第二批和第三批：彭蕾、韩敏、蒋芳、戴珊和周越红。北京团队三批共来了13人。

马云受邀率队北上实际上是来加盟外经贸部所属的中国国际电子商务中心(EDI)，马云出任该中心信息部总经理。

EDI重金邀请马云北上的目的是做网站。外经贸部毕竟是做外贸的，它是国务院各部委中最先上网，最先建立电子商务的。而这第一个部委网站就是马云团队做的。

所谓重金是指当时马云的北京团队的人每月能拿到上万元的工资，这在当时的北京已经算很高的了。

但EDI毕竟是政府的机构，因而它的网站建设思路也具有浓浓的政府色彩，路数还是依靠政府力量依靠红头文件。EDI要马云团队建设的这个网站实际是个外经贸部的官方内网，靠各地拉光纤联在一起。这个内网是收费的，收费的办法是靠红头文件。

马云是靠互联网起家的。他破釜沉舟撇家舍业所献身的也是互联网大业。因而马云一开始就反对这个内网方案并试图说服EDI把网站建在互联网上。尽管马云反对，但他这个EDI下属部门的小经理做不了主，方案还得部里官员定。

于是马云的北京团队就开始按照官方的意志建设内网。当时的北京团队云集了不少在网络江湖摔打了好几年的高手，做网站对他们来说已是轻车熟路。

网站做得很快也很成功，但网站的运营并不顺利。红头文件下去了，但反应寥寥。越来越市场化的中国企业已经不会轻易为政府买单了。

二次北上时，也许真是"壮士一去不复还"。从杭州出发时，张英租了一个集装箱，把家整个端到了北京。不久马云和张英还把儿子接到北京上小学。当初并没想到回去，当初肯定是想在京城大干一场。

刚到北京时，整个团队都住在外经贸部位于潘家园的集体宿舍里，办公地点在外经贸部7号楼。

12个人分成三群，分住在三套房间里。房子很简陋。

开发网站的工作很苦很累，还得经常加班。时值寒冬腊月，北风呼啸。每天早上，大伙都要在潘家园等公交车，车很难挤上，出租车又很难打着；遇见大雪纷飞，车就更难坐，时常天黑才能回到家里。每天早出晚归，几乎见不到太阳。

周日大多用来休息睡觉。这些江南游子，西湖丽人，很难习惯北京的生活。

好在大家住在一起，吃在一起；上班一起走，下班一起回，其乐融融，就像一个大家庭。假日，大家经常到附近的一家东北饺子馆去撮一顿，小鸡炖蘑菇是他们必点的菜；十几人围坐一桌，自然又是人声鼎沸，笑声飞扬。

晚上，有时楼文胜拿出吉他弹上一曲（楼的吉他造诣非同寻常），大伙围过来，轻声伴唱……那样的岁月很难忘。

马云时常提醒大家：你们必须提高自己，否则就会被淘汰。于是，晚上就开起了英语课，马云亲自为大家讲课。

那时的分工是：孙彤宇负责网站建设和推广，吴泳铭和周越红负责技术，楼文胜负责策划文案，谢世煌负责财务，张英和彭蕾负责行政和服务，其他人则做网站编辑。因为人手少，分工很初步，多数人都是一人负责好几摊。

艰难时期的马云，依然抹不掉浓重的浪漫主义色彩。有时他会拿着一串钥匙对大家说：你们可以想象这就是你们在法国庄园宝马车库的钥匙。他永远在做梦，也没忘了不断给大家做梦的机会。

最难的是与EDI的磨合。

马云继续游说EDI建互联网。几个月后，EDI成立了合资的国富通信息发展有限公司，马云虽然在公司占有股份，实际上还是每月拿工资。

国富通成立后搬到了崇文门的新世界饭店，马云也带队到新世界上班。部里的官方网站只留下韩敏一个人，其他都是EDI信息中心调过去的人。突然离开团队，韩敏有些孤独。每天下班，她都从长安街走到新世界，然后和大家一起回家。

马云团队在北京的一年多里，成功地推出了网上中国商品交易市场、网上中国技术出口交易会、中国招商、网上广交会和中国外经贸等一系列站点。其中，外经贸部站点成为国内部委中最早上网的政府站点，也是1999年中国“政府上网工程”的推荐优秀站点；网上中国商品交易市场是中国政府首次组织的互联网上的大型电子商务实践，被当时的外经贸部部长石广生称为“永不落幕的交易会”。同时，马云还与雅虎杨致远合作，使国富通成为雅虎在中国的独家广告代理。

实际上，北京团队的任务是两大块：一块是外经贸部官方网站（是个大内网)，开始大家一起做，后来留下韩敏一个人；一块是中国商品交易市场（在互联网上)，这块是马云真心想做的。中国商品交易市场也是收费的，收费的办法是外经贸部在各地建立代表处，然后代表处把当地中小企业放在网上。实践证明，因为中国商品交易市场是互联网，因而企业上网很踊跃，网站很快就盈利了。

马云团队的北京二次创业，业绩是很明显的：国富通和中国商品交易市场网站，都是当年创建当年盈利，而且纯利高达287万元。

北京的二次创业似乎是成功的。新公司和新网站势头不错，工资很高，团队很团结，大家很开心。

但马云不开心。马云也没有成功的感觉。

1998年年底，马云突然向大家宣布：我要回杭州了！

告别长城

马云为何不开心？马云为何郁闷？似乎没人知晓他的重重心事和纷乱思绪。

中国黄页和杭州信通的合作，其实质是马云被“招安”。那一次是为了资金。

马云团队与EDI的合作，其实质是马云二次被招安。这一次是为了平台。

折腾了快五年，马云始终未能摆脱政府的控制。这五年，马云就像孙猴子，而政府就像如来佛。

马云太超前了。他做的毕竟是网络产业而不是传统产业。一个民营企业的成功是需要环境和时机的，所谓天时地利人和一个也不能少。可惜当时马云有的只是人和。在互联网领域，1998年前的中国，根本不存在民营网络公司生存和发展的土壤和气候，根本不可能诞生中国的雅虎！时势比人强。无论是谁都不行，就算你是齐天大圣也不行。马云不行，张树新也不行。

因此1998年以前的马云，失败是必然，成功倒是不可思议。中国的门户网站出现在1998年也是历史的必然，是因为直到那一年中国政府才开放网络产业。试想如果1998年，政府依然管制，不允许网站出现新闻，中国人还能见着新浪、搜狐的踪影吗？

当史家回顾这段历史时，必然会发出这样的感慨：王志东、张朝阳、丁磊是应运而生；马云、张树新则是生不逢时！

马云加盟EDI不久就发现，这不是他的公司，而是政府的公司。无论是EDI还是国富通，都不是让马云自由驰骋的平台。

随着时间的推移，两种思维两种模式的冲突日见明显，商人和官员的冲突日见剧烈。

尽管EDI给了马云很高的礼遇，很高的职务，很高的薪金，但马云心里清楚：他不过就是一个做网站的高级打工仔。他和他的北京团队一直都是外经贸部的编外人员。如果部里有会做网络的人才，谁会找他们？

在马云参加的外经贸部的大小会议上，那些中央和地方的经贸官员，谁会把马云看在眼里？在官本位的中国，这一切本来就是常态。

张英后来回忆说："我知道马云受冷落，但他是个很乐观的人。从我认识他到现在，他从来不说今天很郁闷，很气愤，他总是用平常心对待这些，总是给我希望。"

马云的痛苦和烦恼从不表现出来。但是马云进京是来创业的，是来追寻他的互联网梦想的，他不是来挣钱的。随着时间的流逝，马云再也付不起这巨大的机会成本了！

到了1998年底，网络大潮席卷全球，中国也第一次出现了网络热。五花八门的网站如雨后春笋，新浪、搜狐、网易一路高歌猛进，曾是中国网络第一人的马云，起了个大早赶了个晚集的马云怎能不心急如焚？

这一年的7月，刚进中国的雅虎创始人杨致远真诚邀请马云出任雅虎中国的总经理，被马云拒绝了（但马云和雅虎的因缘还没有完）。这一年年底，刚刚起步的新浪重金诚邀马云加盟，也被马云拒绝了。

此时的马云，有点像辛稼轩："把吴钩看了，栏杆拍遍，无人会，登临意。"

马云终于再次做出了痛苦的决定：放弃北京，回杭州二次创业（实际上是第三次），从头来过！

决定之后，马云把他从杭州带过来的团队召在一起，对他们说："我近来身体不太好，打算回杭州了。你们可以留在部里，这有外经贸部这棵大树，也有宿舍，在北京的收入也非常不错；你们在互联网混了这么多年，都算是有经验的人，也可以到雅虎，雅虎刚进中国，是家特别有钱的公司，工资会很高，每月几万块的工资都有；也可以去刚刚成立的新浪，这几条路都行，我可以推荐。反正我是要回杭州了。"

接着马云又说："你们要是跟我回家二次创业，工资只有500元，不许打的，办公就在我家那150平方米里，做什么还不清楚，我只知道我要做一个全世界最大的商人网站。如何抉择，我给你们三天时间考虑。"

像当年在桐庐一样，马云的决定又一次在团队里引起轩然大波。所不同的是这次没人哭。

大家讨论时，很多人不能理解马云的决定，也有人坚决反对这个决定。

楼文胜事后回忆说："也许是因为年龄大保守，我总是最后一个改变现状的人。回杭州我是最反对的一个，北京做得挺好，为什么这么快抛弃刚创业的东西？当时不知道是自己的短视。"

谢世煌反应也很激烈。"从终点又到起点，不断创业，不断漂泊，这是为什么？"

孙彤宇心里也很郁闷："从业务上业绩上，从任何角度看，我们都干得不错，没有任何理由一定要重新开始从零开始。"

不管多么反对，多么不理解，但到做抉择时，大家没有任何犹豫，也无需三天时间考虑，五分钟后抉择就出来了：全部跟马云回杭州！

彭蕾后来追忆道："马云给我们三天考虑，我几乎没什么考虑。对于北京我没什么留恋，对于钱也没有强烈的欲望。一起来当然一起回去。"

毕竟这是一个合作多年、相知多年的团队，这是一帮情同兄弟姐妹的战斗集体。大家都是奔着马云来的，都是奔着团队来的，都是奔着事业和梦想来的。金钱诱惑不了他们，利益也拆不散他们！

泪别黄页，慷慨北上，很悲壮也很迷茫。

泪别北京，慷慨南下，也很悲壮也很迷茫。

虽然在马云宣布回家时，无人落泪，但当真要起身告别京城时，还是有人哭了，毕竟这里有他们难忘的岁月，有他们首创的事业。整整14个月，400多天的日子，真的可以随风而去吗？

告别宴会上，大家竟喝起了北京的二锅头，许多人都喝得半醉，席间弥漫着无奈和沮丧，也洋溢着坚毅和希冀。大家谁也没有认输。不见输赢怎能下赌场？

不知是谁带头，大家一起含泪唱起了《真心英雄》：“在我心中，曾经有一个梦，要用歌声让你忘掉所有的痛，灿烂星空，谁是真的英雄，平凡的人们给我最多感动。……把握生命里的每一分钟，全力以赴我们心中的梦，不经历风雨怎么见彩虹，没有人能够随随便便成功……”

此时此刻，这帮网络江湖的独行侠，这群久经沙场未见成功的老兵，这个志存高远雄心未死的团队，这伙微醺半醉泪眼朦胧的年轻人，为什么选择了这首歌？

五年以后，阿里巴巴首战告捷，在五周年庆典的大礼堂里，二千多名热血沸腾的阿里巴巴员工又唱起了这首歌。而站在前排的那些阿里巴巴的创始人，老歌重唱，又是什么心情？他们还会想起当年那个小酒馆吗？想起他们含泪而歌的那个晚上吗？

分别时，许多人潸然泪下。老楼看见马云也在抹眼泪，但事后马云不承认。

席散天色已晚。推门出来，大雪纷飞。喝多了的谢世煌坐在路边的便道上，突然号啕大哭。如烟往事一幕幕重现眼前：杭州创业，泪别黄页，北京创业，又要泪别北京。“从1995年闯到1998年，该收获了，为什么我们还是这个样子？还是这么迷茫？还是不知道路在何方？”

小谢动情大哭，旁若无人。这时一位北京老大妈走过来，拍拍小谢肩膀说：“小伙子，别哭了，好姑娘多的是。”

临行前，马云和他的团队一行8人去爬长城。京城一年，生活是两点一线，根本没有时间游玩，这是他们第一次上长城。

当他们看到长城的砖墙上刻满了各式各样的“到此一游”时，马云说，这不就是BBS吗？我们的BBS能做到这样就OK了。

“不到长城非好汉”，如今爬上了长城的这支团队还不是好汉。

但他们发誓要成为好汉！

现在谁也记不清当时他们在长城上喊了些什么吹了些什么，只有马云的一句话，至今仍回荡在他们心中的长城上：要做一家中国人创办的全世界最好的公司！

以后好几年，壮别长城的这一幕还会经常出现在马云的梦中。

告别长城后的一周，马云的北京团队开始陆续返回杭州。

第二章 卧薪尝胆，三千越甲可吞吴

中国人喜欢贴BBS，中国长城上每一块砖上都写着某某到此一游，中国人就好这个。人家说阿里巴巴是一个公告板，雅虎是搜索引擎，亚马逊是书店，那又怎么样？最好最成功的往往是最简单的。要把简单的东西做好也不容易。阿里巴巴要像阿甘一样简单。

——马云

5 模式决定行动

马云团队在北京的14个月，并非完全失败。国富通网站当年创建，当年盈利是中国互联网早期绝无仅有的奇迹。抛开业绩不说，马云他们二次北上的收获依然重要。他们毕竟做的是外经贸部网站，毕竟是站在了当时中国外贸的制高点上，和世界对话，和互联网巨头们对话。

马云在这里亲身感受了国家宏观经济的脉搏，感受了世界网络产业的脉搏。建在互联网上的中国商品交易市场一开通，各地中小企业反应热烈的场景不会不给马云留下深刻印象。

马云后来说："我在外经贸部的工作经验使我了解了许多中小企业的需求，也教会我如何让互联网能用于世界和中国的中小企业，这的确对我帮助很大。"

谁也不能否认阿里巴巴是马云和他的团队的一个伟大的创新，阿里巴巴的B2B商业模式堪称是世界互联网上的第四种模式。但这个模式的影子从1995年马云在西雅图放到网上的海博社的网页上就可以找到，那不也是个贴上去的企业信息吗？这个模式的影子从后来的中国黄页的页面上也能找到，只不过黄页上的企业信息是收费的，而且主要是大企业的信息；这个模式的影子更能从北京的"中国商品交易市场"的页面上找到，虽然也同样是收费产品，但那上面已经主要是中小企业的信息了。

阿里巴巴模式是一支年轻团队6个月关门制作，潜心打造的产物，而后横空出世，震惊天下。

但阿里巴巴模式不是凭空创造的。它是有源头，有历史的。

模式

1998年底离开北京时，马云曾对大家说，回去做什么还不知道。其实那时他心里已经有了一个模式。

阿里巴巴的模式来自马云的灵感和直觉，来自他五年的互联网商业实践，也来自他与团队的激烈的思想碰撞。

马云从一开始就觉得互联网是个很灵的工具，它可以节省贸易成本。而全球的每年贸易成本是4700亿美元，这是多大的蛋糕！为什么会想到面对中小企业，那是因为浙江就是中小企业的海洋。

马云心中的网站模式是逐渐清晰的，经营模式更是在实践中逐步探索出来的。后来的阿里巴巴也为大企业做过网，也开过网上商铺，甚至做过饭店预定，直到2001年7月阿里巴巴的“遵义会议”，模式才完全清晰。但这个清晰了的模式并不是马云想象的模式，马云心中的阿里巴巴要到10年后的2009年才能成型。

也许互联网命里注定就是一个模式不断变化永远变化的产业。

1999年2月，新加坡政府组织了一个“亚洲电子商务大会”，会议组织者邀请马云作为中国唯一的与会者。

当时的与会者80%是美国人，演讲者80%也是美国人。所有的演讲者讲的都是eBay（易贝）、AOL、亚马逊和雅虎，轮到马云演讲，马云发出的是唯一的不同声音：“美国是美国，亚洲是亚洲，我们不能照搬eBay、AOL、亚马逊和雅虎的模式，亚洲80%是中小企业，亚洲一定要有自己的模式。”

其后，马云和杨致远有过一次谈话。马云虽然拒绝出任雅虎中国的总经理，但他和杨致远一直保持着朋友关系。

马云问杨致远：“雅虎到底想做什么？”杨致远说：“雅虎想做一切。”马云说：“从理论上讲，你什么都做，往往什么都做不好。互联网的走势越来越纵向化，往横向发展比较难。”但杨致远不这样看。

回来马云反复思索：他要做横向，我就做纵向。互联网上有各种各样的东西，我就做商业，做贸易，做商人的网站，互联网上的电子商务是真正的趋势。

当时的中国互联网一片喧嚣和躁动，人们争相拷贝雅虎、亚马逊（Amazon）、eBay……拷贝网上门户、网上书市、网上拍卖；甚至网上生存、电子商务也被炒得火热。但此时的马云却有一份独有的清醒，在他看来，电子商务对于中国是三年以后的事，因为银行没准备好，配送没准备好。马云感到，美国的三种模式都不适合中国，他要推出的是一种新式的B2B模式——

这就是后来被国内外媒体、硅谷和国外风险投资家誉为与雅虎、亚马逊、eBay比肩的互联网第四种模式。

当时，国内的网站大多数都是门户网站，也有人做B2C，如8848网站。马云认为互联网上商业机构之间的业务量比商业机构与消费者间的业务量大得多；在EDI的实践告诉他，商业机构中最需要电子商务支持的是大量的中小企业。

其实B2B并不是马云的首创，马云创造的是一种独特的亚洲式中国式的B2B网站。这种阿里巴巴模式的B2B的独特之处在哪里呢？首先阿里巴巴是冲着中小企业去的。用马云的话说就是：不抓鲸鱼只抓虾米。欧美B2B都是对着大企业的，马云反其道而行之，声称阿里巴巴是中小企业的解放者。马云说："我为什么不能给他们一个网络出口呢？"他对中小企业进行过调查，发现这些中小企业商人头脑精明，生命力强，非常务实。他们才不管你什么战略不战略，能让他赚更多钱的东西他就会用，他们不会在乎为此花费一些小钱。"电子商务对中小型企业来说门槛并不高。阿里巴巴目前推出的服务全部免费。大企业，买得起别墅，大企业你去用美国的套路，你可以住在别墅区，买不起别墅的肯定就要住公寓了，两居室，我们这些人给他们做两居室，我们要宣传，而且是不要钱的两居室，像康居工程一样。"

其次阿里巴巴不做电子商务全过程（即交易前、交易中、交易后），只做交易前只做信息流。也就是说，阿里巴巴放弃眼下还不成熟的网上交易、结算和网下配送，只做网上信息交流；让客户网上交流信息网下交易；阿里巴巴实际上是一个开放的网络平台，一个虚拟电子市场和全球商人社区。马云说："一谈电子商务，就是要实现在网上的交易，这实际是一个错误的观念。电子商务未必一定要实现交易，我们可以在交易前这个阶段做得比西方更好。提供信息，提供交流，提供通讯。"

"如果把因特网比作影响人类未来生活30年的3000米长跑的话，美国今天只跑了100米，亚洲跑了不过30米，中国只跑了5米，你可能觉得雅虎、亚马逊他们现在跑第一，他们的模式是最好的模式，但是，没准在200米、300米后他们会掉下来。当年网景（Netscape）真牛，但是，一轮后，他连人都找不到。网景当年想打败微软，导致他的失败。人类第一代挖石油的人，都没有发财，到了第二代，才真正富有起来。当时的石油不过是铺铺马路，点点煤油灯，所以，未来的因特网、电子商务根本不是我们今天谈论的东西，就像100年前人们发明电的时候，打死他也不会想到今天会有空调。你无法去想象三五年后电子商务会怎样，除非是算命。中国目前只适合做电子商务第一阶段的工作，那我们就把第一阶段的工作做好。”

马云创造的阿里巴巴模式，看起来神秘莫测扑朔迷离，点透了也很简单，就是一个专供企业使用的免费电子公告板。因此马云说：“我觉得中国有很多的机会，但是每个人千万不要去拷贝国外的模式，也不要以国外有没有这样新颖的模式来判断我们中国的好坏，别人没有的，你有了未必是坏事；把美国的模式搬到中国去，不一定能行。中国人喜欢贴BBS，中国长城上每一块砖上都写着某某到此一游，中国人就好这个。人家说阿里巴巴是一个公告板，雅虎是搜索引擎，亚马逊是书店，那又怎么样？最好最成功的往往是最简单的。要把简单的东西做好也不容易。阿里巴巴要像阿甘一样简单。”

也就是说，阿里巴巴开始时的模式是中国国情和网络市场发展阶段的产物。今日的阿里巴巴早已不可同日而语。它不但引进了信用（诚信通），而且引进了支付（支付宝），未来的阿里巴巴会变成什么样，更难预测。

但1999年的2月，马云找到的模式就是为全球商人做一个大BBS，而且主要面对中小企业。

名字

要做一个全球化的公司，就要找一个全球化的名字。马云和同伴为此绞尽了脑汁。先后想到的名字有：bargain.com，ok.com，open.com，都觉得不理想。一天，马云在网上苦苦搜索，突然迸出了一个alibaba，马云眼睛一亮，再一查，已经被加拿大人注册了，“shit，”马云骂了一句。然后，又继续搜，但再也没有搜到让他兴奋的名字。

马云和多数创始人还是觉得阿里巴巴这个名字好。一是因为它具有普适性和易拼写性，且不带中国色彩。他曾在美国和香港的大街上随机找了30多人，问他们“知道阿里巴巴吗？”回答都说：“知道”。二是因为它使人联想到财富。网络本身就是财富。

想来想去，再没有比阿里巴巴更好的名字了！

既然alibaba.com被人注册，就用alibabaonline.com。阿里巴巴网站前几个月的网页就是这么做的。

为了得到这个域名，马云与加拿大人周旋了好久。马云为此事专门征询当时还在雅虎的吴炯的意见。吴炯后来对我说："买阿里巴巴的域名，对方开价3000美金，马云觉得贵了，我认为太便宜了。我说，你不是要办国际化公司吗？赶快买，省得对方抬价。"听了吴炯的话，马云将3000美元打入了对方账户："我凭直觉对方会同意。"

马云终于买断了阿里巴巴域名。

当年那个抢注阿里巴巴的加拿大人可能庆幸发了一笔横财，可他不会想到，五年之后的阿里巴巴已经价值连城了。

6 看成败人生豪迈，只不过是从头再来

如果1995年上半年开始的中国黄页是第一次创业，如果1997年底开始的中国商品交易市场是第二次创业，那么1999年初开始的阿里巴巴应该是马云和他的团队的第三次创业。

从第一次创业到第三次创业的时间跨度是将近五年。

但有互联网史家认为，第二次不能算创业而只能算加盟，因为那是官方的公司，不是自己的公司，尽管那几个网站都是马云他们亲手做的。

如果此说成立，阿里巴巴就是二次创业。

第一次创业创建中国黄页时，马云提出的口号是：打造真正的雅虎。第二次创业创建阿里巴巴时，马云提出的口号是：要做一家中国人创办的全世界最好的公司。后来又演变为做世界10大网站之一。两个口号都很狂，也都很激动人心。

一开始就高扬理想主义的大旗是两次创业的共同特征。另一个共同特征就是起步艰难。第一次是10万元资金3个人，四处碰壁，四处奔波……第二次是50万元18个人，陋室箪食，彻夜苦战……

集资

马云的北京团队是陆续返杭的。

张英和蒋芳于1998年圣诞节前先行返杭。装修房子，添置家具。张英从家里找来地毯和窗帘，又找来一个烧油的取暖器和几件旧桌椅。一切因陋就简。

对于一个网络公司来说，办公室的关键设备当然是电脑。于是购买电脑的重任就落在了负责财务的谢世煌身上。小谢揣着大家凑来的两万多元，来到电脑市场；但他不敢当场现钱交易，非把电脑商拉到宾馆交易才买下了两台。

电脑安上后，绰号宝宝的周越红一人从北京杀回来，开始开发“alibabaonline.com”的页面。

以后，北京人马陆续返杭。孙彤宇是1999年1月9日回来的，那时办公室里还空空荡荡，里面只有三四个人在工作。春节前，大部队都已撤回。留在北京善后的谢世煌是最后一个回来的，他回来时已是1999年的3月了。

1999年1月，全球互联网的第一个高潮悄然而至。雅虎、亚马逊等美国网站的先行者纷纷上市，美国Nasdaq的股票一路上扬；杨致远等人一夜暴富，孙正义等风险投资商获利几十倍，就连买了网络股的股民也赚了个盆满钵满。中国互联网市场也热闹非凡。网站崛起如雨后春笋，网站烧钱如烧纸；新浪、搜狐、网易不但势头强劲，而且也在跃跃欲试上市。

此时，中国的互联网之父——马云，两手空空，无声无息，而且身体欠佳；此时的马云团队只有十几个人七八条枪，而且情绪低落，内心迷茫。

这就是阿里巴巴诞生的大背景。

1999年1月的一天，马云把十几个创始人召在一起说：“我们开始创业了。请大家把自己口袋里的钱放在桌子上。但有一个原则，第一不能向父母借，不能动老人的退休本钱；第二不能向亲友借，影响人家一辈子的生活；我们是愿赌服输，输了，钱都是自己的；如果不成功，大不了重新来过！”说完，马云率先把自己全部积蓄放到了桌子上。

接着，大家开始你1万他2万地凑，最后凑了50万。

彭蕾说：“虽然在北京的工资不低，但大家都是年轻人，追求高消费，所以没剩下什么钱。”

谢世煌说：“记得大家很可怜，每个人都是一二万，二三万的样子。我觉得我们这帮人都有点好赌。特别是快输光时，很矛盾，是借钱再赌下去呢还是就此不干了？”

大家凑出的这50万元人民币，就是阿里巴巴的种子资金。

这次集资意义深远。第一，它决定了公司的性质是合伙人的股份制公司。当时中国人创办公司绝大多数是自己控股，自己当老板，而且一般控股都在60～70%以上。以后即便股权稀释，创始人也永远控股永远是大老板。就连新生的网络公司也未能免俗。阿里巴巴的50万启动资金，马云自己完全可以解决，无非多借点而已。当时马云要想控股要想当老板轻而易举，而且团队其他人也不会反对。但马云还是慷慨地把自己的股份分给了18个创始人。他看重的是团队，是朋友，是友情，这是阿里巴巴价值观的源头。他说："我们很健康，股份每个员工都有，最大的股份在管理者手里。这是个很科学的概念，我们不是东方家族企业。"第二，它把阿里巴巴一开始就放在了一个坚实的可持续发展的轨道上。马云当时就接受了西方最先进最健康的公司理念。他说："家族气、小本本主义、小心眼，这些东西都不行，西方的公司是用制度来保证，而我们中国人是用人来保证。"他当时就提出：公司是永远的，人是会换的！正是这个理念这个制度保证了阿里巴巴持续长远的发展，才使阿里巴巴有可能做一个持久的伟大企业。

第一次员工大会

1999年的2月21日，阿里巴巴召开了第一次员工大会。这是阿里巴巴第一个具有历史意义的会议。与会创始人一共15人。其实会议现场只有13人，另外两人是通过电话接听会议的。

阿里巴巴的第一次员工大会实际上也是创始人大会。与会者全部是阿里巴巴的Founder。金建杭说："我手里有盘录像，内容是阿里巴巴的第一次成立筹备会，每个人神情严峻，尽管马云很会调动气氛，但大家脸上没有笑容。"

会议开了两个多小时。马云在会上的演讲依然慷慨激昂，但神情也有点凝重。马云说："1995年我做出的决定，我对自己讲可能改变了自己一辈子所从事的事业。而今天，我把大家请过来，跟大家探讨至少五年十年我们要做的事情。雅虎的上市，亚马逊的上市，这一系列公司的上市，导致我们在想，Internet是不是已经到了顶点？雅虎是不是已经做得差不多了？我们再跟下去的话是不是太晚了？所以我们大家今天到这里来都很着急，都在想我们这么做下去前途在哪里？到底有没有希望？玩下去玩一个什么东西出来？我们有可能变成什么样？大家可能都带来了方案，我们从基础做上去以后的好处在哪里？"

接着，马云和盘托出了他的网站模式：不做门户，也不做B2C，而是做面对中小企业的B2B。会上的争论异常激烈。

当时的中国互联网市场，虽然美国的三大模式都能找到，但绝大多数网站都是门户网站。那天会上的大多数人认为做一个像雅虎、新浪那样的门户网站是唯一可行的方案。

但马云坚定地说："大部分人看好的东西，你不要去搞了，已经轮不到你了！"

事后马云不止一次地说："在网络经济时代，有时一个错误的决定要比没有决定更好。在作决定的过程中如果一个决定出来以后有90%的人说好的时候，你就把这个决定扔到垃圾箱里去。因为那不是你的。别人都可以做得比你更好，你凭什么？"

这就是马云的逆向思维方式。

金建杭回忆说："当时争执非常大。因为中国做互联网，阿里巴巴是最独特的，没有拷贝任何一个模式。但中国其他很多网站都是拷贝美国很成熟的模式。"

不拷贝成熟的模式就意味着创新，而创新的风险十倍于拷贝的风险。

旋即马云纵论互联网天下大势："因为谁都知道Internet是个泡沫，我刚才讲危机感就是指Internet的泡沫越来越多，什么时候破？他们的股票猛涨，什么时候掉？如果雅虎的股票全掉了，eBay的股票会涨，有一天，eBay的股票掉了以后，阿里巴巴的股票会长。它是一段一段地往上走，所以不要担心，我觉得Internet的梦不会破！"

阿里巴巴第一次员工大会的气氛是凝重的。凝重来自Founder们的脸上，也来自马云的脸上。同时会上还弥漫着一种失落、迷茫和犹疑的气氛。当时的这支队伍有点像败军（其实无论是黄页还是国富通，这两仗都很难说是败仗），因而士气难免低落；又有点像迷路的先行者（最先揭竿而起，东闯西杀五年，突然发现深陷歧路，而后来者早已绝尘而去），因而难消心中块垒。

艰难时刻，马云的话总是激动人心："就是往前冲，一直往前冲。我说团队精神非常非常重要。往前冲的时候，失败了还有这个团队，还有一拨人互相支撑着，你有什么可恐惧的？今天，要你一个人出去闯，你是有点慌。你这个年龄现在在杭州找份工作，一个月三四千块钱你拿得到，但你就不会有今天这种干劲，这种闯劲，三五年后，你还会再找新工作。我觉得黑暗中大家一起摸索一起喊叫着往前冲，就什么都不慌了。十几个人手里拿着大刀，啊！啊！啊！向前冲，有什么好慌的，对不对？”

听了这样的话，创始者们的精神怎能不为之一振？

接下来马云开始兜售真正的期货，兜售黄金的未来：

“在未来三五年内，阿里巴巴一旦成为上市公司，我们每一个人所付出的所有代价都会得到回报，那时候我们得到的不仅是这套房子，而是30套这样的房子。”

为什么说到房子？是因为大家来到湖畔花园时，看见小区挂着的售楼横幅：每平方米2800元。大家算了一下，买下这样一套房子至少也得二三十万。对于这些只能掏出一二万的人来说，30万是个天文数字，湖畔花园是个遥不可及的梦。

就像在北京EDI大家住着三套租来的简陋公寓时，马云许诺他们法国别墅、宝马车库；如今十几个创业者挤在一套房子时，马云又许诺他们30套房子。

是精神会餐吗？是精神鸦片吗？是也不是。因为马云用来激励团队的不仅是财富，还有事业：做一个中国人办的全世界最好的公司！

上市是当时所有网络公司的梦想和目标，也是阿里巴巴的梦想和目标。上市曾经是激励阿里巴巴创业者的动力之一，但不是全部。后来，许多人是奔着上市，奔着阿里巴巴的原始股票来的；在后来加盟阿里巴巴的国外高管，跨国公司英才中这样的人更多些。在市场经济中，为上市为股票而来，无可非议。但事实证明，仅仅为此而来的人，很难与阿里巴巴共患难。当阿里巴巴遭遇寒冬盈利无望上市无期时，这些人中的多数就会选择离开。

谢世煌后来回忆说：“有时候，马云就像一个教父，完全就是用一种理念来引导公司的方向。”

从某种意义上说，马云就是一个教父，但他不是邪教的教父，也不是一个施用迷魂大法的巫师。他是一个伟大理想的布道者，是一个辉煌梦想的鼓吹者。人们都知道马丁·路德·金的“I have a dream!”今天随着阿里巴巴的声名远播，愈来愈多的人知道了马云的“I have a dream”：做一个中国人办的全世界最好的公司，做一个世界10大网站之一，做一个102年的企业！

今天人们听到这些豪言壮语时，已经不觉新奇。因为阿里巴巴已经成为中国最大的网站之一，成为世界十大网站之一。但是五年前，当马云在长城上喊出这个口号时，当马云向十几个创始人一遍又一遍宣讲这个梦想时，又有多少人相信？又有多少人不把它当成狂语疯话？

马云的确是兜售期货和未来的高手，但他不是兜售空头支票的骗子。

1999年2月21日的员工大会，虽然并没有完全达到统一思想统一方向的目的，甚至连就阿里巴巴的模式都没有形成共识，但这次会议的意义依然深远，它揭开了阿里巴巴历史的第一幕。

阿里巴巴的筹备始于1998年底。阿里巴巴网站的正式启动是1999年3月10日。

在这之前，在湖畔花园，关于阿里巴巴模式的争论进行了好多次。2月12日。2月21日……

这些争论有时非常激烈，有时相当情绪化。事后马云说："湖畔花园那段时间，我们争论的东西太多了。有的时候争论过了头，个人情绪化的问题都爆发了出来。所以我们提出了一个价值观叫做：简易。要非常简单。我对你有意见，我就应该找你，找到门口，谈两个小时，要么打一场，要么闹一场，我们俩把问题解决掉。如果你对我有意见，你不来找我，而是去找第三方的话，你就应该退出这个团队。"

马云在这里提出的简易，后来成为阿里巴巴九大价值观即"独孤九剑"中的一个。简易后来又引申出：直言有讳。

"直言"是阿里巴巴从一开始就提倡的文化。在同事之间团队之间，提倡开诚布公，提倡有话直说，提倡面对面解决问题，提倡用男人的方式解决问题。不搞阴谋，不搞小动作，不搞背后串联，不搞拉帮结派，不搞小集团、小宗派、小山头。

"有讳"就是说话时要有所顾忌。要客观、冷静，不要情绪化，不要感情用事，归根结底不要伤害同事。

马云提出的这种男人的方式或曰男子汉的方式，以后在阿里巴巴团队中屡屡使用，回回灵验，慢慢演变为团队的习惯和风格，最后沉淀为企业的文化。以后华星时代的创始人风波，孙彤宇和程小咚风波……都是用这种方式解决的。

简单、开放价值观的提出和确立，对于阿里巴巴团队建设至关重要。它使阿里巴巴基本杜绝了“办公室政治”，杜绝了“文革遗风”，杜绝了“民族劣根性”，大大减少了交流沟通成本，减少了内耗，大大增强了团队的凝聚力和战斗力。

一个18人的创始团队，经历五年风雨，依然不离不弃；一个上千人的团队，能够无宗无派，精诚团结，在中国近乎天方夜谭。阿里巴巴能如此不能不归功于企业文化的力量。

7 百年大业今奠基

如今湖畔花园已经被载入阿里巴巴的史册，在这里诞生了阿里巴巴也诞生了淘宝。这里成了阿里巴巴的龙兴之地。

所谓湖畔花园并不是一座别墅，也不是一处高级住宅，而是杭州西部一个普通的居民小区。确切的地址是湖畔花园风荷院16幢1单元202号——小区中一座4层居民楼中的一套四居室的房子，面积有150平方米，这里本来是马云的新家，还未来得及住就被拿来当做了阿里巴巴的办公地点。在阿里巴巴人的语言中，湖畔花园这个美丽名字特指这套房子。

湖畔时代是阿里巴巴激情燃烧的时代。

虽然只有短短的一年时间，但那些激情燃烧的日日夜夜是难以忘怀的。

从某种意义上讲，是激情造就了阿里巴巴！

闭门造船

1999年3月10日，阿里巴巴网站正式推出。当时还没有注册公司。

在1999年2月21日的员工大会上，大家并没有完全接受马云的模式。

网站启动前，当马云把这个模式和盘托出时，程序员不同意，一些编辑人员也反对，多数人脑袋里的电子商务模式就是B2C和C2C，因为当时世界上成功的电子商务都模式只有这两种。

多数人还认为，马云脑袋里装的B2B模式是不可能实现的。怎么可能搞一个BBS，还要把BBS来分类，还要给它搞一个人工的检查，这等同于把自由自在的东西严格化起来，这是违背网络自由免费原则的。马云没能说服他们，只好在电话里下命令："你们立刻、现在、马上去做！"

事后马云说："我很少固执己见，100件事里难得有一件。但是有些事，我拍了自己的脑袋，凡是觉得自己有道理的，我一定要坚持到底。"

马云下令后，团队开始执行了。以后在阿里巴巴，这样的场面上演过好多次。

在公司的战略决策上，马云当仁不让：不做门户，也不做B2C，就做B2B！但究竟如何操作？还得大家商量着来。

阿里巴巴的标识如何设计？阿里巴巴的页面如何制作？商人的买卖信息如何贴上去？如何进行信息核实和分类？所有这些细节，都是在充分民主讨论的基础上完成的。

当时阿里巴巴有三个负责写程序的工程师：吴妈、狮子、宝宝。不久又来了个香港小伙子名叫Tonny。Tonny当时只有20岁，但已算得上香港的IT高手了。Tonny的父亲是马云的朋友，是父亲介绍他到阿里巴巴应聘的。马云一见Tonny开口就说："每月工资500元。"Tonny一惊："这钱还不够我给加拿大女朋友打电话的。"马云掉头就走。待Tonny与阿里巴巴的几个同行谈过之后又找到马云："我还是在这儿干吧。"

公司初创时，没有严格的管理制度，也没有严格的工作流程，而是自由争论，平等决策。楼文胜说："决定页面时，彻夜不停的争论；设计标识（LOGO）时，争论过二十几个方案，当盛一飞拿出今天人们到处可见的那个字母a的变形时，大家一致认可。其实这个标识的人形就是孙彤宇的侧面像。"设计页面时，开始由宝宝做了个模板，这个模板做得很成功，有很好的扩展性；然后大家在这个模板基础上一起开发程序，狮子主要负责写Windows下的程序，很快阿里巴巴的页面就设计出来了。

马云说："因为我不懂技术细节，而我的同事们都是世界级的互联网顶尖高手，所以我尊重他们，我很听他们的。他们说该这样做，我说好，你就这样去做吧。试想一下，如果我很懂技术，我就很可能说：那样没有这样好。我会天天跟他吵架，吵技术问题，而没有时间去思考发展问题。"

尊重和不干预，马云对待工程师一直是这个态度。开始公司里只有三四个工程师时是如此，后来公司里的技术人员发展到500人，还是如此。马云一直把他们当做一个另类群体，尊重他们宽容他们，甚至给他们特殊政策和特殊待遇，并为他们的发展开拓了广阔的空间。马云清楚，一个网络公司离不开技术，他时常为阿里巴巴拥有众多世界级的网络高手而自豪。在他不惜工本千方百计吸纳人才时，其中很多人都是像雅虎搜索器开发者——吴炯这样的技术人才。现在阿里巴巴的工程师分为P1、P2、P3三个等级，但成为了P3以后还可以发展。马云早就宣布过：工程师可以做技术副总裁，也可以做COO和CEO。阿里巴巴的现任COO李琪就是工程师出身。

但马云从创办网络公司的第一天起始终坚持：技术很重要，但技术不是第一位的，技术要为商业模式服务。

马云虽不干预技术细节，但要干预技术设计的原则。

“有一段时间我就像公司里的技术检查员，有时候技术人员做出一样东西后说这样东西非常好，我一看我不会用，我说，因为我不会用，所以85%的人不会用，如果我会用这东西还可以拿出去。”“真正的高科技就是一摁一开，不要弄得很玄乎。我坚信一点，电子商务很简单，应把麻烦留给自己，不要留给用户。”

马云提出来的阿里巴巴设计原则是：简单。马云还和其他人一起干预了主页面的设计：“我们极其挑剔，仅一个主页面，我们就枪毙了16稿。”

启动时的阿里巴巴因为只有十几个人，因而分工也很简单。

除了4个程序员外，其他人都做编辑和客服。当时还是一人身兼数职，人手少，不兼也得兼。团队中有6名女将，她们不但要做信息编辑和客服，还得负责行政、后勤、出纳。

阿里巴巴一开始就推出了中英文两个网站。

网站启动时，信息是零，会员也是零。迫在眉睫的问题是：如何证明这个网站是有价值的，是可以为客户带来财富的？

启动是异常艰难的。开始网上每天只有10来条信息，后来变成20来条，好多天以后才突破100条。但几个月后，阿里巴巴网站上一天的信息就有几百条。信息来了之后，阿里巴巴的员工们对每一条信息进行人工检测核实，确认基本可信后才把它放在网上。信息多起来之后，员工们就对其进行分类。

当时的阿里巴巴，全世界的商人都可以在上面免费发布信息包括最新样品的图片，也可以在上面免费查找信息和贸易伙伴；阿里巴巴网上的所有信息都来自客户，这些信息经过阿里巴巴员工的初步核实后，然后将其按照行业类别进行分类整理后再发布到网上。

阿里巴巴网站一启动就实行会员制。开始会员增长得很慢，后来EDI的中国商品交易市场网上的很多会员听说了阿里巴巴，纷纷前来加入，会员的增长也快了起来。

开始马云提出一年要有1万个会员，大家都不相信。结果2个月后，会员数就突破了2万。

不久马云又在阿里巴巴网上开辟了一个真正的BBS，就叫以商会友论坛。开始没什么人，阿里巴巴的员工就自己注册了几个马甲，然后往上贴，把论坛烘热。烘了大半年，人气上来了，几年后这个论坛发展成中国商人第一网络媒体。

就在国内大大小小的网站热衷于买卖、拍卖，成交之声不绝于耳时，阿里巴巴仍然坚持只给会员提供免费的信息交流和产品展示。

阿里巴巴网站的会员都可以通过网上的简单操作在阿里巴巴建立自己的私人“样品房”，陈列展示他的样品图文信息，并拥有自己的独立网址，而且所有的服务都是免费的；每一条信息都经过网站编辑人员细致的检查整理，在12小时内得到发布。

另一方面，会员可以在阿里巴巴获得他想要的信息。只要注册成为会员，就可以免费享有阿里巴巴网站的信息资源，这些来自全球范围的最新买、卖、合作机会信息涵盖32个行业700多项产品，用户可以通过产品的关键词、买卖类型等多种方式检索。

阿里巴巴的客服则是通过E-mail与客户互动。

阿里巴巴的创业时代是艰苦卓绝的时代。网站启动时，马云就对员工说：“6个月内不见媒体。”因而开始的6个月，阿里巴巴基本上是封闭运作的。开始的十几人，后来的几十个人，关在湖畔花园里，日夜苦战，闭门造船，造一艘史无前例的名叫阿里巴巴的“战船”。“6个月内，我们要造一艘船，这就是阿里巴巴。还要训练一支船员队伍。起航出港后，天气好我们会跑得很快，但如果碰到狂风暴雨，才发现船造得不牢固，船员队伍不够坚强，大家都将随着这艘船一起沉没。”马云如此告诫大家。

阿里巴巴前6个月的成长速度是惊人的。

1999年3月10日阿里巴巴从零信息、零会员起步，1999年5月1日，阿里巴巴中英文网站注册会员分别突破1万名，会员总数超过2万人。1999年5月20日，经过2个多月的技术开发和测试，阿里巴巴网站第2版正式推出。1999年7月9日，在香港注册成立阿里巴巴中国控股有限公司(Alibaba.com China Holding Ltd.)，届时会员达到3.8万名，页面浏览率每天12.5万。1999年9月9日，阿里巴巴（杭州）研究发展中心正式注册成立。届时会员突破8万名，库存买卖信息20万，每天新增信息800条。

由于阿里巴巴不见媒体，不做广告（想做也没钱），因而阿里巴巴的业务的增长会员的增长都是靠客户心口相传。

1999年9月，阿里巴巴创办半年之后，横空出世。所谓不鸣则已，一鸣惊人，一亮相就是世界上最出色的B2B网站之一。

阿里巴巴的横空出世，给当时还很热闹的中国网络市场带来不小的震惊。

开始人们以为它是个海外网站，因为它不但有英文主页，而且总部也设在香港；后来发现不对了，阿里巴巴是一个杭州人在杭州办的地地道道的中国大陆网站，只不过是为了更好地与国际资本市场结合，故意把总部放在香港，而把位于杭州的大本营注册成阿里巴巴研究发展中心。

开始人们以为它是新人新站，因为阿里巴巴成立于1999年3月，比搜狐、新浪、8848等著名网站都晚；后来发现不对了，阿里巴巴的前身中国黄页创办于1995年4月，是中国第一家商用网站；其掌门人马云不但是中国互联网的“老人”，而且是中国互联网之父。

开始人们以为它是与中国所有网站一样的美国模式的翻版；后来发现不对了，阿里巴巴的模式独具一格，不但在中国网站中找不到，在美国网站中也找不到；是一种独创的中国式B2B，被业内人士和海外媒体称为继雅虎、亚马逊、易贝之后的第四种模式。

阿里巴巴的崛起只用了半年时间。

激情湖畔

当阿里巴巴对媒体开放后，最先关注它的是国外媒体。

创业初期曾访问过阿里巴巴的《亚洲华尔街日报》的总编这样写道：“没

日没夜的工作，屋子的地上有一个睡袋，谁累了就钻进去睡一会儿。"

数月后《福布斯》杂志的资深记者贾斯汀·杜布勒在马云夫人的带领下参观了阿里巴巴创业时的房子："20个客户服务人员挤在客厅里办公，马云和财务及市场人员在其中一间卧室，25个网站维护及其他人员在另一间卧室。……像所有好的创业家一样，马云知道怎样用有限的种子资金坚持更长的时间。"

其实记者们看到的只是一些片段。

阿里巴巴初创时，马云知道加班会是常态，于是要求大家住在离办公室步行5分钟就能到的地方，大家租的都是附近最便宜的民房。谢世煌和几个工程师在湖畔花园附近的南都花园租了一套毛坯房，租金每月500元，几人分摊。Tonny和盛一飞合租了一间农民的毛坯房，下面就是菜市场。那才是真正的家徒四壁，屋里除了地上的一个床垫几乎什么都没有，其简陋凄凉让人见了心酸。当时Tonny从未在内地生活过，一来就领教了什么叫艰苦。没想到这个香港小伙子还能忍受下来。

几个年轻的工程师，用报纸把四周的水泥墙糊了起来，这是唯一的装修。所用中英文报纸全部是IT技术类的，等闲人还看不懂。

其实马云早就有话在先："我许诺的是没有工资，没有房子，只有地铺，只有一天12个小时的苦活。"

湖畔时代的作息时间是早9点到晚9点，每天12个小时，这是正常作息时间。每天都会有一个人早来一些，早走一些。加班时，每天要干16个小时甚至更多，而加班又很经常。每遇新版发布，加班是不可避免的。

谢世煌说："湖畔花园里有一个小会议室，可以打地铺，那时睡办公室的时间不比睡租房少。"

工程师们更是如此。

狮子说："那时工作的确很辛苦。这帮女孩很吵，为了避免和女孩发生冲突，我们几个工程师关在一间小屋里，把工作时间调到晚上10点到凌晨4点，这时办公室里很安静。时常工作得太晚了，倒地就睡，就不回家了。"

韩敏说："每天早上打开门，就见地上横七竖八的都是人，要小心绕过去才行。"

8个月后，到了1999年11月，还是这种状况。

张璞是学英文出身的，做过7年外贸。1999年11月5日，他第一天到阿里巴巴面试，他回忆说："到了湖畔花园后，感觉这个公司有点怪，像皮包公司。进出以后，感觉不好，黑灯瞎火（因为停电），门口摆着一堆鞋，房间的地毯上躺着20多人，有臭味……"

湖畔时代，有一件小事让创业者难以忘怀。

有一天，几个工程师工作到早上5点40，天亮了，大伙还没睡觉。不知是谁提出了一个疯狂的建议，几个人呼啸而出，打的来到西湖边。

这些人被关了几个月了，没时间进城，更没时间到西湖来，跑出来有点像羊群出圈。当时正值早春，细雨霏霏，柳丝轻扬，良辰美景，让人心旷神怡。几个人跑到断桥上，大喊大叫，引吭高歌。宝宝提议跳舞，大伙没响应。在西湖上潇洒了一小时后，他们又跑到知味斋美美地吃了一顿，然后跑到新华书店，每人买了一个"背背佳"。尽兴而归，回来已经快10点了。

几个人回到湖畔花园，发现所有其他员工都站在凉台向他们眺望，个个神情严肃。马云见到他们的第一句话是："没事了，你们回来就好！"

原来早上大家来上班，发现所有的工程师都不见了，服务器也死机了，没有打招呼，也没有留条。每天这会儿他们都是在地上呼呼大睡的。

此情此景搞得大家莫名其妙，一些人还有点慌，甚至提出要报警，工程师失踪了可不是闹着玩的！于是大家不约而同地跑到凉台翘首远望。远游而归的工程师们急忙喊叫着解释他们出游的原因。

这些年轻的工程师，能彻夜苦战，也能苦中取乐。半夜闲下来时，他们就玩杀人游戏，据说这个游戏能使每人的个性显露无遗。他们是网络高手，也是游戏高手，据说玩游戏领先外面一年。有时他们半夜看鬼片，看完就搞恶作剧。有一天，半夜12点，几个工程师在小区路边干聊，看见一个人走过来，就想吓他一下。在那个人快看见秋千时，他们把秋千高高荡起，然后赶快躲起来；那个人看见无人的秋千，吓得半死，赶快溜走了。

湖畔时期，写程序的工程师们很辛苦，做客服的编辑们也很辛苦。做客服的每人都有一个个人邮箱，每人都有一个化名，所有给客户的邮件都是通过个人邮箱发出的。阿里巴巴一开始就坚持与客户一对一的在线沟通，用人沟通而不是用机器。彭蕾说："那时的客服都是即时的。大家做客服做到了痴迷的程度，工作到半夜一两点，客户的信没有处理完就不回去。有时客户半夜两点收到邮件，很吃惊，问我们：是不是时间有问题？我们说：没有啊，我们都在线啊，客户非常感动。”

可以说阿里巴巴一开始就坚持客户第一，就强调服务第一。那时，没有别的办法，只能靠人性化的服务争取客户。那时阿里巴巴很多新客户都是朋友推荐的结果。

彭蕾说：“我那时也做客服。去年在客户培训会上发现了一个1999年的我的一个老客户。他是河北易县一个搞铸造的老板。听课时把正在读书的女儿也带来了，他想让女儿接他的班。这个老板一开始用阿里巴巴的免费服务，后来用收费的，包括收费最贵的服务，一直用了五年。”

金媛影说：“在国际网上做客服做了9个月，后来换了岗位。直到现在还有一个1999年的客户给我来信。那时我们的邮件回复得非常快，客户很奇怪，问真有这样的人吗？”

湖畔时代工作艰苦，生活也艰苦。每人每月500元工资，其实还是自己给自己发工资，因为发工资的钱是大家凑的。那时打车只敢打夏利，有时夏利富康没分清，为此还和司机争执。那时，张英住在翠园，离办公室3公里，3块钱的人力车不敢坐，每天走过来上班，走得满头大汗。为了节省电钱屋里只开一个取暖炉，程序员一边烤手一边写程序。

开始大家定6块钱的盒饭，后来改成4块钱的，结果鸡块变质造成集体食物中毒，集体到医院打吊瓶。偶尔，大家到餐馆吃一顿，菜刚上来就一扫而光。每逢阿里巴巴新版发布，马云会亲自下厨房给大家做一道烧鸡翅。

金建杭说：“条件艰苦一点没什么不好，会让机会主义者走开。”

网站开始运转时，是谢世煌管财务。但小谢粗心大意，时常忘发工资，后来改为彭蕾管。

若要用一个词来描述阿里巴巴创业者的工作状态，那就是“疯狂”。那时，没人计较投入产出，没人计较个人时间，甚至没人感到苦，反而觉得那段日子很开心很幸福。

那会儿的阿里巴巴不像个公司，更像个家庭。马云不像老板，更像老师；大家不像员工，更像学生，更像兄弟姐妹。

尽管阿里巴巴成立之初，马云也很严肃地告诫大家："虽然你是Founder，是股东，但公司也可以不聘请你；如果你业绩不佳，也不一定能在管理岗位上做下去。当然你可以享受投资回报。"但大家不是因为担心不被聘用而玩命工作的。

那真是一段激情燃烧的岁月！激情来自何方？疯狂工作的动力又来自哪里？一位工程师幽默地答道：龟鳖丸！

也许是马云点燃了他们的青春激情，也许是事业和梦想给了他们动力。做一个成功的网站，做一个伟大的公司！

在艰难时刻，马云当然不会忘了时时激励自己的团队，不是用金钱（当时他们一贫如洗），而是用梦想和信念。马云永远是团队中信念最坚定的一个，初创的艰难时期如此，后来遭遇寒冬时也如此。

马云说："我们一定能成功。就算阿里巴巴失败了，只要这帮人在，想做什么一定能成功！""我们可以输掉一个产品，一个项目，但不会输掉一个团队！"

马云认为："判断网络公司好坏的依据有三个：第一是团队，第二是技术，第三是观念。一个公司是不是优秀，不要看它里面有多少名牌大学毕业生，而要看这帮人干活是不是发疯一样，看他们每天下班是不是笑眯眯地回家。"

在整整半年的时间里，湖畔花园那套普通的住宅变得神秘莫测。那里彻夜灯火通明，那里总是有人进进出出，那里人声鼎沸，保安们纷纷猜测这个神秘居所到底是干什么的？有一天，一个送电脑的师傅告诉他们，那是个地下网吧！保安们这才恍然大悟。不久小区出现了案件，保安们立刻找来公安。公安局的人闯进阿里巴巴办公室后，一眼就看见了墙上的大照片，那是李岚清、吴仪、石广生接见马云的照片。几个公安人员什么也没说就悄悄离开了。当时阿里巴巴的公司还没注册。

到了1999年的5月以后，保安们又发现了这个神秘居所有了新变化：时常有一些西装革履的人出入这里，时常有高级轿车停在门前，他们不知道，这是风险投资商们来考察阿里巴巴了。

8 互联网大鳄孙正义千里大空降

2000年1月，阿里巴巴拿到了孙正义的2000万美元后，马云说："孙正义是个大智若愚的人。他神色木讷，说的英语很古怪，几乎没有一句多余的话，仿佛武侠中的人物。在6分钟内我们都明白对方是什么样的人：一、都是迅速决断的人。二、都是想做大事的人。三、都是能实现自己想法的人。"

马云知道孙正义是个精明的投资商："孙正义深入研究过阿里巴巴。4月初我在东京跟他见面，他说，他投资的那么多网站里面，最记得住的就是阿里巴巴和雅虎，他跟世界银行合作成立了一个给发展中国家发展互联网的基金，他推荐了三家网站，美洲是雅虎，欧洲是 Web&D，亚洲就是阿里巴巴。"

他又说："阿里巴巴希望持续经营，上市套现不是阿里巴巴的目的。如果这一点没有共识，便无法合作。软银有很好的记录，它协助过包括雅虎在内的一大批网络公司成长，因此软银承诺长期协助阿里巴巴开拓市场，对阿里巴巴而言，意义非凡。"

"我相信孙正义喜欢我，所有的投资者喜欢我，是因为我脑子里在想做成一件事，这件事的结果一定会带来很多钱，他们看见的是我这个眼神。全世界有钱的人很多，但全世界能做成阿里巴巴的并不多。这是我们的信心所在。"

"在1999年融资的时候，我第一天就跟股东讲，我们的投资者是阿里巴巴的娘舅，客户才是阿里巴巴的父母。"

从这些话里可以悟到阿里巴巴传奇融资成功的原因。

第一笔资金

国内网站兴起时，几乎毫无例外靠高薪挖人，但马云坚信光靠高薪挖不来最好的人才，人才的聚集要靠事业的感召力，靠企业灵魂人物的人格魅力。阿里巴巴诞生时，马云在西子湖畔重招旧部，网站启动后不久，阿里巴巴就开始陆续招人。当网络公司纷纷以期股、房子加高薪招人时，当众多网站把月薪炒到8000、1万时，马云依然我行我素。

不用高薪不用期股，只用一张阿里巴巴的“空头支票”，居然将世界顶尖人才轻揽囊中。马云对新来员工说：“我唯一能许诺的是四年人间疾苦，委屈，不理解，难以沟通，失败的努力，那才是你们真正的财富。股权？也许你们的主管给了你们一大把，那是假的，骗人的。”

湖畔时代，阿里巴巴团队从十几人扩展到几十人。原来的一套房子装不下了，又在楼里另外租了两套。

Tonny来了不久，阿里巴巴来了一个重要的关键性人物——蔡崇庆。其实这个人根本不是招来的，而是自投罗网的。蔡崇庆当时是瑞典AB风险投资集团的亚洲部总裁，负责集团亚洲投资业务。

5月见面，6月，蔡崇信毛遂自荐就任阿里巴巴CFO。因为6月份，阿里巴巴准备成立公司，马云对蔡崇庆说：“就等着你这样的人来帮我们成立公司。”蔡的离职震动了瑞典AB，结果瑞典AB倒成了阿里巴巴首批投资商之一。

其实在蔡崇庆加盟之前，阿里巴巴已经开始接触风险投资商了。

阿里巴巴凑起来的50万资金支撑半年，员工们的500元的工资也拿了半年，直到风险投资进来。最后一月，资金见底时，马云说：“没钱下月工资不发，作为股本增资。钱是会有的，是我们要不要的问题。”

孙彤宇说：“1999年10月融资之前，阿里巴巴随时都会死掉。压力很大，但这些压力没有产生负面效果，大家信心都很强，也许压力最大的是马云。”

当时主管财务的是彭蕾。有一次她陪马云去见投资商，地点是在杭州的一家酒店。“那家风险投资商好像是汇亚，马云跟投资商谈，我在一旁听。这是我第一次近距离看风险投资商，原来钱离我们这么近！都是上百万美元，心里痒痒的，很受诱惑。对方的条件还可以，而且我们已经无米下锅了。但马云却对投资商说：我要考虑一下。说完走到楼下的人行道上，走了几个来回，然后上来说：对不起，我不能接受你们的条件。我当时心里发虚，这么好的投资商不要，下一个还不知道什么时候碰见。”

1999年的中国互联网市场还很热，还是有投资商陆续上门来。前前后后总有十几个。马云后来说：“一些不好的风险资金，不是说不好的风险资金，比如说不是太切合的，或者说急功近利的，投了钱就跑掉，他投了钱，他把鸡蛋压在篮子里面，投了十几个、二十几个项目，他总共人才没几个，他根本就不关心你。一种是他天天看着你，你动一步他就要管管你；还有的一种就是他管都不管你。”

“我并不看重钱，我看重钱背后的，我看重这个风险资金能够给我们带来除了钱以外的东西，这是我最关注的。而且风险基金到底能够帮助我什么，它是不是有这样的能力，是不是有这样的人专门为我们服务，这个我很关心。所以我挑剔风险资金的程度绝对不亚于风险资金挑剔项目，我可能比它们还过分一点。”

马云当时的确是在挑风险投资商。

每当投资商来了，马云就把大家叫到一个小屋里，跟大家介绍情况，让大家选择。

蔡崇庆加盟后，融资的进展马上加快了。韩敏说：“蔡崇庆来时，穿着西装，在小屋里，对着一个白板，给大家讲什么是股份，什么是股东权益，投资进来后，股权如何稀释，讲得很专业。天气很热，屋里只有电扇，蔡崇庆讲得很认真，衬衫都湿透了。我们很受感动，大家都愿意接受他。”

蔡崇庆上任不久，就着手注册公司。他为18个创始人每人准备一个完全符合国际惯例的英文合同，上面明确了每人的股权和义务，合同滴水不漏，毕竟蔡崇庆是律师出身的财务专家。大家拿着合同都看不懂，不是不懂上面的英文，而是不懂上面的法律和财务，但看见马云签了，大家毫不犹豫地都签了。

蔡崇庆认识高盛的一个朋友，从他那得知高盛在硅谷搞风险投资（高盛很保守，以前只投传统行业），立刻把高盛引见给马云，结果很快就谈成了。

1999年10月26日，阿里巴巴与高盛（Goldman Sachs）、汇亚（Transpac）、新加坡政府辖下科技发展基金（Singapore TDF）、瑞典AB和美国Fidelity等机构正式签署投资协议，引入第一轮500万美元风险投资。

第二笔资金

高盛资金进来的第二天，一个朋友找到马云：“Softbank（软银）的孙正义正在北京，你愿意见他一面吗？”

当时蔡崇庆不在，马云就单枪匹马地去赴会。可是当他推开门，却见黑压压满满一会议室的人，个个瞪着大眼瞅着他。号称网络投资皇帝的孙正义问："你要多少钱？"

马云又对孙正义说："我不需要钱。如果你有兴趣，我可以给你介绍一下阿里巴巴的情况。"

孙正义当时还没有看过阿里巴巴的网站，他的助手打开电脑将阿里巴巴网站调了出来，马云现场作介绍。6分钟后，孙正义说："马云，我一定要投资阿里巴巴。"

马云刚回到杭州，孙正义的代表团也到了。他们在马云的公司东瞅瞅，西瞧瞧，然后回去了。马云也没把这事放在心上。没过多久，一个朋友给马云带话："孙正义在问手下怎么还没有谈妥投资的事。他邀请你们到东京去，想亲自和你们谈。"

蔡崇庆对这事不太积极。他说："干吗要过去，我们又不缺钱？"马云说："孙正义敲门，这事一定要做。和孙正义一定要合作，这个事要弄，一定要弄，硬弄！"

马云和蔡崇庆到了东京，一见面，孙正义单刀直入："我们怎么谈？"

马云说："钱不是问题，但你必须同意我的三个条件。第一，希望你亲自做这个项目。"

孙正义说："我从来不做我投资公司的董事，你们知道我会很忙，没有时间经常参加你们的董事会，而你们新创公司是每个月必须开一次董事会，我如果是董事不参加，那是对其他董事的不尊重。我就做你的顾问吧。"

马云提出的第二个问题是孙正义要用自己口袋里的钱投到阿里巴巴，第三个问题是涉及公司的运作，必须以客户为中心，以阿里巴巴的长远发展为中心，不能只顾风险资本的短期利益。

几分钟内，双方就达成协议，孙说："记住，今天是历史上最重要的一天，你们是我见过的最漂亮的团队。"他还说："阿里巴巴是来自中国的最具震撼性的互联网成功典范之一，其强大有效的营运模式和优秀的管理人才已令公司在市场中做成企业与企业间（B2B）贸易的先导。我们与阿里巴巴的合作是重要的战略性举措，我深信阿里巴巴将能凭着软库的全球资源和本地市场经验，体现其领导全球企业与企业间电子商务市场的潜质。”

孙正义最后说：“我们要把阿里巴巴培育成世界上第二个雅虎。”

2000年1月，双方正式签约，软银投入2000万美元帮助阿里巴巴拓展全球业务，同时在日本和韩国建立合资企业。

不久，若干手拿B2B商业计划书但被Softbank断然拒绝投资的创业者，很不解地责问Softbank中华基金首席代表石明春：“马云凭的只是一张嘴，可我们却是在实实在在地做生意，为什么你们能投资给他而不能投资给我。”石明春只能遗憾地告诉他们：“因为马云以他杰出的煽动力征服了我的大老板孙正义。这项投资甚至与我无关，是由Softbank总部直接投给阿里巴巴的。”

事后马云说：“我是1999年10月30日拿到第一轮融资的，10月31号跟孙正义见面，你说我会要钱吗？我根本没必要去说服他，6分钟以内，我就讲一下我们自己想做什么东西，6分钟后他就说，那我想投49%的，一下子就是我们俩谈来谈去，谈我们成为什么《时代周刊》、《商业周刊》的封面，帮我们拓展全球市场，然后我就说他很聪明，我跟很多人讲6个小时都不明白，跟他讲6分钟他就明白。

“如果你没有很实实在在的好东西，或好的产品，投资人有那么好糊弄的吗？花里胡哨是骗他们不来的！虽然我只讲了6分钟，孙正义就决心要投资，但那6分钟背后是我们独创的发展方向和6个多月没日没夜的艰辛努力。从某种程度来讲，孙正义投资阿里巴巴，不是我想说服他，而是他想说服我，因为他看到了我们阿里巴巴是个实实在在的好产品。”

孙正义把3000万美元打入阿里巴巴的账号之后，马云却因嫌钱多而反悔了（当然也担心阿里巴巴的股份被稀释得太多了）。他对孙正义的助手说，我只要2000万。这位助手听完暴跳如雷，怀疑马云有病，于是马云当场给孙正义发了个E-mail：“……希望与孙正义先生牵手共同闯荡互联网……如果没有缘份合作，那么还会是很好的朋友。”5分钟后，孙正义做如下回复：“谢谢你给了我一个商业机会，我们一定会让阿里巴巴名扬世界，变成雅虎一样的网站。”

就这样，马云生生把到手的1000万美元退了回去。事后马云对人说：“有钱不是好事，你要会用这些钱。我有自知之明，最多管过200人，600万人民币，现在一下子给你几千万美元怎么管得了？”

手里攥着2500万美金的马云依然像往常一样抠门，一样吝啬。他总共只在两家报上做了20万的广告，而且员工的薪水依然被压得很低。马云说：“花投资者的钱得非常小心，要对投资者负责任。”

马云的不做广告不宣传，是因为他坚信网站的生命在于它的方向和质量。马云说：“广告是钱能搞定的事，钱能搞定的事要我们做企业的人干什么？”不做广告不张扬，把钱和精力全部用在提高网站的质量和服务上。先做出精品网站和一流服务来，客户自然会来。“桃李无言，下自成蹊。”这个广告时代被人抛弃的观念，重被马云拾起并作为阿里巴巴的一个策略。实际上雅虎当年发迹时，也不是靠广告，而是因为其搜索器有用方便，于是人们接踵而至。阿里巴巴的策略与雅虎不谋而合。当人们发现阿里巴巴网上的信息多、有用，可以找到贸易伙伴和赚到钱时，于是一传十，十传百，阿里巴巴网上的20万会员就是这样发展起来的。

网站没钱是做不了的，因此风险投资决定了网站的生死存亡。许多网站就是因为找不到风险投资而关门，许多网站为了寻找投资机关算尽，有幸套到手的则是韩信将兵，多多益善。

但马云反其道而行之。他先是精心做品牌，不谈投资；然后又对风险投资百般挑剔，先后拒绝了38家找上门的投资商，才接受了高盛的第一笔风险投资。马云为何这么牛？这是因为他对阿里巴巴的未来充满信心，对阿里巴巴的品牌充满信心。

马云遇到蔡崇庆是缘分，马云遇到孙正义也是缘分。他们三人的故事以后还很长。

事实证明，马云融进孙正义的2000万美金是有远见的。没有这笔钱，阿里巴巴很难熬过后来那个严酷的冬天。

对于两次融资传奇，马云是这样总结的：“我一直认为你不管做什么事，不能有功利心。一个人脑子里想的都是钱时，人们不愿意跟你合作。”

“投资者最怕的是你问他要钱，最希望看到的是你不要钱，他给你钱。所有的投资者都一样。你赚钱了，他天天盯着你，你不赚钱，你要钱，他跑得比谁都快。”

“当然，光有好的东西还不够，还要把它推销出去，这就涉及一个人的沟通能力。所以，沟通能力对一个想成功的年轻人很重要，也有一些技巧性的东西。”

东山再起

到了1999年底，阿里巴巴的会员数突破了10万。虽然只做了很少的广告，但阿里巴巴的名气与日俱增，不但越来越多的国外媒体关注阿里巴巴，而且越来越多的国内媒体也开始关注阿里巴巴。《经济日报》、《中国经营报》、《中华工商时报》等众多媒体先后报道了阿里巴巴，媒体龙头老大——中央电视台的“经济半小时”两次报道阿里巴巴，其中一次是长时间的深度报道。

这时的马云头脑还是清醒的：“我觉得阿里巴巴还很小，真的很小，我们还是一家小公司。我们当然心很大，但是公司还是很小，还很脆弱，在这么脆弱的情况下，一是很难满足我们自己心理的目标，说实在的可能会辜负很多人对我们的希望，但是由于你树大，追着你打，中国的口水都会把你淹没掉，我们现在的压力远远大于以前的压力，现在的压力比一年以前大多了，一年以前还没有人知道我们，我们就是还向前冲呢，我们除了干活还有什么呢？除了干活就是干活。”

随着业务的扩展，阿里巴巴开始招兵买马。马云点将彭蕾去做人事经理，专管招聘。当时，彭蕾面试了许多很牛的人。他们来自北京、上海，许多是大公司的高管，也有世界500强公司的精英。他们大多数是奔着股权来的，不愿错过互联网的机遇。当时，彭蕾就感到这些人的风格与阿里巴巴团队的氛围不大协调，但还是进了一些这样的人。

其实，彭蕾做招聘时压力很大。尤其面对那些大公司的高级人才。她从他们的眼神中可以看出不屑：你这个年轻人有什么资格面试我们？

公司很快从18个创业者发展到近百人。湖畔花园的一套房子住不下了，又另外租了两套。很快又住不下了，于是租了附近的一座别墅。别墅每月的租金只有500元。价格如此之低的原因是它是一座“鬼楼”。原来不久前，楼里的一个老太太被她的司机杀死在浴缸里，从此这座别墅没人敢住了。阿里巴巴的员工搬进别墅后，发现里面的确阴森森的。金建杭说："我们当时租住在离马云他们家不远的一个大别墅里，租金很便宜，因为人家认为是凶宅，出过命案的，但我们租下来住。有一次我去外地出差，回来发现跟我住一起的那个哥们儿脸都绿了。"

但大家都觉得湖畔花园的风水不错，阿里巴巴的人气很旺，可以冲掉鬼楼的阴气。果然，此楼一被阿里巴巴租用，不但平安无事而且热闹非凡。阿里人的青春朝气把满楼鬼气扫荡一空。没过两个月，房东就回过味来，于是提出加钱。最后房东还是把这座无鬼的鬼楼给卖了。

阿里巴巴的年轻人恐怕没几个相信风水，但马云的确真的相信风水。他一直认为北京的风水跟他不和，杭州是他的风水宝地，所以他两次进京两次失败，而他坚信杭州创业一定会成功。

年底阿里巴巴开了一个员工大会，会上提出可信、亲切、简单的口号。它成为阿里巴巴人的行为准则和价值观雏形。

2001年1月，孙正义2000万美金到账。阿里巴巴开始向海外扩张。2000年3月，公司搬到华星科技大厦，阿里巴巴开始了规范化制度化建设。

1999年3月到2000年3月的一年，是阿里巴巴的湖畔时代，创业时代，也是阿里巴巴的崛起时代。无论怎么看，阿里巴巴的崛起速度都是惊人的。只用了6个月，就推出了一个世界一流的网站；只用了12个月，就打造了一个全球最佳B2B网站，其会员数超过经营了20多年的竞争对手，并且声名鹊起，一夜之间成为国内外几十家媒体的关注焦点。

当雅虎出现的时，全球网民每天第一件事是上网找雅虎；当阿里巴巴出现的时，全球商人每天第一件事是上网找阿里巴巴。

当年的中国黄页发布的也是企业信息，但因为网络环境和网站质量的限制，企业得到的反馈很少，做成贸易的更少。今天的阿里巴巴同黄页已不可同日而语，不仅有了量的突破而且有了质的突破。阿里巴巴已经成为一个无所不包的全球虚拟贸易市场，其库存买卖类商业机会信息达40万条，每天新增买卖信息超过2000条，平均每条信息会得到4个反馈。越来越多的商人不仅从阿里巴巴网上得到了有用的信息，而且做成了买卖，赚到了钱。

由此可见，阿里巴巴的作用是真实的，阿里巴巴的方向是正确的，阿里巴巴开创的是脚踏实地的中国电子商务之路。

阿里巴巴的大部分在线注册用户就像阿里巴巴团队的成员一样，都是年轻的中小企业经营者。他们不具备大企业大公司拥有的有利条件和发达的业务网络。多数情况下，他们缺乏足够的资源用来定位客户群或周游于世界各地众多的交易会。他们绝大部分年龄在22岁到29岁之间，有良好的英文基础，很强的知识追求。但他们最差的，就是手头上的客户很少，所以他们三天两头在网上找客户。

马云说："我们的注册用户数量每天增加1000名，每天收到1000多条用户发布的买卖信息。现在他们发现有一批会员非常聪明，比如有的会员在英文网站上发现希腊的用户要购买帽子，他马上就开始在中文站点上找中国的生产厂家，他一下就找出二三十家生产帽子的企业，然后谈判的时候，利用中国的生产厂家不知道这个信息的使用渠道，他从中间做一个配对。利用他的语言，利用他对网络的掌握，来开展网上贸易。"

"我们每天要收到100多封电子邮件，对我们表示感谢。我们坚持三点：一是从不向用户要成交的数字；二是保障用户的隐私权；三是承诺永不从用户的成交中拿任何好处。我们网站有很多理念，源源不断，不是我们自己想出来的，是全球130多个国家和地区的商人想出来的，这样，在阿里巴巴，不仅信息成为活水，我们与会员的交流，也成为活水。"

2000年1月，中国互联网络大赛组织委员会将阿里巴巴评为商务类优秀网站。2000年6月，获《互联网周刊》授予的2000年度中国百家优秀网站。16月后，美国财经权威杂志《福布斯》将阿里巴巴选为全球最佳B2B站点之一，是入选的唯一由中国人创办的网站。

《福布斯》杂志把环球资源、美商网和波士顿I2I三大网站列为阿里巴巴的主要竞争对手，但马云对此不以为然。我也曾问过阿里巴巴国内的竞争对手是不是新浪、搜狐和8848？马云依然摇头："我永远在奔跑，从来不把自己同张三李四去比。他们有他们的强项，我永远学不了王志东、张朝阳和王峻涛，他们也学不了我。我把网络比做马拉松长跑，上万人在跑，才跑了500米，旁边的人撞了你一下，你以为他是对手，跟他竞争，结果另外的人冲上去了；再跑10公里，太阳出来了，你也跑累了，那时还跟着你的人或已经冲到你头里的人才是真正的对手。”

要把时间花在客户身上，花在服务上，阿里巴巴认为这是最重要的。“如果说阿里巴巴的竞争对手是谁？那就是明天，是时间，是我们自己。”马云如是说。

阿里巴巴的神速崛起令传统产业望尘莫及。也许这就是网络的速度，这就是网络时代的奇迹。

“网络真的是一个非常奇怪的产业。它能够让你在二三年里做成传统企业二三十年才可能做到的事情，但也会让你在二三年里不得不面对传统企业在二三十年里才可能碰到的问题，才可能犯的错误。”

任何崛起都是有代价的。春风扑面的阿里巴巴还没来得及得意就进入了冬天，初尝成功的阿里巴巴还没来得及庆祝就陷入了危机。

Alibaba.com®
Global trade starts here.™

第三章 无边落木萧萧下

其实现在很关键。60 到 80 人时要分部门，有人会当官，会有政治斗争。以后阿里巴巴会有几万人怎么办？你们现在无谓地吵来吵去，浪费时间，将来见面都很困难。将来阿里巴巴大了，你们有人在杭州，有人在上海，有人在欧洲，有人在美洲，想见一面谈何容易？

——马云

9 树欲静而风不止

2000年3月，阿里巴巴搬进华星大厦。这意味着阿里巴巴湖畔时代的结束，华星时代的开始。

如果说湖畔时代是艰苦创业的时代，是激情燃烧的时代，那么华星时代就是模式清晰的时代，是走出困境的时代。如果说湖畔时代的阿里巴巴是一支游击队，那么华星时代的阿里巴巴已经是正规军了。如果说湖畔时代的阿里巴巴像一个家庭像一个学校，那么华星时代的阿里巴巴已经像一个规范的公司了。

阿里巴巴是在湖畔崛起的，也是在湖畔成功地融到了两笔数目可观的风险资金；但阿里巴巴是在华星成熟的，也是在华星熬过寒冬的。

在华星时代，阿里巴巴经历了严冬的考验，经历了裁员撤站，断臂求生；经历了整风培训，生产自救。相对于这些重大事件，搬进华星大厦之初的华星风波只是一段小小的插曲。

搬家

寻找新的办公地点也颇费周折。开始找到华星科技大厦，这座新建的大厦冷冷清清，谢世煌等人看房时还被恶狗追身，但人家还不肯租给阿里巴巴，原因是阿里巴巴没有名气，当时只有一家香港的媒体报道过马云。搞不下来只好另外找，不是太贵就是地点不合适，找来找去找了两个月，又回到华星大厦，最后以相当便宜的价格租了下来。

华星大厦的一层楼有2000平方米，马云主张花200万把整个9层全部租下来，谢世煌坚决反对，说哪用得了这么大的地方？马云说谢世煌鼠目寸光。但其他员工也都反对，马云只好不再坚持，结果租了半层楼。

搬过去之后，空间的确富富有余，整层楼显得空荡荡的。但没过两个月，员工就突破300，刚租来的办公室又爆满了。不得已还得租，结果3层、8层、

9层都有阿里巴巴的办公室。如果当初听马云的，整个公司就可以集中在9层办公。事实证明了马云的远见。

有时真理并不在多数人手里。有时民主决策也会错。马云说过，我很少固执己见，100件事里难得有一件。但后来我们发现，这1%的比例并不准确。很多时候都是马云做出决策，其他人（包括高层）反对，但马云坚持，团队执行了，结果发现还是马云对。这样决策的比例也许能占到一半。当然真理也并不永远在马云手中。

办公楼的装修由谢世煌负责。为了节省资金，小谢找了一家小装修公司。装修公司千方百计贿赂小谢，但无功而返。小谢说："我怎么能背叛这个团队？添置办公家具报价40万，我只能给你20万，剩下的20万你要在我们网站做广告。就是要省钱。不管风险投资投了多少，那是他们的钱，我们要对他们负责任。"

装修华星大厦只是第一次，以后还有装修创业大厦，还有购买呼叫中心……阿里巴巴的当事人面对金钱的诱惑不为所动，面对利益的诱惑大义凛然。至今在阿里巴巴没有发现重大的受贿贪污案例，这的确发人深省。财务上的防范和制约制度肯定有，但阿里巴巴主要是靠价值观。诚信于团队和公司（其实公司本来就是他们自己的），负责于投资人的钱，这是阿里巴巴价值观的重要组成部分。

华星大厦办公室的装修很一般，与后来的创业大厦不能比。但搬到华星之后，大家还是有鸟枪换炮的感觉。

从湖畔花园拥挤的居民楼搬到华星大厦宽敞的办公楼，随着空间环境的变化，阿里巴巴创业者们的心态也发生了微妙的变化。

风波

阿里巴巴进驻华星大厦之后，开始了规章制度的建设，这是任何一个规范化公司无法规避的大事。马云把此事交给了负责人事工作的彭蕾。不久彭蕾把制度和流程起草出来了，但一贯彻就遇到了阻力。

也许阿里巴巴的创业者们已经习惯了那种充满人情味和家庭味的工作氛

围，习惯了那种既像兄弟姐妹又像部队战友的团队氛围，习惯了那种不分彼此不分高低，同甘共苦亲密无间的人际关系，突然搞起制度、流程和奖惩来，大家一下子很难适应。

这一点连负责此项工作的彭蕾也很矛盾。但她知道推行规章制度是从一个创业团队转变为一个正规公司的必由之路，不推行公司很难发展，推行就必然伤害到团队的家庭氛围和兄弟感情。

最后规章制度还是强制推行了。

搬到华星之后，随着公司正规化建设的开始，划分部门明确分工都是自然而然的事，而有了部门就得有负责人，于是提干就是自然而然的事。在18个创始人中，第一批提干的有三人：孙彤宇、张英和彭蕾，职务都是部门经理。

于是原来的18个创业者分成了两拨：4个官和12个兵。从北京EDI时代起，这支团队就习惯了只有一个头，那就是马总，其他人都是平等的兵。湖畔时代也是如此。到了华星时代，这种人们已经习惯了的现状突然改变了。

地位和职务的变化是一个原因，当时的职位也是与薪酬挂钩的；更重要的原因是，搬到华星之后，公司大了，人员多了，原来的18个创始人见面少了，沟通也少了，再不是当年在湖畔花园一起睡地铺，一同吃盒饭，朝夕相处，患难与共的时代了，于是误解和不理解越积越多，矛盾和怨气越积越多，终于爆发了一次也是唯一一次风波。

搬到华星不久的一个晚上，马、张、孙、彭之外的十几个创始人来到一家名为名流的咖啡馆聚餐。大家开始说好不谈工作只叙旧，不想谈着谈着就说到公司说到工作，所有的不解、疑惑和怨气都发泄出来，一直谈到半夜。团队里的老大哥楼文胜首先倡议：说了这么多，屁股一拍就走，于事无补，我们应该写出来送给马云。大家纷纷响应。于是由楼文胜执笔，大家补充，整整写出了一大张纸。

散伙之后，楼文胜回家将这份东西整理成一封写给马云的长信，然后发给了马云。

第二天傍晚，马云收到信后立即把18个创始人召到一起，大家围着圆桌坐下后，马云说："今天大家不用回去了，既然你们有那么多怨恨，很多人有委屈，现在当事人都在，都说出来，一个个骂过来，想哭就哭，所有都摊在桌面上，不摊完别走！”

马云说完，十几个人接连发言，把昨天在咖啡馆里说过的每件事都说了一遍。矛头自然是指向马、张、孙、彭，但主要矛头又都是指向孙彤宇，以至于前一半的会有点像孙彤宇的批判会。

涉及马云的只有一件事：马云有一个亲戚（实际上并不亲），在阿里巴巴做程序员，但大家提出他并不称职。会后三天这个程序员就走了。涉及张英的也是一件事：一个黄页过来的人，做得不好，在一次淘汰谈话中，被张英保下来，大家提出这是走关系，还提出因为你是马云的老婆，大家会对你有不同的要求。

当时会上张英很委屈，事后证明张英的决定是对的。

针对孙彤宇的事则有很多，也可以说90%的事是针对他的。会上孙彤宇做了一些解释。孙彤宇是个大大咧咧的人，个性很鲜明。在北京EDI时，他就和张英吵过，后来又和盛一飞大吵过，此事引来马云电话过问。华星风波中大家对孙彤宇的猛烈批判，有些是误解，有些是孙彤宇性格造成的。所有这些跟孙彤宇的职务升迁并无多大关系。事后作为当事人的楼文胜和戴珊都认为，对孙彤宇的批判“有些事有点过”。

孙彤宇回忆：“这个会可以说是对我的批判会。在很长时间内我身上存在着跟大家沟通的问题。不是职位的问题，而是做事的方法，说话的方法，有时对人有伤害。那天晚上，我没有理解到底发生了什么，我说，我就是这样一个人，这样一个方式，请大家接纳。那天我有很多委屈。但一个巴掌拍不响，大家没坏心。”

那次风波之后，孙彤宇还同程小咚大吵过，在马云的干预下，随后是一次男子汉式解决。毕竟江山易改本性难移。但孙彤宇出任淘宝总经理后，他的性格改变多了。

那天的会从晚上9点开到凌晨5点多。那是一次彻底的宣泄，也是一次彻底的灵魂洗礼。会上许多人情绪激动，许多人痛哭失声。会上甚至有人说到离开，可是扪心自问，谁会舍得离开这个团队，这个公司？

整整一夜，这些跟随马云浴血奋战了少则两年多则五年的老战友，吵过、喊过、哭过之后，一切疑虑都已消散，一切误解都已消除，一切疙瘩都已消解。

当东方既白，一切都烟消云散，18个创始人的心灵像晨露一样纯洁。

华星风波的导火索是那封写给马云的信。事后吴泳铭说："我们能写出来告诉马云，说明我们是一支很好的团队。"如果那14个创始人不这样做，而是任其发展，让误解和矛盾蔓延下去，那么18个创始人团队的分崩离析是早晚的事。

马云接到信后已经觉察到问题的严重性，于是立即召开会议，用他一贯主张的男子汉的方式解决问题。事后证明这种方法是有效的。

马云主持了那次会议。但一反常态的是他在会上说话不多。会议快结束时，马云说："其实现在很关键。60到80人时要分部门，有人会当官，会有政治斗争。以后阿里巴巴会有几万人怎么办？你们要学会欣赏对方，山外有山。你们现在无谓地吵来吵去，浪费时间，将来见面都很困难。将来阿里巴巴大了，你们有人在杭州，有人在上海，有人在欧洲，有人在美洲，想见一面谈何容易？"

华星风波发生在2000年初，5年之后，18个创始人的职务变化更大了。有人做了副总裁，有人做了总监，有人还是经理，也有人还是专家。5年之后，有人在阿里巴巴，有人在淘宝，有人在雅虎中国；有人在杭州，有人在北京，有人在美国，已是"相见时难别亦难"了。再过几年随着阿里巴巴的二次海外扩张，马云在那次会上描述的情景的出现是很自然的。

华星风波发生之后，类似的风波再也没有发生过。18个创始人之间的政治斗争也得以避免。5年之后，这18人依然都在阿里巴巴。虽然见面已经很难，但每年他们都要聚一次，一起吃顿饭聊聊天叙叙旧。

这真是一支很奇特很少见的团队！正因为有这支原始团队垫底，才会有阿里巴巴巍峨的大厦！

在中国20多年的民企发展史上，合伙人分道扬镳反目成仇的事例我们见得太多了。有多少红极一时的企业败在内耗上，败在原始团队的分裂和倾轧上？

阿里巴巴的创始人团队为什么能走得这么远？也许真的是物以类聚，人以群分，聚在马云身边的这群人都是一类人。也许真的是企业文化和价值观的强大力量造就了他们共同的基因？

当初阿里巴巴创建时，马云断然决定把股份分给大家，此举让业界感到不可思议，连吴炯（阿里巴巴后来的CTO）都觉得难以想象。须知这18个人中有4个是马云的学生，当时他们都是刚毕业的“小孩”，其他人既无MBA的学历也无海外留学的背景。

然而，如果当初马云自己控股当老板，或者把阿里巴巴变成他和张英的家族企业（像江浙绝大多数企业一样），华星风波的表现绝不会是我们现在看见的这种形式，而在那个彻夜不眠的会议上，也绝不会有人敢向马云张英发难。如果那样，解决风波的办法只能有一个，那就是走人！

华星风波的产生和化解都是耐人寻味的。

事后马云做过如下的总结：“以前我们最为骄傲的是湖畔文化，但是现在我觉得最骄傲的是华星文化。华星文化正在孕育着阿里巴巴真正的新一代的文化。如果我们还是留恋湖畔创业，一种盲目的热情，阿里巴巴不可能得天下，不可能成为世界最伟大的公司。今天的华星大楼，正在滋生一个团队，价值观，一种企业文化。在华星正在涌现出许多比湖畔更精彩的团队和文化氛围。几乎每一个部门都出现了许多优秀的团队，涌现了许多优秀的人才。大家正在形成一个Team Work，我们的运营正在出现好的效用。当然也有怀疑华星的，有人在说我们在湖畔的时候有多好，每天干到凌晨四五点都不累。但这样我们能干多久？Savio说过，没有自己生活的人是不可能有Innovation的，不可能为公司创造价值。互联网必须结束个人英雄时代，必须进入团队发展。阿里巴巴最令人骄傲的是涌现了华星文化。我们不能再倡导湖畔文化。一个企业与一个人一样不能老是看到过去，我们应在这儿创造今天的华星文化，为3年、5年以后阿里巴巴的大发展做出最大的贡献，将华星文化散播到全国各地，散播到世界各地。”

10 和媒体有蜜月期吗?

从1995年创办中国黄页时起，马云就与媒体结下了不解之缘。其实互联网本身也是媒体，是新兴的第四媒体。

从1995年到2007年，马云创业的12年间，谁也说不清媒体给了他多少帮助。可以说没有中外媒体的帮助，马云和阿里巴巴的成功是无法想象的。

从中央电视台的樊馨蔓为他拍《书生马云》的专题片，到《中国贸易报》的“走近马云”长篇报道；从央视的“对话”，到央视的“经济半小时”到“年度经济人物”……没有媒体的宣传，马云的名声何来？阿里巴巴的品牌何来？《福布斯》把马云送上了封面，尽管有福布斯风波，但这一个封面能抵多少广告？

马云可能是中国网站掌门人中最善于交往媒体利用媒体的人。

在阿里巴巴创业初期相当长的无钱做广告的时间里，马云正是利用中外媒体的访谈报道来为阿里巴巴公司做免费广告的。借媒体造势是马云的拿手好戏。

看过阿里巴巴推出淘宝网和阿里巴巴收购雅虎中国的新闻发布会，你就知道阿里巴巴利用媒体的本领已经炉火纯青了。

然而媒体历来是把双刃剑。它有影响力也有杀伤力。媒体暴力也给阿里巴巴制造过一些麻烦。福布斯风波只是其中一件。

在阿里巴巴的严冬时期，一些媒体做过负面报道。他们质疑阿里巴巴的模式，批评马云“假大空”，批评最多的还是阿里巴巴不赚钱。

在与媒体较劲时，马云说过这样的话：“我也不怕媒体联手骂我，反正我皮也厚了，抗击打能力也强了。正如人家骂我，骂我怎么样，骂阿里巴巴是不赚钱的。我对他们说，你说吧，阿里巴巴就是不赚钱，你想要把我怎么样？我自己在做什么我自己知道。这类责难与冤枉对我来说已经是家常便饭了。”

但总的来说，媒体对于阿里巴巴的正面报道远远大于负面报道，媒体给予阿里巴巴的帮助远远大于它给阿里巴巴制造的麻烦。

也就是说，阿里巴巴与媒体冲突的时候少，与媒体合作的时候长。

虽然如此，阿里巴巴在利用媒体的同时还是要小心提防中国媒体的暴力。君不见，爱多、秦池、蓝田……多少显赫一时的企业倒在媒体的枪口下！

福布斯风波

2000年7月，老牌财经杂志《福布斯》把阿里巴巴评为世界最佳10个B2B网站之一，并把马云的照片登在了封面。马云成了50年来第一个登上《福布斯》封面的中国企业家。

《福布斯》杂志亚洲王牌记者贾斯汀·杜布勒5月上旬专程到上海和杭州对阿里巴巴进行了3天跟踪采访，6月中旬又给马云发来多达180个问题的事实核对单，并电话采访了马云在接受采访时提及的几位远在澳大利亚、新加坡等国的当事人。

贾斯汀·杜布勒和马云、100多名阿里巴巴的员工、他们的孩子、配偶、恋人一起去到杭州郊外的一个湖畔度假村过周末。杜布勒说："我们在一条路面不好的公路上开了两个小时。当我们抵达的时候，所有的人正在痛饮啤酒或者中国茶。这是阿里巴巴的第一次集体出游。马云说公司发展得太快了，从18个人到150个人，员工工作很辛苦，大家需要休整一下并且互相认识认识。"

"马云是个天生的推销员。他曾经跟员工说：'不吃苦不足以成大事，明天比今天更残酷。'员工非常爱听。"

"我在度假村见马云次数不多——他一直忙于给员工鼓劲。但我在回杭州的颠簸的车上和他进行了长谈。"

两个月后，杜布勒在昆仑饭店采访马云："《福布斯》已经把你们评为世界前10名，你是否觉得第一个目标已经达到，阿里巴巴下一个目标是什么？"

马云回答："《福布斯》报道我们是好事，但也给我们很大压力。本来我们可以悄悄发展，《福布斯》一登，成了全世界关注的焦点。我们并没有把此事当成里程碑，也并不认为阿里巴巴的目标已经达到。阿里巴巴今天没有本钱骄傲，它今天才18个月，还是个孩子，只不过它比别人哭得响点，翻身多了点，有点古怪。我们还有很多事情要做。阿里巴巴下一个目标是让客户在网上赚到钱，并摸索出自己赚钱，持久赚钱的模式。”

提起《福布斯》，马云仍有点激动：“最近阿里巴巴被《福布斯》评为封面，评为全球最好的B2B商业网站。但是，北京的一家很有影响的青年报，在毫无根据的情况下，刊登了一篇文章，含沙射影地说这个封面是我们买来的。”

文章出来之后，几家报纸还为此打起了笔仗。福布斯风波随之而起，传媒界和IT界一片沸沸扬扬。

马云向我披露了《福布斯》记者采访的经过：“我们在上海搞活动，《福布斯》的记者要来采访，我们同意了。这位记者跟了我们三天，问了我一大堆问题，后来又发来180多个问题要我答复。我与他谈话中提到的新加坡、澳大利亚的朋友，他都去调查了。一个月后，在香港街上看到杂志，才知道《福布斯》把阿里巴巴评为全球B2B最佳网站，把我弄上了封面。”

福布斯风波刚起之时，柔中带刚从小爱打架的马云真有点按捺不住：“现在，我们可能要打一架，并且这一架要打得狠狠的，但不是为我自己或阿里巴巴。如果中国人都是这样看的话，中国的企业到底还有没有希望？如果是为了马云，为了阿里巴巴，这个冤枉我早就吞下去了。但是，如果是为了中国新兴的IT产业，我是要去打一架的。阿里巴巴要替IT产业去打一架，打到底，除非他们给个正确的说法！”

怒火中烧的马云甚至说：“大家都说，谁都不敢挑战媒体。我就是要去挑战媒体，我就要去跟他讲，媒体就应该客观公正。”

半个月过后，马云的怒气已消，再谈起《福布斯》，只是有些懊恼和感伤：“上《福布斯》封面没有料到。上《福布斯》封面是商人梦寐以求的事，就像演员拿到奥斯卡奖。把这样一个荣誉给一个18个月的孩子不利于他的健康。我们比谁都紧张。另一方面，50年来没有一个中国企业家上过《福布斯》封面，无论是谁，只要是中国人上了，都应该感到骄傲。”

“有些中国人，看不起自己的企业，看不起自己的企业家。他们觉得好像我们上这个封面就有可能是假，其他的外国公司上这个封面就是真的。今天，我们正代表着一个新兴的产业，依靠中国人的智慧和艰辛努力，挑战世界，向世界的最高峰冲刺。在这个时候，有个中国人上了《福布斯》的封面，就被认为有可能作弊，这是一种悲哀。中国人把什么都看成假的，这个民族的心态有问题。"

马云和媒体的这个"架"为什么没打起来？一是媒体和IT界很快就会知道《福布斯》封面的运作原则和事情的真相。二是马云真的离不开媒体。

西湖论剑

马云不但善于借媒体造势，而且善于借活动造势。"西湖论剑"就是马云的一个绝妙创意。

马云小时习过几年武，是个金庸迷，自称风清扬。

当时阿里巴巴负责公关活动的是市场部副总裁Porter（中文名字是李博达），他是个地道的能说中文的美国人，来阿里巴巴前是北京奥美公关公司的总监。

2000年7月29日，Porter和马云在香港出差，一位记者发现马云喜欢金庸小说，就为马云和金庸安排了一个会面。那天，马云和Porter如约来到"庸记酒家"，马云见到自己崇拜多年的偶像，激动异常。那天整整谈了三个多小时。在这三小时里，金庸没说几句话，从头到尾都是马云侃。临别，金庸为马云手书："神交已久，一见如故。"从此，两人成了忘年交。

几个星期后，马云打电话给Porter："我有个想法，现在中国互联网的CEO都在打架，我想邀请金庸和新浪、搜狐、网易、8848的掌门人一起搞个西湖论剑，你看怎么样？"Porter一听就急了，连忙说："你疯了！这是不可能的！几个CEO之间关系都不太好，金庸又很难请到，你能不能给他们先打个电话，如果他们都同意，我可以协调。"

当时Porter生怕马云让他做这件事，也巴望着马云第二天就把这事忘了。

第二天，马云打电话邀请金庸，没想到金庸当即就答应了。马云再打电话给丁磊和王峻涛，两人都是金庸迷，一听金庸要来，立马答应。马云再打电话给张朝阳，张朝阳虽没读过武侠但也没拒绝。马云最后打电话找到了王志东，这位网络老大有点矜持。临到最后几天，王志东突然打电话给马云，说他有事不能来了。马云一听就急了："哥们儿你这不是坑人吗？"于是立即杀到北京找到王志东谈了两小时，生拉硬拽把王志东搞定了。

在Porter看来是异想天开的一件事，马云独自一人用了两天时间就搞定了。事后，马云对Porter说："做Business就这么回事，想是可以想很多，但重点在做不做得出来。"马云一直把Porter这个公关专家当做老师，但这次却是学生给老师上了一课。事后，Porter说："这件事让我学了很多。"

第一届西湖论剑的具体指挥运作落在了阿里巴巴新闻官金建杭的头上。

2000年9月10日，74岁的金庸来到西湖，前来赴会的还有新浪的王志东、搜狐的张朝阳、网易的丁磊、8848的王峻涛。同时还有不请自到的上百名记者。

第一届西湖论剑会场上的横幅写的是："新千年、新经济、新网侠"。

开场白自然是金庸："我最近和张朝阳先生讲一件事。有一位老先生在几千年前，在钓鱼的时候用直的鱼钩，愿者上钩。这就是说他本意并不想骗人家上钩的。后来这位老先生慢慢走到东方，走到杭州，他不钓鱼了，他拿一个网撒下去，愿者上网。他不是故意骗人家上网的，愿意的就上来吧。有一次鱼在水里游，张朝阳先生看见很高兴。我当时问张朝阳，张朝阳不是鱼，你怎么知道鱼快乐？张朝阳说，你不是我，你怎么知道我不知道鱼快乐呢？所以今天这个会，我第一想表达的是：西湖上网，愿者上网，大家都快乐地谈。"

提出网侠的概念，把网络与江湖扯到一起，让中国网络江湖化也许是马云的有意为之。

结果那次会上，五位掌门人谈武侠多于谈网络。

王志东说："100个人看金庸小说，有100个看法，我的看法跟别人不太一样。我经常做一种对比，我说如果用金老先生的手法来写一下中国的IT产业，肯定写得特别过瘾。"

张朝阳说："从我做起，今天做起，刻苦学习金庸著作。"

丁磊说："我走到今天，回顾自己创办这家公司，可能在小说当中只能比喻说有一定的功力，剩下30年人生其实有很多的机会去寻找这样的武林秘笈。"

王峻涛说："金庸大侠教会我们下面几个事情。第一，做人要有侠气。这是中国人心目中的英雄，也是金大侠告诉我们的。不是有钱的人就会把企业从零做到大。金大侠告诉我们说，中华民族都承认英雄是侠客，是大侠。侠之大者，确实是没有钱，侠客不要钱，要钱的一定不是侠客。”

马云说：“五年来我什么书也没看，就看了一点金庸。我们公司招聘过程中有一个特别有意思的，只要对方对金庸的书感兴趣，八成的人都给录取了。我是外练一层皮，内练一口气。皮就是厚脸皮。别人怎样骂你，你也要厚着脸皮不理会。气就是理。有那么多聪明人加入公司，就像桃谷六仙把真气注入令狐冲体内，怎样才能把六道真气收为己用？真就是练气。”

五位网侠论剑的结果是每人得到了金庸手书的“笑傲江湖”。

当然网侠论剑，必然要论到网。会上谈到网络盈利模式时，王志东概括出四种：广告、收费、佣金和提供解决方案。其他三位不置可否。马云则表示：“看得清的模式不一定是最好的模式，看不出你怎么赚钱的模式说不定最好。”当时的马云心中的赚钱模式也许还未找到。

会上也谈到了网站模式。除了门户网之外，有人看好B2C，有人看好C2C，唯独没人看好B2B。马云毫不心动，他还试图说服8848的王峻涛和谭智相信B2C和C2C没有前途。

第一次西湖论剑时，王志东、张朝阳和丁磊，被人们称为中国网络的“三剑侠”，马云的名声远不及这三位，阿里巴巴的名声也远不及新浪、搜狐和网易。那时人们提起网络总是联想到这三位，而马云这个中国互联网之父却常常被人遗忘。马云对此一笑置之：“我确实比他们三人更早投身互联网，但我不觉得，也不习惯，更不喜欢别人称我做中国互联网之父。这名字不应该是这代人的，应该是上一代的。况且互联网并不论资格，我不喜欢父，只喜欢子。”

第一次西湖论剑之前，三大网站，三大掌门人的说法是有的，但并无五大网站，五大掌门人之说。而西湖论剑之后，五大网站和五大掌门人自然而然被业界和社会接受，虽然阿里巴巴当时的实力与前三名网站的实力相差不少。

西湖论剑的成功是不言而喻的。

11 来自海外的阵痛

马云作为一个企业领袖，多数时候很英明，有些时候甚至很神。

马云对互联网市场的感悟，对电子商务的感悟，很超前也很准确。

选择面对中小企业的B2B模式，与孙正义联手，果断采取B TO C（回到中国）战略，推出中国供应商和诚信通，推出“独孤九剑”和“六脉神剑”价值观，开展西湖整风和培训，直至收购雅虎中国的大手笔，这些重大决策都没有错，否则就不会有阿里巴巴今天的辉煌。

这些重大决策多数是马云一人做出来的，例如选择B2B模式和与孙正义联手等；有些是马云和团队高层共同决策的，当然决策时唱主角的还是马云。

然而马云是人不是神。他自己也坦然承认犯过很多错误，承认做企业犯错误不可避免，并把这些错误当作宝贵财富。马云说过：“几年来我们犯过好多错误，这些错误别人做也要一一犯过，这些错误就是我们的财富。”

阿里巴巴创业早期，马云有过重大决策失误，那就是过分追求国际化和过早实施海外扩张。

2000年曾被当作阿里巴巴扩展海外市场的关键年。1月份孙正义的2000万美元到账，2月份马云就率队杀到欧洲。“一个国家一个国家地杀过去。然后再杀到南美。再杀到非洲，9月份再把旗插到纽约，插到华尔街上去：嘿！我们来了！”这是当年马云的豪言壮语。

然而到了2000年9月10日，人们在华尔街没看见阿里巴巴的旗帜，人们却听见马云宣布：阿里巴巴进入高度危机状态。

这一决策的失误不仅使阿里巴巴浪费了许多宝贵的资金，而且一度使阿里巴巴陷入绝境。

国际化

马云说过，阿里巴巴一开始就是一个国际化的公司。这是千真万确的。

正因为国际化，正因为阿里巴巴同步推出了英文网站，才使阿里巴巴迅速获得国际声誉，迅速获得海外媒体的关注，这对于创业初期无钱无名的阿里巴巴很重要，以至于在相当长的时间里，阿里巴巴处于“墙内开花墙外香”的状态。

然而国际化是一把双刃剑。过分过早追求国际化更是对阿里巴巴的严重伤害。

为了适应国际化的要求，阿里巴巴一开始就把总部放在了香港（后来也一度放在上海）。阿里巴巴的香港总部很快就发展到几十人。其中有来自跨国公司的高级管理人才，也有出身美国名牌大学的国际化人才，他们用美元发放的年薪都在6位数之上。

互联网技术发源于美国，最好的技术人才都集中在硅谷。阿里巴巴为了打造世界一流网站，把它的服务器和技术大本营都放在了美国硅谷。2000年5月，马云成功地挖来了雅虎的搜索器之王——吴炯。靠着吴炯的帮助，阿里巴巴的美国研发中心很快聚集了许多硅谷的顶尖技术高手。美国中心人数最多时有20多名，他们的开销比杭州总部200多人的开销多好多。

马云当时提出的口号是：“东方的智慧，西方的运作，面向全世界的大市场。”他强调：“在公司的管理、资本的运用、全球的操作上，要毫不含糊地全盘西化。”

为了占领世界大市场，阿里巴巴继香港、美国之后，又建立了英国（欧洲）办事处和韩国办事处。阿里巴巴的韩国网站是一个合资公司，不仅推英文网站而且还推韩文网站。

为了加快海外扩张的步伐，阿里巴巴的台湾网站、日本网站、澳洲网站都在积极筹备中。

马云指出：“要做世界顶级网站，一开始就大张旗鼓宣称这是中国人做的，等于自缚手脚。虽然大陆确实是一个很重要的市场，但它只是全球市场的一部分而已。阿里巴巴要的是放眼世界，挑战世界，真正做到打进全球市场。”

阿里巴巴就这样拉开了向全世界进军的阵势。在世界各地遍插红旗的感觉的确很爽。可惜当时的阿里巴巴还不具备走向世界的实力，它向海外扩张的战略整整早了5年！

中国的成功企业，海尔、联想、TCL……都是先在本土获得成功，先在国内占领了可观的市场份额之后，再开始国际化的。美国的雅虎和eBay也是先占领了美国市场然后再向世界扩张的。先本土后国际是企业发展的一般规律。阿里巴巴超越本土直扑国际的战略显然违背了市场规律。

国际化不是一个随意为之的战略。国际化是要有金钱和实力做后盾，有本土市场份额做铺垫的。

马云和阿里巴巴的高层当初为什么会做出这样国际化的一个战略？马云说："互联网上失败一定是自己造成的，要不就是脑子发热，要不就是脑子不热，太冷了。"刚刚拿到2500万美元投资的马云是不是有点头脑发热？

阿里巴巴没把钱花在广告上，但它把钱花在了海外扩张上。

香港、美国、欧洲、韩国所有这些网站每月的花销都是天文数字，而所有这些网站又都是只出不进没有一分钱收入。

阿里巴巴的海外扩张始于2000年2月止于2001年1月。在这一年时间里，阿里巴巴每月烧掉近100万美金。吴炯后来回忆时说到："当时钱烧得够凶的。"

由于马云的精明和算计，还是省下了不少钱。

2000年中，马云到美国。阿里巴巴专门聘请的专家为阿里巴巴制定了一个推广方案，这个方案的预算是1000万美金。吴炯说这个预算太高了，马云也觉得高，于是才下决心把预算减到500万。最后执行这个预算花掉了400万美金。吴炯后来回忆："把预算减下来，我有功，否则2001年会更困难。"

到2000年底互联网泡沫破裂时，阿里巴巴的账上只剩下700万美元了。按当时的烧钱速度只能坚持半年多。

当互联网冬天来临时，风险投资商答应的新投资全部告吹。阿里巴巴近似疯狂的海外扩张不得不停下来。

豪华阵容

要打造世界一流网站，成为世界10大网站之一，必须用世界一流的国际化人才，这是自然而然的。

马云说："阿里巴巴有个规定，凡是要坐主管以上的位置，必须在海外，如英国、美国等地受过3至5年教育，或工作过5到10年。"

他还说："这是个死命令。一起创业的那18个人可以当连长、排长，但团长、师长以上的人，我通通从外面请。"马云是这样说的也是这样做的。

在2000年1月之前，没有钱的阿里巴巴也吸引了一些国际化的一流人才，例如蔡崇庆和雷文超。那时吸引人才，靠的是马云的个人魅力，靠的是阿里巴巴概念的力量，当然也靠股权。2000年1月之后，有了钱的阿里巴巴，开始大规模招兵买马。这次吸引人才，以上三条都靠，但也靠高薪。

马云1997年夏天就认识了吴炯。1999年10月，马云就邀请吴炯加盟。到了2000年4月，马云打电话给吴炯："我现在有钱了。拿到这笔钱，最想买的是技术。我能想到买技术的地方是硅谷，想在那开一个研发中心，第一个想到的就是你。"

不到一月，马云把这个雅虎搜索器之王招至麾下，请吴炯出任了阿里巴巴的CTO。

到了2000年的年中，阿里巴巴已经组建了一支超豪华的团队阵容。阵容之强大盖过了当时国内所有的网站。

请看当时阿里巴巴的核心团队：

马云：首席执行官

孙正义：首席顾问

萨瑟兰：顾问

蔡崇信：营运总裁兼首席财务官

吴炯：首席技术官

Sanjay Varma：副总裁、业务发展

雷文超：副总裁兼中国区总经理

郑明道：资深营运副总裁

王烈：美国营运副总裁

Todd Daum：副总裁、市场与合作

George Chan：副总裁、互动服务

李琪：副总裁、中国营运

在这个豪华团队里，除了李琪一个“土鳖”外，其他都是符合马云条件的海外兵团。

以上只是阿里巴巴核心团队即决策层的名单，除此以外，在总监和经理这一层，在技术骨干这一层，阿里巴巴也聚集了一大批国际化的人才。

那时阿里巴巴可谓战将云集，精英荟萃。不要说在香港、美国办事处，就是在杭州总部，来自500强跨国公司和世界知名大公司的高管随处可见，世界级的网络高手随处可见，黄头发蓝眼睛的外籍员工更是随处可见。

那时的阿里巴巴是名副其实的国际化公司。马云很为阿里巴巴的豪华阵容自豪，他说：“有很多一流的人才在阿里巴巴工作，我只是其中的一个创业者。阿里巴巴是一支一流的团队，一流的投资组合，当阿里巴巴打进Nasdaq时，将是亚洲第一。”

在第一次互联网高潮中，世界大公司特别是传统大企业的精英往网络公司跑是潮流。吸引他们的是互联网企业先行者的商业奇迹和原始股权。这个潮流兴起于美国，也波及中国。当时马云到硅谷招人，吴炯找来一帮朋友，这些人听完马云的故事，一个个热血沸腾，都表示愿意从大公司跳槽到阿里巴巴。一支阿里巴巴美国研发中心的骨干队伍很快就形成了。当时的中国网络公司在美国硅谷招人就是这么容易。

中国的互联网企业，无论是新浪还是搜狐，都没有阿里巴巴聚集的国际化精英多。虽然当时后者在国内的名气远不如前者。

可以说，2000年的阿里巴巴是中国国际化最彻底、国际化人才最集中的互联网公司。

这些国际化人才给阿里巴巴带来了什么？这些国际化精英在阿里巴巴的命运如何？

马云创办阿里巴巴不久，就提出“东方的智慧加西方的运作”这个理念，并且明确提出阿里巴巴在管理上就是要全盘西化。

没有这些来自西方的国际化人才,阿里巴巴的西方运作和西化管理是不可思议的。

平心而论,这些国际化的精英对于阿里巴巴的贡献是不能忽视的。

没有蔡崇庆,阿里巴巴财务的透明和国际化是不可思议的,没有2001年从GE(通用电气)引进的COO关明生,阿里巴巴管理的现代化和规范化是不可思议的,没有吴炯,阿里巴巴技术的国际领先水平也是不可思议的。

当然,大量国际化人才的涌入也给阿里巴巴带来了许多问题。

一、文化冲突。外籍员工与本地员工的文化冲突在阿里巴巴的杭州总部表现得最为明显和激烈。这种文化冲突曾经一度变得难以调和。

二、不熟悉本土市场。许多外来高管因为不熟悉中国市场而工作成效甚微。

三、未能全部发挥作用。阿里巴巴引进的国际人才有一半并不是阿里巴巴所需的网络业界人才。加之语言的障碍和文化的冲突,他们中许多人未能全部发挥作用,对阿里巴巴出力不大。

四、难以承受的人力成本压力。这是大量国际化人才带给阿里巴巴的最大问题。他们的加盟使阿里巴巴的人力资本支出陡然上升。当时一个美国雇员的工资是杭州雇员的十几倍。可以说,阿里巴巴千辛万苦融来的2500万美元风险投资,大半用来给国际化人才发工资了。阿里巴巴每月近100万美元的消耗主要用于此。这是阿里巴巴的不能承受之重!它几乎置阿里巴巴于死地!

众多国际精英在阿里巴巴的命运是可想而知的。在不到一年的时间里,阿里巴巴的国际化人才走掉了90%以上。他们中的小部分是自己辞职的,大部分是被阿里巴巴辞退的。

在上面的那个豪华阵容名单里,除了孙正义、蔡崇庆和吴炯,其他人都走了。

国际精英的离去,使马云不得不反思他的人才国际化战略,不得不重新启用和培养他的本土团队。

从2001年2月到2007年,阿里巴巴高层团队的80%是由本土人才组成的。其中绝大多数是从18个创始人中脱颖而出的。至于阿里巴巴的中层领导,几乎是清一色本土人才。马云正是靠着这支主要是由"土八路"组成的团队,度过了漫漫严冬,实现了绝地胜出。

可以说马云和阿里巴巴主要是依靠土八路打下江山的。这种状况一直持续到2005年。从2005年开始，阿里巴巴再次开始海外扩张，再次开始招募国际高端人才。

新一轮招聘还在悄悄进行中。截至目前，已有微软、GE等大公司的高管陆续加盟阿里巴巴，他们被称为空降高管。现在阿里巴巴高管中本土与海外人才的比例大约是7∶3。中层领导本土人才的比例仍然高达95%以上。

今天反思马云和阿里巴巴的国际化战略，可以得出这样的结论：阿里巴巴的国际化方向没有错，但海外扩张太早了，至少早了5年。马云的人才国际化战略也没有错，但他一度过分迷信国际人才迷信洋八路，过高估计了阿里巴巴的财力。拿到2500万美金的马云，一度脑瓜的确有点热。马云后来总结道："钱太多了不一定是好事，人有钱才会犯错啊！阿里巴巴犯过许多错，最早一个是在创办时，因为全球化的概念，所以就认为公司要设在美国，于是跑到硅谷。结果找来的员工，愿景、思路、想法都不同，实在无法做事。不到一个月，发现这是个错误。即使有全球眼光，也必须取胜本土。换句话说，在中国也能创造一个世界级的顶尖公司。这一个月，我们是有损失，但得到的比损失多，至少我们懂得了全球化。所以我们买的是犯错的经验，这是阿里巴巴的价值。""我们是全球的眼光当地制胜，我们的拳头打到这个位置，再打下去已经没有力量了，迅速回来，回来后当地制胜，形成文化，形成自己的势力再打出去。如果不在中国制胜的话，我们会漂在海外。我们要防止的对手在全球，而非中国内地。在中国，互联网真正要赚大钱还要有二三年时间，这二三年内挣的钱只能让你活得好一点，但活得很舒服很富有不可能。现在我们不可以在中国内地以外的地方养一支300～500人的队伍，成本太高了，收入与支出不成正比，在香港在台湾都不行，只有在中国内地才行，而且可以不断地发展壮大起来。"

毕竟阿里巴巴的主战场在中国，主市场也在中国；阿里巴巴只能生存于中国，崛起于中国，然后走向华尔街，走向全世界。

马云和阿里巴巴为2000年的错误决策付出了惨重的代价。这个代价反映在金钱上就是2500万宝贵的风险投资烧掉了一多半。

2000年底，持续了三年的互联网第一波浪潮突然从峰顶跌入峰谷，持续了三年的互联网泡沫终于破灭了。

从2000年4月3日开始，美国的Nasdaq股票开始狂跌，到了年底，中国的网站开始纷纷倒闭。互联网的冬天来临了。

其实马云对互联网泡沫的破灭和网络冬天的到来是有预感的。还在1999年2月的阿里巴巴第一次员工大会上，马云就说："谁都知道Internet是个泡沫，我刚才讲危机感就是指Internet的泡沫越来越多，什么时候破？他们的股票猛涨，什么时候掉？"

2000年10月，马云力排众议，硬是要和孙正义合作，为阿里巴巴储备了2000万美金的过冬粮草。

但他可能没有想到互联网的冬天会来得这么早，没有想到阿里巴巴的冬天会如此严酷！

如果说互联网的冬天一半是泡沫破灭造成的，一半是风险投资商短视造成的，那么阿里巴巴的危机一半是决策失误造成的，一半是网络冬天的大环境造成的。

2001年初时，阿里巴巴的资金链已经接近断裂。盲目扩张，盲目招人，盲目国际化的结果必然导致被迫收缩，撤站裁员！

马云终于明白："有多大的服务能力就做多大的事。"

几年后回首往事，马云说："那时的言论，那时的计划，现在看看都蛮可笑的，但我还是觉得勇气可嘉。"

2000年底2001年初，阿里巴巴陷入自创业以来最困难最危机的境地。

时值寒冬，北风呼啸，天寒水冷。阿里巴巴开始过冬了。

12 唯减肥以笑傲严冬

自断其臂

2000年底和2001年初的阿里巴巴的确有点危险。

马云是2000年7月登上《福布斯》杂志的封面的，不到一个月，“网络已死”的大标题也登上了许多媒体的版面。

第一届西湖论剑是2000年9月10日召开的，热闹过后仅10天，马云就宣布阿里巴巴进入6个月紧急状态。“未来半年是非常严峻的半年，随时做好加班准备。”

彭蕾说：“2000年下半年，Nasdaq股票狂跌，外面来的人开始人心不稳。他们指望阿里巴巴一年上市，现在上不去了。马云上了《福布斯》封面，外面的人以为阿里巴巴是个很正规很大的公司，来了以后发现跟自己想象的不一样。马云请退了一批海外的人，那是我心里最难过的时候。阿里巴巴内部也有很多谣言，批阿里巴巴的商业模式是假大空，说上《福布斯》封面是黑金交易。”

张英说：“2000年底，股东的脸色很难看，说再不盈利，把网站拆了。”

吴炯说：“2000年底互联网泡沫破灭，投资人本来答应给更多的钱不给了，不给钱，许多项目都停下来。”

2001年1月，阿里巴巴的账面上只剩能维持半年多的700万美元，更可怕的是，当时的阿里巴巴并没有找到赚钱的办法。

在阿里巴巴的资金链即将崩断时，所有的风险投资商都不愿再掏一分钱了。

马云说：“如果没有投资者的支持，我们不可能走下去。但投资者在没有看到实实在在的市场启动时，他们决不会再投入。我的幸运之处在于，在选择投资者的第一天我就和他们讲好，倒霉的时候我是需要你的，要是倒霉时你比我跑得还快，那可不行。所以，我觉得脑袋要决定口袋，但脑袋要知道自己做什么。”

可事实上中国互联网市场上绝大多数都是口袋决定脑袋。当网站的钱快烧完时，当网站找不到盈利模式时，几乎所有的投资商都本能地捂住了自己的口袋。当“口袋”溜走时，弹尽粮绝的互联网公司只能悲壮地倒下。因而深受其害被迫辞去8848董事长的王峻涛说：“互联网的冬天严格地讲是互联网投资者的冬天，是互联网媒体的冬天，而不是互联网从业者的冬天！”

于是，融资上亿元人民币的赢海威倒了，融资5000万美元的美商网倒了……三年前，网站兴起如雨后春笋，三年后，网站倒下如纷纷落叶。被网络大潮冲击得晕头转向的人们忽然明白了：新世纪是网络的世纪，是新经济的世纪，但也还是资本的世纪！

为了活着，为了活得长一点，阿里巴巴的当务之急是开源节流。首先是节流，是控制成本。于是撤站裁员，全面收缩就是必然的选择。然而作出这样的决定不是件容易事。

“冬天的时候，我们当时犯了很大的错误。一有钱，我们跟任何人一样，我们得请高管，我们得请洋人，请世界500强的副总裁。我们请了一大堆人。可最关键的时刻又要做决定请他们离开。我们清掉了很多高管，这是最大的痛苦。就像一个波音747的引擎装在拖拉机上面，结果拖拉机没飞起来，反而四分五裂。我们如果当时不做这样的手术，可能阿里巴巴就没了。”事后马云如是说。

可见这是个极其痛苦的决定，也是一个生死攸关的决定。如果当时不能当机立断，阿里巴巴就会成为无数倒闭网站中的一个！

于是，在2000年1月召开的阿里巴巴的“遵义会议”上，马云和决策层作出了三个“B TO C”的战略决定：Back TO China（回到中国），Back TO Coast（回到沿海），Back TO Center（回到中心）。所谓回到沿海是指将业务重心放在沿海六省。回到中心是指回到杭州，正是这次会上，第一次确认杭州为阿里巴巴总部。

然而决定是困难的，执行更加困难。在这个关键时刻，第二个关键人物来到了阿里巴巴，他就是关明生。也许阿里巴巴就是运气好，也许马云每年到老家烧香真的管用，阿里巴巴第一次弹尽粮绝时，来了蔡崇庆；阿里巴巴第二次弹尽粮绝时，来了关明生。

关明生比马云大十几岁，有16年GE高层的宝贵管理经验。当马云、蔡崇庆、吴炯为大裁还是小裁而犹豫不决时，关明生果断地说，要杀就杀到骨头！

当马、蔡、吴都下不去手时，关明生坚决地说：这个恶人我来做！

于是2000年1月底，刚刚上任阿里巴巴COO的关明生，挺身而出，一场空前惨烈的大封杀开始了。一场于危境之中拯救阿里巴巴的战役打响了！

请听关明生的亲口讲述：

“我是2000年1月6号到杭州的，1月8号就上班了。当时阿里巴巴剩下的钱只够烧半年的了。阿里巴巴的‘遵义会议’决定实施三个‘B TO C’战略。当时的阿里巴巴有五个战场：中国大陆、香港、美国、欧洲和韩国，但这五颗子弹里只有一颗子弹能够致胜，只有一个地方能够活命，那就是大陆，就是杭州。确定了撤站裁员的封杀战略，关键是怎么执行。我刚来没有包袱，人都不认识，是比较好的参与封杀的人选。

“封杀从杭州开始。当时在杭州英文网站有一个三十来岁的比利时员工，工作很好，工资很高，年薪是6位数美元，这个工资对于杭州本土员工来说是个天文数字。当时杭州本土员工的月薪多数是一二千，好的三五千人民币。我去和他谈，说我们已经付不起你的工资了，你如果同意把薪水减一半，把股权升三倍(要是接受麻烦大了)，可以留下来。这个年轻人想了想，没有接受，于是我们就把他开了。他走时哭了。三年以后，这个比利时年轻人突然打电话给我，说他在我的母校伦敦商学院读书，现在毕业了，他的毕业论文写的就是阿里巴巴。

“1月29号，大年初一，我和蔡崇庆到美国封杀。出发前，太太帮我整理行李，问我要不要带防弹衣？她说加州解雇了一个金融员工，结果那个人拿着机关枪把老板和HR头都打死了。你这样做会不会有危险？

“当时阿里巴巴在美国硅谷有30 个工程师，当时的逻辑是要用最好的工程师去和微软、雅虎和eBay竞争，因此30个工程师的年薪没有一个低于6位数的。我和蔡崇庆几乎把美国整个办事处的人都解雇了，只剩下三个人：吴炯、Tonny和一个前台，这个前台也变成Partytime。

“1月30号，大年初二，我和蔡崇庆又来到香港。阿里巴巴的香港办事处已经被蔡崇庆裁掉了一批，我们到了就和他们一个一个地谈话。他们都是非常好的员工，有名校的MBA，有的在投行工作过，有大公司的副总裁和高级顾问，他们抛弃稳定的工作来到阿里巴巴，都希望.COM公司上市能拿到股票。阿里巴巴在香港作推广成本很高。第二天我和大家见面一起吃团圆饭，一共摆了三桌——中国人过年都是团圆，而我却正相反。大家问我阿里巴巴现在怎么样？我说要有大改变，长痛不如短痛。结果我和蔡崇庆商量了一下，基本都解雇了。香港办事处有30人，裁得只剩下8人。有一个员工回上海和家人过春节，我用电话就把他解雇了。蔡崇庆也用电话解雇了一个工资很高的欧洲同事。

"然后我和蔡崇庆又飞到韩国。阿里巴巴在韩国的网站是个合资公司，钱拿不回来。于是我宣布：钱再烧下去，几个月就光。因此你们有人要裁，有人要减薪，每月只能烧12000美元。我们每月看你们的报表，钱烧光前三个月还没达到收支平衡，我和蔡把你们全部开掉。结果三个月到了，我和蔡飞过去，把剩下的十几个人全部裁掉。这些人都哭了。我们付了三个月的遣散费。

"封杀完国外又回到国内，把昆明办事处关了，把很大的上海办事处调整到不到10人，把办公房间分租了出去。北京办事处也从中国大饭店搬到了泛利大厦。"

请听蔡崇庆的讲述："那时很艰难。吴炯对我们说，美国的情况不行，很多工程师要走，等我们去。我和关明生到了美国把他们都解决掉了，只剩下六七人。吴炯说，我也没有用了。我和马云坚决地说，我们很需要你，尤其在最艰难的时候。即便你一件事没做，你还是阿里巴巴的CTO，是好朋友。吴炯说，在最艰难的时候，我一定要留下来，将来可以派用场。2001年春节吃年夜饭，要把香港办事处的人开掉，我心里很沉重。因为我在香港办公，这些人都是天天见，现在要开掉，心里很痛苦。后来我一个人在上海度假，感觉相当不好。再后来我和关明生又到韩国。阿里巴巴本身没做好，韩国网站肯定搞不好，肯定要关掉。那批人一共有8人，很有激情，对阿里巴巴相当热爱，愿意留下来坚持，坚信阿里巴巴一定会成功。但这已不现实，还是关掉了，很多人都哭了。"

请听吴炯的讲述："2001年是公司最困难的一年。我们也知道情况不对，知道投资人的话不能相信：在2000万用完之前实现盈利。知道不对，但下不了那么大的决心，只想把不满意的人开掉。关明生说，要杀就杀到骨头。香港员工是蔡崇庆的朋友，美国员工是吴炯的朋友，你们拉不下面子，我来！并不是公司没钱，还剩700万，但等到没钱时就来不及了。结果香港裁得只剩七八个，美国只剩六七个，关明生立了很大功劳。要是我们自己做下不了这个决心，因为不近人情。马云讲义气，没有关明生下不了这个手！"

请听马云的讲述："2000年我们在美国硅谷、伦敦、香港发展很快，我自己觉得管理起来力不从心。硅谷同事觉得技术是最注重的，当时硅谷发展是互联网顶峰，硅谷说的一定是对的。美国跨国公司500强企业的副总裁坐在香港，他们认为应该向资本市场发展，当时我们在中国听着也不知道谁对。大家乱的时候我就突然想，公司大了如何管理？当人才多的时候怎么管理？第一届西湖论剑之后我们提出了阿里巴巴处于高度危机状态，我就问我们当时美国公司的副总裁：我们一年不到就成为跨国公司了，员工来自13个国家我们该怎么管理？他说马云你放心，有一天我们会好起来的。我心里不踏实，不能说有一天会好起来我们现在就不动了。2000年底我第一次裁员。我们裁员的原因是因为发现我们在策略上有错误。当时我们有个很幼稚的想法，觉得英文网站应该放到美国，美国人英文比中国人好。结果在美国建站后发现犯了大错误：美国硅谷都是技术人才，我们需要的贸易人才要从纽约、旧金山空降到硅谷上班，成本越来越高。这个策略是一个美国MBA提出来的，人很聪明，当时提出来时想想真是有道理，到了一个半月我们才发现这是个错误，怎么可能从全世界空降贸易人才到硅谷上班？然后赶快关闭办事处。这是阿里巴巴第一次裁员，也是唯一一次大裁员。我们说如果想留在阿里巴巴工作，回到杭州来，同样的待遇，如果离开，我们分给多少现金、股票，这是公司决策的错误，与他们无关。从美国回来我们制定了统一的目标。"

以上四人都是大裁员大封杀的参与者，只不过有人是直接有人是间接。听了他们的亲口讲述，当年那场既惨烈又悲壮的大封杀已经历历在目。

不仅仅是封杀别人，马云、蔡崇庆等也把自己的工资减了一半，并且在公司中提出零预算：广告一分钱不花，出差只能住三星宾馆。

事后马云说："虽然人少了，但我们的成本控制住了。现在公司的成本处于一个稳定的阶段，几乎每个月都可以做到低于预算15%左右，控制成本其实没有什么秘诀，就是做到花每一分钱都很小心。我们公关部门，公关预算几乎为零，请别人吃饭是自己掏钱。我自己应该是网络公司里最寒酸的CEO了，出差住酒店只住三星级的。我们不是用钱去做事，而是用脑子去做事。"

大封杀的效果立竿见影。每月的成本立刻从100万降到了50万美元，阿里巴巴赢得了宝贵的一年喘息时间！

但收缩和封杀也使阿里巴巴的决策层陷入郁闷之中。尤其是性情中人的马云，所受伤害最大。

事情过去了很久，马云都不能释怀。

关明生说："对公司动外科手术，只能由没有包袱的人去做。时间很短，一个月就过去了。有感情的人去做很困难。我让马云不跟这些人接触，完全避开，事后再以朋友的身份，让他们在他肩膀上哭一番，我做恶人。但马云老是耿耿于怀，感情化而不是理性化。这不是对不起人的事，公司要成长这是必然的，没有不散的宴席。"

彭蕾说："马云说作为一个领导者，永远知道向团队说什么，不说什么。在低潮的时候，阿里巴巴不容易，人心散了，队伍不好带，马云心里煎熬，别人不知道。被动时没人能从他脸上看出来。他也会说但只限于少数人。在遭受质疑，收缩美国战线，撤掉外面公司时，裁员使他遭受很大压力。他说我觉得是做了一些错误的决定，但不认为自己是人品不好的人。那时马云很沮丧，他总说是不是真的那么错误那么失败，要去削减人？马云是重感情的人，看着一起工作的人离开他受不了。他骨子里是喜欢热闹的人，恨不得大家工作在一起，工作完了还在一起。"

Porter 后来说："我只有一次看见马云对自己没信心。有人离开的时候，心里不舒服，很难过。有一次马云打电话给我：'Porter，你觉得我是个不好的人吗？'我说：'为什么说这个？'马云说：'这些人离开公司，心里很难过。这些人愿意留在公司，现在因为我的决策失误，这些人要离开，这不是我想做的事。'"Porter 记得，马云在电话上好像哭了。

自断其臂是痛苦的，但它为阿里巴巴换来了转机。

质疑马云

2001 年初的阿里巴巴，不但钱快花完，而且赚钱无路，盈利无期。

于是来自股东的压力愈来愈大，来自业界和媒体的质疑愈来愈多。到处都是质疑马云的声音，当然质疑马云就是质疑阿里巴巴。

质疑的焦点当然是阿里巴巴的模式。业界绝大多数人不相信马云能成功。

甚至有专家洋洋万言论证：阿里巴巴成功的可能犹如把万吨巨轮搬到喜马拉雅山巅。

阿里巴巴是企业。企业成功的主要标志是盈利。雅虎盈利了，易贝盈利了，人们一片喝彩；当时没有盈利的亚马逊却遭到来自全世界的攻击。

阿里巴巴也同样遭到来自各方面的压力：阿里巴巴怎样赚钱？何时赚钱？

作为商人和企业家的马云当然知道赚钱意味着什么。"虽然网站不是为投资者做的，但拿着投资者的钱不为投资者赚钱是不道德的。""我是个商人，不是慈善家。"

但同时马云又认为赚钱不能着急。阿里巴巴成立才一年。"经常有人问我，阿里巴巴靠什么赚钱？甚至我们的会员也很着急，问我们，阿里巴巴一分钱不收靠什么支撑下去。我对他们说，阿里巴巴现在就是一分钱不收，也能支持几年。我对我的投资人说，现在的阿里巴巴甚至整个互联网就像一个三岁的孩子，你不能只喂几口饭，就让小孩上街卖花赚钱。应该给小孩穿好吃好，有条件的话，让他读到MBA，这样他走到社会才能挣大钱。"

对于赚钱，马云还有许多高论："真正赚钱的人是别人不知道他怎么赚钱的。雅虎前期谁想到它会赚钱？至今人们还不知道比尔·盖茨是怎么赚钱的，他却赚到了全世界最多的钱。"

"网络世界变化很快。今天红红火火的，将来未必赚钱，今天不赚钱的，将来未必不赚钱。"

阿里巴巴当时不赚钱是必然的，因为它所有的服务都是免费的。网络界不少人担心阿里巴巴的大旗还能扛多久，阿里巴巴的许多客户也为之忧心忡忡，甚至有些会员主动提出要交点费用，但都被马云婉拒。

马云并不非常担心阿里巴巴能否赚钱。他甚至奇怪，为什么外界的担心反而超过阿里巴巴自己？即便是在最严酷的冬天，马云也坚信：阿里巴巴不但可以赚钱，而且可以赚大钱。

2001年初，北京召开了一次小型的互联网讲演会。会上除了马云和王峻涛，还有慧聪的老板郭凡生。

郭凡生演讲时宣布刚刚从纸介信息转到网络信息的慧聪每年利润为1000万。

马云演讲时说："当阿里巴巴的客户达到500万，当商人们再也离不开阿里巴巴，当商人们都从阿里巴巴网上赚到了钱，阿里巴巴还会赚不到钱吗？""阿里巴巴网上的用户都是商人，商人是有钱的；他们不在乎交不交费，而在乎你提供的信息是否有用。"

会上人们追问阿里巴巴的财务状况，马云回答："阿里巴巴如果想赚钱，今晚就可以赚钱。我今晚宣布关闭阿里巴巴网站，全世界许多商人就会主动把钱打到我的账号上，因为他们离不开阿里巴巴！他们一定会交费！阿里巴巴可以赚钱的道路实在太多，我现在还不想赚这点小钱。"

此言一出，语惊四座。

又有人提出："如果阿里巴巴开始收费，客户会不会都跑掉？"马云回答："我相信不会。如果真有这样的客户，我会赶他走。阿里巴巴需要的是有价值的会员，是真心实意想做生意的会员，他们是商人，我也是商人，公平交易，享受服务就得付费。当然有些服务是免费的，有些服务是收费的。阿里巴巴永远不会强制性收取会费。阿里巴巴现在提供的服务不足以收费，现在不收，将来也不收！但阿里巴巴下一步将提供更新更独特更高级更有价值的服务，这些服务是要收费的。"

会后，我问马云："你的赚钱招数到底是什么？"

马云说："阿里巴巴赚钱一定要用自己的办法，怎样赚不方便讲。"

我又追问，阿里巴巴何时可以赚钱？马云沉思良久："从明年起，阿里巴巴将考虑赚钱。"

2000年和2001年，是阿里巴巴最冷的冬天。

马云回忆："2000年，2001年，多少人在网上骂我们不知道怎么赚钱，免费，没有盈利模式，阿里巴巴的模式肯定不行。2000年哈佛给阿里巴巴做了第一个案例。研讨会我参加了。在哈佛的案例研讨会上，把我和另外一家公司放在一起，结论是那家公司要赢，阿里巴巴要输。"

当时质疑马云的不仅有哈佛还有大名鼎鼎的华尔街。

蔡崇庆回忆："华尔街的分析师问我们怎么赚钱？他们说阿里巴巴就是个BBS有什么用？我很着急，从香港打电话告诉马云，马云说：'so what?（那又怎么样？）'"

面对来自四面八方有关赚钱的质疑，马云照样慷慨陈词："阿里巴巴可以赚钱的道路实在太多，我现在不想赚这点小钱，因为现在信息应该是免费和共享的。我们讲过一个例子，你在跑马拉松，路边有很多牛奶、汽水，你可以边喝边跑，也可以坐下来喝足了再跑，但是等到你拿到冠军以后，你的奖金可以买50吨、100吨牛奶。你傻乎乎坐在那儿喝牛奶，然后就跑不动了。所以你要有自己的加油速度，你要自己知道自己的体力，要是你今天让我去做这种事情的话，那我们阿里巴巴就跟一个开小店的人没什么区别，我们的心大着呢。"

Porter说："我眼见马总越来越有名，但泡沫破灭之后，马总遭遇危机。原来你吹了那么多牛，说要成为世界十大网站之一，现在冷下来怎么收场？就像坐过山车，上去的时候，人们都爱你，下来的时候，人们都骂你。我知道公司下来时，人们会攻击阿里巴巴，攻击马总，我一直要保护马总。"

那两年，攻击马云的人可以说不计其数。

金建杭说："2000年底开始阿里巴巴就像过山车从顶往下，最容易失控，不知道什么是底。我们曾经在网上开了个马云专栏，结果都是对马云的攻击和谩骂，后来我们把它关掉了。"

面对这些攻击和谩骂，马云应对的策略是："我是外练一层皮，内练一口气。皮就是厚脸皮。别人怎样骂你，你也要厚着脸皮不理会。"

那两年，关于阿里巴巴模式和赚钱问题的质疑几乎没有间断过，那两年好斗不服输的马云关于模式和赚钱的答辩也是车载斗量。马云说那些话时，底气很足，信心很足；虽然冬夜漫漫，虽然前路茫茫。

没人知晓，在阿里巴巴最艰难最迷茫最危机的时候，马云的内心是否有过一丝动摇、怀疑和心虚？

但我们宁愿相信马云是个不见输赢不会下赌场的人，是个越是危难越亢奋的人，是个越是打压越反弹的人。

马云知道："如果我不赚钱的话，我就有问题。"但如何赚钱呢？马云当时说："要想安全地度过眼下的危机，我们恪守这样的信条：第一，永远相信自己。我们只为企业服务，不受媒体、分析师、投资者的左右。第二，我们相信后天比今天美好，但明天比今天更残酷。第三，永远不告诉任何人我们是如何赚钱的。过早地暴露商业模式，会变成别人的Copy对象。关于盈利模式我们没有义务和别人探讨，我们又不是上市公司。我们得学会保护自己，网络的盈利模式在初期很容易Copy，但等到三年、五年之后就太难了，几乎没有可能。”

但他后来还是对境外媒体透露了以下模式：“我们正在开始从服务中获得收益，特别在我们正在尝试的在中国的各种服务，收益将来自以下几个方面：一、从第三方获得收益分配。这包括从阿里巴巴的合作伙伴向网站30万会员提供运输、保险、饭店和旅游服务而获得的收益的分配收益。二、在线商业推销和广告。这包括网站注册服务，在阿里巴巴搜索中优先级的改变、标题连接广告和其他相关服务。三、交易收益。将来阿里巴巴将从会员的交易中获取收益。”

以上三种模式没有一种成为日后阿里巴巴的盈利模式。可见当时的马云和阿里巴巴真的还不知道赚钱之路在何方。

在不久举行的阿里巴巴“遵义会议”上，三个“B TO C”很快就达成了共识并形成了决议，但关于盈利模式，会上列出来的就有十几种，包括马云提到三种，还包括系统集成、主机托管，甚至还包括饭店预定。但在十几种模式中有一个中国供应商，正是它使阿里巴巴摆脱了绝境，走出了漫漫寒冬。

对于新兴的互联网产业，一切都是新的，都是史无前例的。市场试错是必不可少的，市场感觉是逐步找到的。雅虎是如此，eBay是如此，新浪是如此，阿里巴巴也是如此。

质疑马云和阿里巴巴并非仅仅是互联网冬天的产物，这种质疑一直持续到2002年10月阿里巴巴盈利时为止。在这之前，马云关于质疑的种种答辩和慷慨陈词都被视作狂人疯话，相信者百无一人，连我当时也是半信半疑。

说到底，在最寒冷最无情的冬天，互联网遭遇的是一场信任危机。这种信任危机不仅来自投资商和媒体，还来自传统产业和大众百姓。互联网到底是泡沫还是新经济？互联网到底是一场炒作还是一场革命？互联网从业者到底是开路先锋还是烧钱的骗子？

马云，作为中国第一家网络公司——中国黄页的创办者，作为6个月神话般崛起的阿里巴巴的CEO，作为第一个登上《福布斯》封面的中国企业家，作为一个全世界媒体关注的焦点和一夜之间冒出的风云人物，作为一个满世界宣扬阿里巴巴要成为世界10大网站之一的侃爷，在这场信任危机中必然首当其冲。质疑、攻击和漫骂都是躲不过去的。是先锋还是骗子？是企业家还是吹牛家？这些都是马云必须回答的问题。然而不管马云怎么说，不管马云是如何坚信互联网的未来和坚信阿里巴巴的商业模式，都不能消除人们心中的疑虑。能回答这些问题的只有时间和历史。

在长夜漫漫看不见一丝曙光时，在大雾弥天看不清任何方向时，最需要的是企业家的坚定、执著、睿智和勇气。好在马云正是这样的企业家。他其实并不需要人们保护他，他早就练就了一副铁嘴钢牙橡皮腮帮子，早就磨炼出一种难以置信的抗击打能力，他是堪称睿智的战略家，也是地地道道的赌徒！马云自己也承认："我这个人比较喜欢赌，但我不好赌，不喜欢赌的人不能当领导者，领导者一定要赌，因为你不知道未来到底是对还是错。所以你必须要作决定。"

当时，比阿里巴巴钱多的网络公司有得是，例如作为阿里巴巴竞争对手的美商网就融到了5000万美元的风险投资；比阿里巴巴商业模式清晰的网络公司也有得是，例如那些B2C、C2C公司，那些游戏公司和门户公司。然而寒冬过后，90%的中国网站都倒闭了，数以千计的网络先行者都壮烈牺牲了，其中有海归，有MBA，有技术高手，有外企高管。那是个"剩"者为王的时代，为什么剩下的是阿里巴巴？为什么剩下的是一个英语老师出身的马云？答案就埋在网络冬天的冻土里。

每个网络牺牲者和失败者都应反问，在那个漫漫严冬，在那个生死存亡的关键时刻，你的心态是什么？你做了些什么？你动摇过吗？你赌过吗？

跪着过冬

阿里巴巴的冬天开始于2000年9月。其标志是9月20日马云宣布阿里巴巴进入紧急状态。

2000年12月18日，阿里巴巴召开了全公司大会。在会上马云说："阿里巴巴要做什么？做全球概念的B2B，改变全球700万商人生活方式。现在阿里巴巴的发展遇到了很大问题：一、干劲、士气不如从前。人多是双刃剑，早期的氛围肯定会被冲淡，外面的人进来，一些人小富即安。二、网站没有进步，陷入迷茫。网站的使用是个人还是企业？网站建设陷入停顿。三、竞争对手。有些我们不认为是竞争对手的人已经起来。"

接着马云重提企业文化。他说，现在公司会议非常多，但没有效率，有人把情绪带进会议。马云提出四条："一、所有的会议对事不对人。二、不把个人情绪带进会场。三、一定要学会倾听，然后表达。四、离开会议室后不再争论。开会把意见表达充分彻底，决议一定要执行。"

2000年1月，阿里巴巴开始大规模地撤站裁员。阿里巴巴办事处由原来的10个砍成3个，原来工号（阿里巴巴的工号是按加入公司的时间序列排列的，马云为1号，20号以前的是公司创始人，前100号是公司的老班底）100以内的老员工裁掉了一半。

惨烈无情的大裁员之后，阿里巴巴的景象有点凄凉。

Porter说："公司里40个老外，只剩下5个了。杭州只剩下2个外国同事，我感到很寂寞。看见媒体猛烈批评互联网，看到许多互联网站关门，心里很失望。那种感觉就像二战之后，看见到处断壁残垣，尸横遍野一样。"

吴炯说："当时的信心没有马云足。当时的形势是钱还能烧几个月，然后散伙。我没走是在尽道义。觉得危难时离开朋友不好。很多公司都把钱分了。阿里巴巴难逃一死，其他人嘴上不说但心里都这么想。只有马云乐观。"

关明生说："2001年是最艰巨的一年，每月都开董事会。烧钱降低对于股东是个好消息，但股东们每次开会都问：什么时候赚钱？"

大裁员之后，阿里巴巴的氛围有点压抑。2500万风险投资快花完了，来自投资商的压力越来越大；公司找不到盈利模式，公司收入基本可以忽略不计；来自业界、华尔街和媒体的批评越来越激烈，质疑马云质疑阿里巴巴的声音铺天盖地，而身边的大小网站尸横遍野。

阿里巴巴的多数员工眼前一片迷茫，"红旗还能打多久？"是横亘在每个人心中的大问号，公司高层的多数人也认为阿里巴巴迟早要关门。

甚至连阿里巴巴如何死法的问题都被提出来了。

关明生说："直到2001年11月开董事会，谈的是每月烧50万，销售收入有，增长缓慢，波动大，没上轨道。商量之后告诉股东，方向是对的，再做几个月不成功要考虑大手术。被杀时怎么死？先写好遗书，是先把腿砍掉，再把胳膊砍掉，还是在头中间打一枪，杀掉？在黑暗的时候还是有信心。死，得有处死的办法。这些人不怕死。在这样的关头，投资者害怕你不敢面对现实！"

在最危机最艰难的时候，马云也有过低沉的时候："2000年我们已经进入冬天了。我们把西部办事处关了，美国办事处很多人我们都请他们离开了，香港办事处很多人也离开了。2001年，有一次挺低沉的，在长安街上走了15分钟，那天下午回到房间里睡了2小时，然后起来说：重新来过！"

甚至有一次面对媒体不厌其烦地询问网络发展前景时，马云大声说："现在别问我网络的事，我也不知道它要往哪去？"

然而，即便是在互联网最寒冷的冬天，在阿里巴巴最危机的时刻，马云依然对互联网坚信不移，对阿里巴巴的事业坚信不移。可以说他一天都没有动摇过！

正如Porter所说："互联网热的时候，大部分互联网的CEO自己并不相信自己说过的话。他们的那些话和那些分析数字都是给风险投资商的，是为了让投资商相信。但马云不一样。他说的话别人可能认为是疯话，但他自己相信。他不想骗人。"

面对互联网突如其来的低潮，马云有自己的判断："大家看到，互联网产业环境比我们6月份开员工大会时又发生了很多变化，不是变好了，而是变得更恶劣了。新浪王志东、8848王峻涛辞职事件给这一段时期的中国电子商务带来重大的负面影响，有人甚至说中国互联网、电子商务产业彻底出问题了。我一直认为互联网没有出问题，现在方方面面对网络越来越重视，网络带宽等基础设施越来越完善，网民人数不断增加，企业对网络越来越认同。但是，从事互联网的人出了问题，人们对互联网、电子商务的期望值出了问题。

"泡沫在中国有，在美国也有，但新经济绝不是只属于美国人的。这个行业在大家理智之后，会去掉那些多余的泡沫成分，对它的成长我仍然有绝对的信心。

"所有评论网络的人，分析师，投资者，包括媒体都在网外，他们认为网络最好的时候，我不以为然。现在他们都不看好，我却觉得正是发展的好时候。其实，我们手上正捧着一个金饭碗，只有自己知道这碗有多重。"

面对寒流滚滚，面对四面楚歌，马云大喊："Never never never give up!(永不放弃)"

他对阿里巴巴的团队说："中国网站6个月之内有80%会死掉，就像新经济，有70%的想法要扔掉，只有30%能实现下去。这时你跟竞争者拼谁能活着，谁能专注。不管多苦多累，哪怕是半跪在地下也得跪在那儿。跪着过冬，就是你站不住了也得跪着，不要躺下，不要倒。坚持到底就是胜利。如果所有的网站公司都要死的话，我们希望我们是最后一个死。这是个3000米的长跑，不是100米的短跑，所以我说，需要有兔子一样的速度，有乌龟一样的耐力。我们要学会半跪生存。”

如果没有马云坚定和乐观，没有马云的执著和勇气，阿里巴巴很难熬过冬天。

放弃是很容易的，然而，死撑着并不容易，半跪生存并不容易。中国活下来的网络公司都是九死一生。阿里巴巴同样如此。

金建杭说：“马云做黄页时被人当成骗子，如果一开始就觉得这个产业没希望，早打退堂鼓了。阿里巴巴放弃的机会很多，创业时资金人员的压力很大，凑起来的钱只够七八个月的，当时放弃也就放弃了；冬天时，来自投资商的压力更大，再看看互联网大背景，所有的企业都不向互联网投入了，当时要放弃也就放弃了。”

马云说：“网络人最重要的是不能放弃，放弃才是最大的失败。放弃是很容易的，但从挫折中站起来是要花很大力气的。结束，一份声明就可以，但要把公司救起来，从小做大，要花多少代价。英雄在失败中体现，真正的将军在撤退中出现。”

马云算得上网络江湖上的乱世英雄。因为他是失败中涌现出来的英雄，他是撤退中站出来的将军。

在互联网最冷的冬天，马云说过一句名言：“今天很残酷，明天更残酷，后天很美好。但绝大多数人都死在明天晚上，只有真正的英雄才能见到后天的太阳。”

马云是见到后天太阳的人！阿里巴巴是熬过冬天绽放于春天的企业之花！

屯兵西湖

从2000年下半年到2001年年底，大裁员之后的阿里巴巴并没有无所作为。他们是跪着过冬，更是备战着过冬。

马云说：“从 2000 年下半年到 2001 年西湖论剑召开我们做了三件大事：

'延安整风运动'、'抗日军政大学'和'南泥湾开荒'。"

孙彤宇说:"互联网的冬天，阿里巴巴是在华星度过的。那时不是发展是生存，是活下去。正规军的建设也是在华星完成的。'延安整风'、'抗大'、'南泥湾大生产'也都是在华星搞的。泡沫崩溃的时候有一个好处:互联网的变化成长很快，要想跟上步伐，需要很多创造，往往力不从心。大家都要活下来，于是把精力收回来，整顿内部，锻炼队伍，让管理上一个新台阶。寒冬对阿里巴巴是好事，腾出时间让我们做很多改变。寒冬时的奔跑不是那么快，可以有时间系系鞋带。"

彭蕾说:"印象最深的是转型的一年。2001年的口号是活着。在阿里巴巴不赚钱没盈利的时候，投资100万做培训，这是个很大的动作。以书面的形式把阿里巴巴的企业文化和价值观，使命和三大愿景目标固定下来。"

何为"延安整风运动"?

用马云的话概括就是统一思想，灌输价值观。"第一要统一思想，就像在延安小知识分子觉得这样革命是对的，农家子弟觉得那样革命是对的，什么是阿里巴巴共同的目标?要做80年持续发展的企业、成为世界10大网站、只要是商人都要用阿里巴巴。我们告诉员工，如果认为我们是疯子请你离开，如果你专等上市请你离开，我们要做80年的企业，在当时环境浮躁气很严重的时候，大家心里一下子就静下来了，这时候我们有一些员工就离开了。

"'整风运动'，把value贯彻到每一个人的身上，相信有一天我们的公司会有3000名员工，会是个全球化的公司。如果我们对互联网的认识，对公司的发展和前景认识得不深的话，我们就会栽倒。"

用关明生的话概括就是:"用价值观来统一思想，通过统一思想来影响每一个同事的行为，这就是我们最大的目的。"

阿里巴巴当时提炼总结出来九大价值观，并将其命名为阿里巴巴的"独孤九剑"。

阿里巴巴整风的实质就是向员工灌输价值观。他们借鉴GE的经验，把价值观制成卡片，装进员工的兜里。他们还把价值观列为绩效考核的硬指标，跟员工的钱袋挂上了钩。但最终的努力还是通过各种办法把价值观放进员工的心里，溶进员工的血液里。

马云说："我们提倡的价值观、文化不要停留在口号上，而要落实在行动上。"

当时的人事行政总监彭蕾说："这不是搞什么形式主义，而是真的要从心里认同。实际上，我可以这么说，阿里巴巴每一位员工都是从心里认同的，如果不认同，我们会有相应的机制让他们走开。"

何为"抗日军政大学"？阿里巴巴的"抗大"是两个名为"百年大计"和"百年阿里"的培训班。

用马云的话说："'抗日军政大学'，团队管理，干部管理。阿里巴巴要在三年以内培养出一批人才。人是最关键的产品，所以，我们要在三年内锻炼我们的队伍。我们盼望着三年内培养出最优秀的互联网员工。当然，我们要耐心，一个企业要成功要靠捕捉机会，但是练内功是最累的，灌输价值观是最累的。"

阿里巴巴在不赚钱时，敢于投资100万大搞培训，不仅是大动作而且是大气魄。

关明生说："怎样把公司系统做出来，培训很关键。2001年4月我们开始培训。当时公司没几个钱，但对培训的投入很大。先培训主管，然后是中层，高层。培训是请外面专业公司设计的，我和马云参与，孙彤宇和彭蕾也参与了，18个创始人都去听课。

"销售人员不能招进来就去卖产品，于是我们做了一件很重要的事，就是开销售培训班。自己办。后来李琪把它改名为'百年大计'。厦门、青岛、深圳、宁波、上海、北京各个办事处的人都到杭州接受一个月的培训，工资800元，包吃包住。我和马云主讲价值观，讲方向；彭蕾讲阿里巴巴历史，李琪、金建杭、张英都去讲，李旭辉和孙彤宇讲产品和销售技巧。培训班基本上是一半讲价值观，一半讲销售技巧，通过培训，员工了解了阿里巴巴的使命和价值观，了解了公司的历史，信心大为提高。2001年10月底，一百大（第一届'百年大计'培训班）毕业。"

正是通过培训，阿里巴巴这支游击队变成了正规军，阿里巴巴从激情创业走进了制度运营。培训使一大批技术出身销售出身的干部懂得了现代化管理，培训使广大员工认同了阿里巴巴的价值观。

戴珊说："2000年底冬天到了，2001年1月8日关明生来了，他使阿里巴巴发生了很大变化。以前阿里巴巴是游击队，攻下了一些小山坡，关明生制定了绩效考核，进入档案，薪水也不一样，使阿里巴巴变成了正规军。关明生提出了开源节流，是非常正确的。”

韩敏说：“从湖畔时代到华星时代，从游击队到正规军，阿里巴巴变化很大。湖畔时代凭热情，华星时代靠企业文化，靠对管理人的培训，靠结构框架。阿里巴巴达到200人时，出现了管理危机，能够实现平稳过渡，关明生的作用很大。”

吴泳铭说：“马云在世界各地物色COO，2001年1月关明生上任。实行三个‘B TO C’，大收缩，砍掉韩国站、英国站，开始团队建设。2001年初公司培训系统化，2001年4月，开始讲价值观。阿里巴巴以前有点快，有点乱，后来能在低潮时走向体系，把企业文化写出来，往前冲有了标准，这些都和关明生有关系。关明生上任后，开始建价值观，建销售团队。”

师煜峰说：“公司花很大气力进行干部队伍的培养，花很大气力培训我们这些不懂管理的业务技术尖子。当时公司从外面请了一些人来专门做培训，使我们懂得了先进的管理理念。”

何为“南泥湾大生产”？马云说：“大生产，我们的销售队伍，我们的产品必须出来。没有人会再来投资了，我估计后来的灾难会更长。我们更要有充分的准备，不要到机会来了，我们却没有准备好。”

关明生来到阿里巴巴后提出了开源节流。这个思想一下子就得到了马云等高层的认同并成为阿里巴巴公司的当下战略。

节流并不太难，收缩裁员，几个月就完成了。但开源却并非容易。它涉及到阿里巴巴的盈利模式，涉及到阿里巴巴的营销团队。但不开源，不赚钱，只节流，阿里巴巴还是难逃一死。

阿里巴巴在互联网冬天所做的三大举措：整风、培训、大生产，其中大生产是最关键的。从某种意义上讲，整风和培训都是为了大生产。大生产的成败关乎阿里巴巴的命运，关乎阿里巴巴最终能否熬过冬天走进春天。

阿里巴巴正是在这个关键时刻召开了自己的“遵义会议”，确定了盈利模式和主打产品，正是在这个关键时刻，阿里巴巴开始组建销售团队，开始了“中国供应商”的销售大战。

正是在严酷的互联网冬天,阿里巴巴完成了决定其生死和命运的三大举措,奠定了迎接春天的坚实基础。从这个意义上讲,阿里巴巴要感谢互联网的冬天。

然而对于大多数互联网企业来说,冬天毕竟是严酷无情的。正是在那个严酷的冬天,中国几千家互联网企业中的90%倒下了。

谢世煌说:"互联网冬天倒下一批竞争对手,一批网络烈士。有一天,在西湖茶馆,马云请美商网的CEO喝茶。这位CEO说:美商网融到5000万美金的风险投资,这些钱用来买进口奔驰汽车,摆在长安街上也能摆成一大串。一下子感觉不到钱花到哪里去了?钱都花在培育互联网市场上。没有赢海威、8848、美商网他们培育市场,就不会有后来的阿里巴巴这些后来者。"

这位CEO说的有道理,没有上千家网络烈士的牺牲,没有他们烧掉的数不清的美元和人民币,很难想象阿里巴巴等"剩者"可以为王。但是阿里巴巴也为培育这个网络市场付出了惨重的代价。为什么死掉的是赢海威、8848和美商网,为什么剩下的是新浪、搜狐和阿里巴巴?马云说过:"冬天并不一定每个人都会死,春天并不会每个人都会发芽。"但为什么有人会在冬天死掉?为什么有人能在春天发芽?这里面必有道理在。

业界传说马云的一句狂话:希望互联网的冬天再延长一年。马云并不否认他说过这样一句似乎不合情理的话。他的解释是:"我们比较幸运,先比别人判断了冬天的到来。永远要在形式最好的时候改革,千万不能在形式不好的时候改革,下雨天修屋顶麻烦大了。要在阳光灿烂的时候,借雨伞修屋顶。我记得我们比别人先动了一下,互联网冬天到了,所有的投资者开始收的时候,我们突然发现我们还有几百万美金。这时你发现有竞争者,你就得和他拼谁能活着。如果我还活着,还有人站在旁边时,我们还得坚持下去。冬天长一点,他会倒下去的。冬天长一点,所有的细菌都死光了,边上的噪音都静下来,这时你说,我还站着,你就会变成投资者最喜欢的人,你也会变成整个互联网最喜欢的人。"

当然,阿里巴巴之所以能活下来,能成为百分之几的"剩者",还有许多原因。首先是马云和阿里巴巴的坚定和专注。绝不放弃,绝不改变方向,与互联网死磕到底!

"2001年底,孙正义到北京来,开一个他投资的三十几家公司的会议,每人讲15分钟。前面的人都使用Powerpoint,讲得很漂亮。我最后一个讲,我只讲了三句话：孙先生，我问你要钱时是这个梦想，今天我告诉你，今天我还是这个梦想，唯一的区别是，我向我的梦想走近了一步，我还在往前走。但当时三十几家公司基本上都不称自己是互联网公司了，都换了方向。

“现在互联网企业形势萧条，99%的互联网企业都拿不到风险投资，好多互联网企业的职员也都人心思变。大家都在怀疑，猜测。但是，我们很自豪，阿里巴巴仍是.COM公司，我们以前是，今天是，以后还将是。我们以前曾提过，阿里巴巴不是.COM是指我们不能走泡沫的.COM，必须实实在在，必须创建一个新的.COM，这是我们要追求的东西。所以我们的vision说阿里巴巴要做世界10十大网站，而不是世界10大电子商务服务公司。我们坚信在未来，我们可以达到这个目标，而且我们为.COM骄傲。”

阿里巴巴能幸存下来的第二个原因是阿里巴巴选择的面对中小企业的B2B的模式和方向，虽然业界几乎无人看好，但它却是互联网未来的发展方向，甚至会成为互联网发展主流方向。门户网站、游戏网站、C2C网站固然市场不小，但是一旦网上贸易成为主流，这个市场肯定是最大的。

第三个原因是阿里巴巴在关键时刻及时进行了战略调整：三个“B TO C”，撤站裁员，开源节流。

第四个原因是阿里巴巴在冬天时开展的三大运动。

写到这里时，不能不再一次感叹阿里巴巴的运气。在阿里巴巴第二个关键时刻，马云找到了关明生。

假设马云当时有过一丝一毫的动摇，假设阿里巴巴当初选择的模式和方向不对，假设阿里巴巴未能在濒危之时及时进行战略调整，假设阿里巴巴没有开展三大运动，假设关明生没有在关键时刻出现，阿里巴巴都难逃一死。还得重复那句老话，历史不容许假设。

由此可证，阿里巴巴活下来是有道理的！

在互联网的冬天，在2000年下半年到2001年底，马云和阿里巴巴一面轰轰烈烈地大搞三大运动，一面静悄悄地招兵买马，屯兵西湖，整顿队伍，修炼内功，是为了迎接即将到来的互联网春天，是为了迎接即将到来的大机遇大挑战！

第四章

对市场的大举进攻

现在垂直网站没有了，我们还活着。产业是个链。你搞化工的，有化肥，必须和农机、塑料组成体系，你发现很多垂直网做了这个以后也必须往旁边发展，纯做杯子的很难。

——马云

13 阿里巴巴的“遵义会议”

阿里巴巴“遵义会议”召开的背景是：中国互联网冬天刚刚开始（Nasdaq股票于2000年下半年开始狂跌，阿里巴巴于2000年9月宣布进入紧急状态），阿里巴巴海外扩张战略受挫，风险投资烧掉大半，发展方向和主打产品不清，销售收入几乎为零。可以说这个会议开得很及时也很关键。会议解决了战略调整问题，也解决了发展方向和主打产品问题（尽管把中国供应商作为唯一主打产品是几个月后的事），会议把阿里巴巴从死亡的边缘拉了回来，为其顺利过冬奠定了基础，为其实现收支平衡和盈利奠定了基础，也为其日后的绝地胜出和真正崛起奠定了基础。

把这样一个阿里巴巴发展史上有决定意义的会议比附为阿里巴巴的“遵义会议”是有道理的。

“遵义会议”

2000年10月1日至3日，阿里巴巴决策层在西湖西子国宾馆开了三天会。这个会被称作阿里巴巴的“遵义会议”。

这个会之所以重要，是因为它是在阿里巴巴生死存亡的关键时刻召开的。正是这个会议决定了阿里巴巴的战略调整方案，确定了阿里巴巴的发展方向和主打产品。

在阿里巴巴的发展史上有过三个重大抉择：第一个重大抉择是1995年进入互联网行业并创办中国黄页，第二个重大抉择是1999年放弃EDI南下杭州创办B2B模式的阿里巴巴，第三个抉择就是2000年“遵义会议”上决定实施三个“B TO C ”战略，确定面对中小企业的平行化发展方向，确定中国供应商为主打产品。

阿里巴巴“遵义会议”要解决的是生存和发展的问题，也是节流和开源的问题。当时不解决这两个问题，眼看弹尽粮绝而又创收无门的阿里巴巴难免一死。

会议决定实施三个“B TO C”战略调整。这个调整大约持续了四个多月，直到2001年初的大封杀大裁员完成之后才基本结束。战略调整不但控制住了成本，实现了节流，挽救了阿里巴巴使其暂时不死，而且实现了从海外扩张到立足本土，立足南方，立足杭州的战略转移。这个战略转移很关键，甚至有点当年红军长征时战略转移的味道。

如果阿里巴巴不是先抓住中国市场，抓住南方六省的中小企业，抓住杭州，阿里巴巴熬过那个网络冬天的可能性很小。换言之，当时只有本土、只有江南、只有杭州能救阿里巴巴。放下美国、欧洲、韩国、香港市场不提，设想当时阿里巴巴定都北京或者上海，都恐怕难逃劫难。

定都杭州是太关键的一步，不仅因为杭州是老家，而且因为杭州是中国民营中小企业最发达的地方。杭州是避风港也是根据地。定都杭州就是贴近客户贴近市场，就是远离风暴中心地震中心。正如彭蕾所说：“杭州偏安一隅，本土员工不容易动摇，心里也没有那么浮躁。定都杭州对躲避网络冬天的冲击很重要。当然定都杭州使也招聘优秀人才受到限制。”

三个“B TO C”的战略调整解决了生存问题节流问题，但发展问题开源问题不解决，阿里巴巴依然走不出困境。要开源要创收要盈利就必须找到方向和产品。“遵义会议”为此进行了激烈的争论。

李旭辉说：“2000年10月的‘遵义会议’会上争吵得很激烈。会议开了三天，前两天很混乱，阿里巴巴到底要做什么东西不清楚；最后一天下午理出了一条思路，一个发展方向：要卖的产品是中国供应商。”

所谓发展方向还是一个模式问题。B2B 模式是从阿里巴巴一建立时就确定了。但B2B也有许多流派。当时美国互联网市场上的B2B有两个流派：一是专业化模式即垂直网，一是面向大企业的ABC模式。阿里巴巴的“遵义会议”上对垂直化还是平行化的争论很激烈。其实这个争论会前就有，而且持续了相当长的时间。

事后马云说：“阿里巴巴做了一段时间时，我和新浪的首任CEO讨论这个问题。他说：Vertical Net（垂直网站）一定会打败阿里巴巴。阿里巴巴想建的是一个平行的平台，什么产业都有；而垂直网站都是专业的，所以你做不过他们。我们为此吵了两个小时。他比我有权威，我说先看吧。现在垂直网站没有了，我们还活着。产业是个链。你搞化工的，有化肥，必须和农机、塑料组成体系，你发现很多垂直网做了这个以后也必须往旁边发展，纯做杯子的很难。”

会议最后的决议是：阿里巴巴采用面向中小企业的平行化发展模式。后来几年的实践证明这个抉择是对的。美国B2B的两大流派后来大都消失了，中国的垂直网站后来也大都消失了。

搞平行网还是搞专业网，搞无所不包的大卖场还是搞行业专卖店，在2000年时并不容易抉择。一旦阿里巴巴抉择了平行化的方向就再也没有动摇过。会后不久，互联网市场上就出现了不少垂直网站与阿里巴巴竞争，结果并非像新浪首任CEO预言的那样：垂直网站打败阿里巴巴，而是阿里巴巴打败了垂直网站。当时有一个化工网站，很专业势头也很猛。为了与其竞争，阿里巴巴派马晓明特意组织了一支队伍，精心打造阿里巴巴网上的化工分类，结果经过三个月的较量，这家化工网站销声匿迹了。

并非所有的垂直网站都是被阿里巴巴灭掉的，许多垂直网站的倒闭是因为自身的原因。

这里需要指出的是，阿里巴巴的平行网实际上是以平行为主的平行加纵深。阿里巴巴做平行网并不是不要纵深。它是先建一条十里商业长街，然后再精心打造街边的专业店铺。

阿里巴巴选择中小企业不仅是因为江浙遍地都是中小企业，而且是因为中小企业是出口的生力军，他们对电子商务的需求最殷切最实际。马云为中小企业进出口建设网络通道的思想可以追溯到阿里巴巴创建之时，还可以追溯到中国黄页创建之时，10年过去了，马云是一条道走到黑，从来就没有动摇过。正是在这个“遵义会议”上，马云的这个思想变成了整个团队的共识。其实马云早就意识到，当千百万中小企业成为阿里巴巴的会员和客户时，大企业一定也会来。后来的实践也证实了当初的设想，5年之后，全球500家大企业中150家已经成为了阿里巴巴的客户。

解决了面对中小企业的平行化方向之后，摆在与会者面前的最大难题就是确定主打产品。其实在会议之前，阿里巴巴已经陆陆续续启动了几个销售产品，中国供应商也是会前一个月推出的。

经过两天半的激烈争论，会议列出了十来个产品。其中包括网上广告、系统集成、会员付费、主机托管、中国供应商等。最后半天，经过充分讨论，放弃了那些与阿里巴巴面对中小企业大方向不一致的产品，确定了三个主打产品：中国供应商、主机托管和会员付费。会后经过几个月的实践，阿里巴巴又果断地放弃了后面两个产品，主打中国供应商。从某种意义上说，正是中国供应商拯救了阿里巴巴。

产品试错

确定主打产品无疑是阿里巴巴"遵义会议"上具有实质性的重大成果。在会议之前，阿里巴巴曾经尝试销售过多种产品。除了上面提到的5种之外，阿里巴巴还搞过网上旅馆预定，搞过个性化网站，卖过电子交易市场软件……

互联网在全世界都是一个全新的行业。开始必然是没有模式，没有产品，也没有盈利手段，一切都得摸索都得尝试都得试错，这是所有网络先行者的宿命。于是寻找盈利模式和销售产品就成了互联网初期每个网站都必须解决的头等大事。中国90%的网站倒闭的主要原因就是没能解决这个头等大事。

阿里巴巴"遵义会议"以前一年多的实践可以被看作是必不可少的产品试错。为此阿里巴巴也付出了不小的代价。

回顾阿里巴巴的试错过程，分析阿里巴巴做过的产品，从中可以清晰地看出中国互联网行业发展的脉络。

网上广告：世界上第一个门户网站——雅虎在朦胧中选择了依靠网上广告的盈利模式，之后中国的大小门户网站也都选择了这个模式。然而在互联网发展初期，门户网站上的广告很少，根本无法靠其维持，于是新浪、搜狐等门户网站不得不寻找其他门路挣钱。阿里巴巴开始也选择了网上广告业务，并且投入了不少人力，但结果收效甚微。因为阿里巴巴不同于门户网站，它上面的企业免费样品库已经具有广告性质，因而靠网上收费广告是不能维持阿里巴巴生存的。网上广告开展不到一年就被停掉了。

会员收费：互联网发展初期，除了雅虎、新浪、搜狐等这类门户网站之外，还出现大量的B2B、B2C和C2C网站，例如，eBay、亚马逊、8848、网易、慧聪、环球资源等。这些非门户网站的盈利模式大都是靠会员收费和收取佣金。中国互联网发展初期，由于信用体系和金融支付手段的制约，网上交易很难，佣金几乎没有，因此绝大多数网站都指望依靠会员收费生存。阿里巴巴一开始就高举免费大旗，正是免费大旗和出色服务使阿里巴巴的会员月月飙升，不到两年会员数就突破了100万，6年以后突破900万，其中海外会员150万。

在严酷的冬天，在创收压力越来越大的时候，阿里巴巴曾经打算启动一个会员收费的项目，但很快这个项目就被取消了。阿里巴巴实践了自己的诺言，并把免费大旗一直扛到了今天。其实，后来成为阿里巴巴主打产品的中国供应商和诚信通也可算做会员收费产品，但它不是向所有会员收费，而是向接受了特定服务的会员收费。

网上旅店预定：这个项目曾经被阿里巴巴当作是对商人的增值服务。2000年时，阿里巴巴曾经想同携程网合作，大规模进入这个领域。但做了一段时间之后发现它与阿里巴巴的大方向并不一致，于是就放弃了。

个性化网站：为客户建网站然后卖给客户，这项业务当时也有很多人做。阿里巴巴的这项业务开展到2002年时被停掉了。

贸易通：2000年下半年，阿里巴巴开发了一个叫贸易通的产品，这是个网上客户询价订单的管理系统，太超前了，2002年被停掉。后来又重新推出。

主机托管：主机托管也叫网上虚拟主机，就是把企业的虚拟主机放在阿里巴巴的网站上。这项业务在阿里巴巴也开展了一年多。当时市场竞争很激烈，上百家网站都在抢这份生意，你开价2000元，小网站开价300元，最后阿里巴巴还是果断地放弃了这项产品。

系统集成：也叫解决方案。其实质是利用阿里巴巴的技术力量为企业开发一套电子商务解决方案。这种解决方案，多数网站都能搞，所以它也成为国内许多网站（包括门户网站）的首选赚钱方式。阿里巴巴从2000年初就开展了这项业务，在其后的一年多时间里，它一度成为阿里巴巴的主打产品之一，为此公司投入了大量人力，并组建专门团队。阿里巴巴的第一笔收入就来自这个项目。在相当长的时间里它的收入占公司整个收入的30%。当它被停下来时，一单几十万的项目刚好谈了一半。为什么放弃它？一是费时费力。每个项目都要投入好多工程师，一做就是好几个月，项目做好了，最后一笔款总也收不回来，因为客户总有不满意的地方。二是与阿里巴巴大方向不符，这也是放弃的主要原因。阿里巴巴要面向中小企业，而解决方案一个项目收费几十万，它的客户多是大企业。

电子商务解决方案业务停下来时，在阿里巴巴引起了一些震动。因为很多人为此花费了大量的心血。一旦取消，心血白费，技术积累也浪费了。最后一些人因不能接受这样的现实而离开了阿里巴巴，但留下来的人后来都发展得很好。从此“唯一不变的是变化”这一理念渐渐成为阿里巴巴文化的重要内容。

以上就是阿里巴巴在创业第一年里开发过的主要产品。从中可以看出，当时的阿里巴巴仍处在迷茫之中。做一个B2B网站，做一个免费的大卖场，这个思路是清晰的。但是网站建起之后，会员过几十万之后，如何赚钱？销售什么产品？主打什么产品？当时的阿里巴巴从上到下都很茫然。于是只能摸着石头过河，于是只能别人做什么就做什么，什么赚钱就做什么。当时不仅阿里巴巴如此，处于生死存亡之际的所有中国网站也都是如此。试错是中国互联网企业的共同命运。

有一点必须指出，阿里巴巴团队是一支真心想成就网络大业的团队，阿里巴巴人是有做世界10大网站和百年老店雄心的人。阿里巴巴从一开始就不是那种圈了钱分掉就跑和只管烧钱不管赚钱的网站，而是一个有愿景有目标讲信誉负责任的网站。为了对投资人负责，为了阿里巴巴能做大做强，他们很早就开始考虑赚钱，就开始市场试错，就开始销售各种产品。虽然他们对外秘而不宣，虽然他们对外总是说，阿里巴巴还是一个三岁的孩子，不能指望他现在就上街赚钱。

因为动得早想得远，因为不屈不挠的试错，因为潜心修炼大胆探索，阿里巴巴终于在2000年10月找到了可以克敌制胜扭转乾坤的主打产品——中国供应商，并在一年之后找到了第二个主打产品——诚信通。

阿里巴巴艰难的试错过程，漫长的寻找主打产品和盈利模式的过程，是中国互联网行业发展的缩影。几乎所有的中国的成功互联网企业都经历了这个过程。新浪和搜狐三年后找到短信得以生存，最后靠网上广告得以发展；网易和盛大找到了网上游戏得以日进斗金，百度找到竞价排名得以上市……那些最终也没能找到主打产品和盈利模式的互联网企业都光荣地牺牲了。

14 生死攸关大决战

在世人眼中，互联网是技术公司。Google、百度、网易、盛大等都是靠技术制胜的，但阿里巴巴却是靠销售制胜的。

在2000年底，几乎所有的网站都把技术放在第一位，所有为网络公司服务的猎头公司也把技术放在第一位，但阿里巴巴提出，技术不是最重要的，销售是最重要的。

阿里巴巴正是靠销售走出冬天，靠销售实现盈利，靠销售完成起飞。至于起飞之后的阿里巴巴，推出了淘宝和收购了雅虎中国之后的阿里巴巴是否会从销售第一走向技术第一，那是以后要讨论的问题，阿里巴巴前五年的第一回合确是销售取胜的回合。

产品内涵

中国供应商作为产品是2000年9月推出的，并在10月的“遵义会议”上把它定位为三大主打产品之首。数月之后，其他两项产品先后叫停，中国供应商成为阿里巴巴唯一主打产品。

中国供应商的全面启动是在2000年10月以后。最初定价1.8万元，很快改为2.5万元，后来调到4万～20万元。这个产品经过近一年的艰难启动后，进入快速增长期。从2001年到2005年的4年间，平均每年的利润都以3倍的高速增长。2005年增长幅度仍然可达100%。

目前中国供应商会员的数量已达1万，每年为阿里巴巴带来6个多亿的收入。截至2005年底，阿里巴巴2/3的收入仍然来自中国供应商。

中国供应商到底是怎样一种产品呢？马云这样描述它：“当时一个困难是互联网免费的观念太深入人心了，而且阿里巴巴确实一直用免费来吸引客户。如果此时要在原来的服务上收费，会引起用户的不满。所以一定要增值，增值了客户才会心甘情愿地掏钱。我们在阿里巴巴里找出一批资格最老的会员，以他们为发起人来启动这个市场。他们是最了解阿里巴巴的一批人，知道排在一个产品类目的首位意味着什么。到现在这批发起人还全部都是我们中国供应商的会员。”CTO吴炯这样描述它：“中国供应商产品开始和免费的差距不大，只是排名靠前，制作比较精美。免费页面是客户自己做，中国供应商的页面是阿里巴巴派专人制作的。”

成熟后的中国供应商产品有三个增值服务内容：一用阿里巴巴的专家为客户产品和企业制作静态和动态的展示页面。二把中国供应商会员的产品放在阿里巴巴网站类目首页。三为中国客户提供培训，帮助其应对外商。

阿里巴巴从一开始就有中、英文两个网站。中文网站面对内贸，英文网站面对外贸。中国供应商的产品定位就是面对中小出口企业，因此这个产品一推出就放在阿里巴巴的英文网站上，产品目标是使其成为永不落幕的广交会。至此人们会自然联想到马云他们当年在外经贸部时所做的那个“中国商品交易市场”网站，当时那个网站的目标也是永不落幕的广交会。由此可见马云思想的连续和执著，可见阿里巴巴模式的渊源和脉络。两者不同的是当年的网站是个官方网站，如今的网站是个民营网站。

组建直销团队

2000年10月的“遵义会议”不但确定了中国供应商为主打产品，而且确定了采用直销方式和组建直属阿里巴巴公司的直销团队。

主打产品确定之后，销售方式也必须确定。当时阿里巴巴面临三种选择：直销、代理销售、网上销售。阿里巴巴的竞争对手美商网、环球资源等有的采用直销，有的采用直销加代理。经过激烈争论，阿里巴巴最后决定采用直销。直销就是直接上门面对面的销售，是一种贴身肉搏，刺刀见红的方式。阿里巴巴之所以选择直销是把中国供应商之战当成一场决定公司生死命运的决战，志在必胜，并借此撕开创收的口子，为阿里巴巴杀出一条生路。

中国供应商作为项目是在2000年9月推出的，但作为成熟产品是在2000年底推出的。阿里巴巴的大规模的直销团队也是年底组建的。

主打产品确定了，销售方式也确定了，接下来就该点将了。让谁出任销售大将，统帅即将组建的销售大军，指挥即将打响的生死之战呢？马云点了李琪。当时的李琪是技术副总裁，从未做过销售。当时阿里巴巴军中绝大多数人都没做过销售，但马云和张英做过，那还是在中国黄页的时代。

为什么选择了李琪？李琪自己如此解释："以前没做过销售，后来发现很有意思。让我负责，可能马云觉得我不仅懂技术，而且脑子灵，能消受。"

李琪可谓临危受命。因为中国供应商销售之战的成败关系阿里巴巴的生死存亡。

李琪说："2000年10月'遵义会议'，把所有销售都集中起来，建立直销团队。有我、孙彤宇、李旭辉，开始没招人，从市场部找了八九个人，这些人现在都是栋梁。"

在这支9人的拓荒队伍中，除了李旭辉之外，其他人都不懂销售也没干过销售。在战争中学习战争，这是阿里巴巴一贯的作风。

李琪提到的李旭辉是这场销售大战的关键人物之一。李旭辉来自台湾，并且来自阿里巴巴的竞争对手。他是做销售出身的，2000年底正式加盟阿里巴巴。原来挖他来是为了开拓台湾市场，阿里巴巴实施三个"B TO C"战略之后，他被调到大陆参与销售培训，后来又被李琪留在大陆参与指挥销售之战至今。李旭辉的职务是中国供应商副总裁，工号730。销售大战初期，李旭辉负责华东地区，后来负责全国。

这支直销团队实际上有三员大将。李琪总管，孙彤宇偏后台，李旭辉偏前台。这个格局一直维持到两年之后孙彤宇去做淘宝。

2000年底开始，中国供应商开始从外面招人组建一支30人的直销团队，后来扩充到80人。以后直销团队的扩充非常快，队伍从80人发展到100人，300人，500人，今天这支直销队伍已经突破1000人。

中国供应商直销团队组建之时，正是阿里巴巴开展"延安整风"、"抗大培训"和"大生产运动"之时，也正是阿里巴巴确定和贯彻九大价值观之时，因而直销团队的组建就是贯彻九大价值观的具体实践。招人的路数是企业文化第一，价值观第一，然后才是能力。

按理说大战在即，正是用人之时，直销团队招人应该优先那些有销售经验和手中掌握客户的人，但阿里巴巴不这样招人。他们认为价值观比销售经验重要，你可以带来客户，也可以带走客户，如果你不能接受阿里巴巴的价值观，不能和阿里巴巴的团队配合，即便你能带来100万的销售收入，阿里巴巴也不要。

当时要想招到能够接受阿里巴巴价值观，有良好创业心态的人还是有难度的。李旭辉是当时主持面试人之一，他说："2001年招聘时，由于阿里巴巴知名度很高，慕名而来的人不少，但期望值不同。一些人期望很好的环境设备，期望高薪。但恰恰相反，阿里巴巴办事处的条件不好，销售主管的待遇也不是很好，阿里巴巴给的是一个发展机会。于是很多人比较失望。"

经过努力，阿里巴巴还是招到了一批有共同创业心态并认同公司价值观的人，这些人后来不少都成为独当一面的大区经理。

阿里巴巴在组建销售团队的同时，开始在杭州、宁波、青岛、厦门、上海、苏州等地建立办事处。仅广东一省就建了三个办事处。

中国供应商启动之时继承了阿里巴巴艰苦创业的精神。当时美商网等竞争对手都是大手笔大气魄，办事处都建在高档写字楼里，门面很大；阿里巴巴反其道而行之，将办事处都建在非常便宜的小区公寓里，大都是100平方米左右。例如阿里巴巴的青岛办事处就放在了一座小区公寓的8层，没有电梯也没有空调，条件十分艰苦。直销团队的工资待遇也比竞争对手低。但就是在这样的条件这样的待遇下，阿里巴巴仍然组建了一支很优秀的直销团队。

培训

马云说："最近这两年我们在培养员工，培训干部上花了大把的钱。有人问是公司先赚钱再培训还是先培训再赚钱？我们提出'YES'理论，既要赚钱也要培训；问要听话的员工还是要能干的员工？我说YES，他既要听话也要能干；问你们是玩虚的还是玩实的？我说YES，我们既玩虚的也玩实的。我们这样要求员工，他们的素质就会不一样。有人说：制度重要还是人重要？我们说都重要，必须同步进行。如果说公司要以赚钱为目标，那就麻烦了。我们说为赚钱而赚钱那一定会输。我们公司所有的策略、战略都基于价值观。如果我们新来的员工业绩不好，没关系，如果违背我们的价值观去骗客户，好，你就一句话也不要讲了。不要说你，我也要死了。”

阿里巴巴不是把人招来就让他去卖产品，而是先培训。每个招来的销售人员都要到杭州总部接受一个月的培训，培训期间，每人800元工资，管吃管住。培训结束后分到各地办事处实习两月，实习期间还要参加考试。

一开始培训班叫做销售培训班，后来李琪把它改成“百年大计”。培训新员工的“百年大计”与培训干部的“百年阿里”，再加上培训客户的“百年诚信”，共同组成了阿里巴巴完整的培训体系。

“百年大计”的培训内容主要是价值观，其次才是销售技巧。培训班由阿里巴巴自己主办，公司高层几乎全部参与讲课。马云和关明生主讲公司使命、方向和价值观，彭蕾主讲公司发展历史，孙彤宇和李旭辉主讲销售技巧，李琪、金建杭、张英也都参加了讲课。

“百年大计”第一届学员于2001年10月底毕业，这批员工被称作“一百大”，还真有点黄埔一期的味道。从2001年到2005年，阿里巴巴的培训坚持不懈，如今毕业学员已是30“百大”了。“百年大计”每届有学员40～50人，最多一届有90人。

“百年大计”的培训效果是明显的。经过培训，新员工不仅了解了阿里巴巴的历史和文化，而且统一了思想，统一了目标，也增强了信心。

“我们要求销售人员出去时不要盯着客户口袋里的5块钱，你们负责是帮客户把口袋里的5块钱变成50块钱，然后再从中拿出5块钱，每一个销售人员都要接受这种培训。如果客户就有5块钱，你把钱拿来，他可能就完了，然后你再去找新的客户，那是骗钱。帮助客户成功是销售人员的使命。”这是马云在培训课上讲的话。

听完这些生动的话，每个新来的销售人员心里都有了谱。

阿里巴巴对新员工的培训一直延续到以后两个月的实习和考试中。考试每周都有，非常严格。不仅考绩效，而且考价值观，价值观的分数占50%。实习和考试中，一旦发现有的员工能力很强，但不能和团队配合，不能接受公司的要求，这样的员工都被辞退了。也有员工各方面都不错，但在考试中作弊，这样的员工也被辞退了。

当时的COO关明生，一手抓培训，一手抓绩效考核，对阿里巴巴培训体系和绩效考核体系的建立和完善贡献很大。

关明生把员工分为五类：一、没有业绩也没有价值观的被比喻为“狗”，这样的员工将被“杀掉”。二、业绩好没有价值观的被比喻为“野狗”，这样的员工如果不能改变价值观也将被清除。三、没业绩有价值观的被比喻为“小白兔”，这样的员工将会得到帮助。四、业绩好价值观也好的被称作“明星”，这样的员工将得到最多的机会和最多的股票期权。五、业绩一般价值观也一般的被称作“牛”，这样的员工是大多数，他们将得到培养和提高。

阿里巴巴是用价值观组建团队、培训团队、使用团队和考核团队的。李琪、孙彤宇和李旭辉等也是用价值观来统帅管理这支直销团队的。

对销售团队的管理，有绩效考核和末位淘汰制。单纯业绩不好的员工会得到公司的帮助。戴珊带销售团队时，一位外来的销售经理因为业绩不好交了请辞书，戴珊当场撕给他看，她对他说：“业绩不好我会帮你，但如果你对客户不好，我不会帮你。即便你带来一个亿的业务，也得离开！”

在阿里巴巴，是有“天条”和“高压线”的，无论是谁触犯了都不行。

不能作假、不能作弊、不能欺骗客户、不能夸大服务，不能给客户回扣，不能为客户垫款——这些都是天条。

一位业绩十分突出的销售人员因为欺骗了客户，立刻被开掉，一个能力很强的销售员工因为改动了销售数字也被清退。吴敏之做销售经理时，曾经默许一个员工为客户垫款，虽然此事在情理之中，但在阿里巴巴法大于情，制度必须遵守，最后这位员工还是被辞退了，吴敏之也为此受到严厉的批评。

在阿里巴巴，过不了“百年大计”培训关的新员工不能进入销售团队，在销售中违反了阿里巴巴价值观的员工也不能留在阿里巴巴。

销售文化

阿里巴巴的销售文化是阿里巴巴企业文化在销售团队的具体体现，是阿里巴巴的使命和价值观融入销售业务的结果。

中国供应商的直销与其他公司直销有许多共性。在实战中，阿里巴巴还学习借鉴了一些其他公司的销售方式。然而由阿里巴巴文化衍生出来的阿里巴巴销售文化还是很独特。其销售方式和销售思路与其竞争对手相去甚远。

李琪说:“销售理念天下一样,提成制度是阿里巴巴独有的,还有主管制度。我们很少分析竞争对手,我们是自己想出来的。他们的Sales和我们的Sales有很大不一样,是两个方向,文化不一样。”

阿里巴巴的直销管理是把提成制度和主管制度套在一起。销售人员的工资由底薪和提成构成。底薪很少,提成的比例为9~15%。阿里巴巴的提成制度很独特,它不是当月兑现。当月拿到只是权力,兑现要拖后一个月,不允许把单子凑到一个月,当月的好坏决定上个月的提成比例,因而销售人员要想拿到提成,不得不每月都要做好。阿里巴巴的口号是:今天最高的表现是明天最低的要求。

阿里巴巴采用这样独特的提成方法,一是为了保证公司营业额平稳发展,防止大起大落,二是激励销售人员再接再厉,不断进取,再攀高峰。

阿里巴巴采用不给客户回扣的政策。政策出台之后就变成天条,不允许有任何例外。宁肯生意不做,回扣任何时候任何场合都不能给。马云说:“阿里巴巴做了两个铁规定:第一,阿里巴巴永远不给客户回扣,谁给回扣一经查出立即开除。否则会让客户对阿里巴巴失去信任。中小企业经理的钱挣来并不容易,你再培养下边的员工拿回扣,你不是在害他吗?培训他企业内部的腐败现象。第二,不许说竞争对手坏话。现在看来取得的效果不错。”

说到阿里巴巴销售方法的独特,李琪举过一个例子:“开了20多个培训班,学员来自各个公司,问他们有没有见过阿里巴巴销售方法的?只有一人举手,说他原来的公司有这样的销售方法。再了解,结果是马云告诉他们老板的。”

阿里巴巴的销售与其他公司的销售最大的区别还是表现在文化上。

从培训到实战,阿里巴巴的销售始终是以使命和价值观为导向的。阿里巴巴的独孤九剑里有教学相长和群策群力,六脉神剑里有客户第一,团队精神和诚信,所有这些都是销售团队的灵魂。和同事配合,讲究团队精神,老的帮新的,经验资源分享,对同事坦诚,对客户诚信。所有这些都已成为阿里巴巴销售团队的圭臬和传统。

不能和团队合作的员工是待不长的,不能与人无私分享的员工也留不下。

老销售帮新销售,经验、资源、信息无偿共享,仅此一条与多数公司的反差就很大，李旭辉对此深有体会。老销售欺负新销售，老人霸占垄断资源是多数公司销售的常态。

最能体现阿里巴巴销售文化的是调动。阿里巴巴13个区域的销售主管和经理调动极为频繁，少则几月，多则一年，平均半年调动一次。有时大区经理的调动还真有点几大军区司令员调动的味道。

李旭辉说："现在的大区经理都是从一线销售走过来创业过来的。调动让他重新归零，重新开发新市场。整装待发，一声令下就出发。从上海调广州，从厦门调青岛，从宁波调深圳——频繁调动，每次调动都牵扯到家属和人脉关系，每个人都是二三年调了五六个地方。调令下来很仓促，反应时间有限，这些区域经理听到调动，基本上一天之内搞定。他们接到调令的第一句话就是：什么时候出发？"

阿里巴巴的Sales都是从零做起的。筚路蓝缕，艰苦卓绝，多少心血，多少屈辱，好不容易打下一块地盘，客户有了，人脉有了，资源有了，队伍有了，但很快把你调到一个新区域，一块未开垦的处女地，一切都得从头开始，有的撇家舍业，有的举家迁移，但他们居然毫无怨言，居然不计较利益，这就是文化的力量。

阿里巴巴的Sales，老的帮新的司空见惯，主管帮员工上级帮下级习以为常。不但传经验教技巧，而且给资源，而且带你上门，这也是文化的力量。

阿里巴巴的企业文化是独特的，阿里巴巴的销售文化也是独特的，用这种文化熏陶出来的销售团队也是独特的。

其独特之处不仅仅是销售方法，是提成制度和主管制度，还有文化。

这样一支独特的直销团队，虽然缺少经验，虽然眼前一片蛮荒，虽然对手十分强大，但却可以打硬仗打大战，可以攻城拔寨，可以战而胜之。

攻城拔寨

2000年11月，中国供应商的销售大战打响了。

战役之初，仗打得很艰苦。虽然阿里巴巴的品牌有了一定知名度，但远没有今天这么响；在一些地方，人们还不知道阿里巴巴；在上海、广州，人们还瞧不起阿里巴巴；更别提中国供应商了，没人知道它是什么东西；而且4万元的定价还是相当高的。

战役开始时，阿里巴巴面对的是一片蛮荒，一个客户也没有，一个订单也没有。而竞争对手又很强大。当时阿里巴巴的主要竞争对手是环球资源。阿里巴巴做外贸信息才不到一年，而环球资源已经做了27年了。这家总部在香港的公司，6年前就进入了内地，不但有网站，而且有杂志，有光盘。

枪声响时，阿里巴巴明显处于劣势和被动之中。但当时的阿里巴巴也有三个优势：一是阿里巴巴的品牌和几十万会员，尤其是铁杆老会员。二是阿里巴巴中国供应商的价格虽然不低但只是环球资源的1/3。三是阿里巴巴有一支年轻独特且拥有价值观的直销团队。

永康之战：永康之战是地地道道的拓荒战，李旭辉亲自带队拓荒。当时阿里巴巴在永康没有一家客户。更为严重的是当地企业不但不知道中国供应商为何物，而且也不知道阿里巴巴。阿里巴巴的竞争对手环球资源在永康有40～50家老客户，而且口碑不错。战役开始之后，阿里巴巴的销售人员上门，多数人被企业赶出来。没有被赶出来的销售人员遭到企业反问：你们拿什么和环球资源比？你们没有杂志，没有光盘，也没有成功的案例。销售人员无言以对。

几轮上门之后，阿里巴巴的直销人员很痛苦也很心虚，因为害怕和环球资源竞争，多数人不敢面对也不愿再上门。李旭辉让大家把问题带回来，然后开展分享和交流，建立问题库，找出每个问题的答案，让销售人员采用笔记处理方式，逐个回答问题。分享和交流的结果不仅使销售人员知道了问题的答案，而且加深了对阿里巴巴产品特点和竞争优势的理解，坚定了敢于面对敢于回答敢于竞争的信心。

经过一段艰苦地努力，战果慢慢显现出来。客户数从无到有，从5到10，局面终于打开了。实现零的突破后的销售团队信心大增，趁势而上。不到一年，阿里巴巴中国供应商的客户就超过了竞争对手。如今中国供应商在永康的客户已经达到200多家，而环球资源的客户只剩下20余家了。

永康一役，为中国供应商的拓荒之战积累了宝贵经验。

上海之战：上海是中国的经济金融中心，是商家必争之地。阿里巴巴创业初期曾把总部放在上海。2000年5月，阿里巴巴上海分公司成立，员工有50人之多，公司坐落在上海最豪华的写字楼——中环广场。2001年初阿里巴巴大收缩时，上海一度只剩下四五个员工，分公司占用的写字楼大部分都转租给了别的公司，自己只剩不到100平方米。

中国供应商销售战役开始之后，上海自然成为一个重要战场。一开始公司副总裁雷文超亲自出任上海总经理，雷文超离开公司后，孙彤宇还到上海做了一个月的总经理，由此可见阿里巴巴高层对上海战场的重视，但上海市场的开拓却异常艰难。

现任资深总监的谢世煌曾经出任上海销售经理，带着一支六七人的销售队伍艰难开拓上海市场。开始产品很难卖，总是遭到客户拒绝。团队里有几个上海女孩，上门跑业务，客户一句话就给打发回来了，回来她们就哭鼻子，以后销售团队尽量少招上海本地女孩。每月报表出来都很难看，销售人员觉得对不起经理，谢世煌则觉得对不起公司。在久久打不开局面的困难时期，谢世煌说："谁给我一万块我愿在淮海路上裸奔！"

吴敏之现在是中国供应商一大区经理。他是2000年11月加入阿里巴巴的，随即被派往上海做销售。他说："开始营销模式很模糊，两个月后清晰了，把大企业都砍掉，专做中小企业。一个中国供应商会员收费2.5万元。我在上海待了8个月，我们销售人员一共8个人。杭州的品牌在上海不响，上海人不买阿里巴巴的账。当时的工资不高，主要靠提成。业绩考核时，一人没过关走掉了，还有一个扛不住辞职了，我是最后一个礼拜才过关的。"

对于阿里巴巴来说，上海市场也许是最难啃的骨头。尽管大将亲临，精兵上阵，但一仗打下来，阵地没有攻下来，自己却损兵折将。副总裁雷文超离开了，也曾经同时有三个销售经理辞职，销售人员的流失就更为严重。

不久，阿里巴巴对上海的中国供应商业务叫了暂停。

可以说中国供应商的上海第一仗是打败了。兵败上海并没有使阿里巴巴放弃上海。阿里巴巴出于战略的考虑，曾经放弃过许多战场，例如韩国、香港、北京，但阿里巴巴不会放弃上海。

2001年底，中国供应商卷土重来，这次是孙彤宇亲自坐镇。经过几轮拼杀，大上海的市场终于被打开了。2003年，周峻巍到上海做销售主管，上海销售团队已经有10人。周峻巍带领这支团队，第一个月就做到了100万，三个月后，就做到了全国第一。

如今阿里巴巴上海分公司，仅中国供应商的销售团队就有80人。

宁波之战：楼文胜出任宁波销售主管时，几乎是单枪匹马。到任之后就开始租房招人，办公室里的两个冰箱都是他一人背上去的。

江浙是阿里巴巴的发家之地，在这里阿里巴巴的口碑是最好的。可是在销售的破冰阶段依然很艰辛。拜访乡镇企业，经常需要徒步一二个小时。一天，楼文胜和手下的一位销售人员从一个县城奔向另一个县城，暮色四合，看见沿途的人们都在看世界杯，心想，他们怎么这么悠闲，而我们却像狗一样四处奔波？到了乡镇企业，部下把楼文胜介绍给老总，这位老总听说楼文胜是阿里巴巴的创始人之一，是公司元老，如今还一天天和销售人员一起在乡间泥泞小路上奔波时，感慨良多。当时的楼文胜自己并没有感觉，因为始终都处在创业状态中。

楼文胜手下有一位叫吴志强的销售人员，原来是一家公司的副总，不顾母亲的坚决反对，来到阿里巴巴做了一名基层销售员，楼文胜陪他拜访第一家客户——一家电缆企业时，当场签了合同，小吴出了公司立刻拿起电话，把喜讯告诉了母亲。看到员工如此认同阿里巴巴，如此以公司成就为荣，楼文胜深受感动。

待到2003年9月，周峻巍到宁波出任区域经理时，宁波的销售团队已是一个拥有60人的团队。当时的月销售额是500万，在全国处于中游。到周峻巍12月30日调离宁波时，宁波团队的销售额突破了1000万。

广东之战：现任支付宝总经理的陆兆禧是广州人。2000年11月，加盟阿里巴巴不久的陆兆禧被派往深圳，负责广东、华南的销售，一直到2004年5月。陆兆禧是广东市场的开拓者，也是中国供应商广东之战的指挥者。他是广东人，但更是阿里巴巴人，因而他把广东看作外地。他说："在外地很孤独，和公司相距很远，只能靠各区管理人员每月在杭州总部相聚的二三天里，才有机会和马总和高层接触，才有机会把文化传到各地。"

广东市场的开拓同样相当艰难。人家不知道阿里巴巴，市场对中国供应商的认同度不高，销售人员也不到位。大家都不知道怎么做，只好靠乱打乱撞。

销售人员每天背着包去一家一家地敲门，销售方式非常原始。用陆兆禧的话说，当时广东的销售队伍有点像游击队，像土匪，不是规范的正规军。

开始的艰难是不可避免的，开始的摸索也是必不可少的。就是要有那个过程，要走那段路。只不过广东的那段路格外漫长。在一年多的时间里，广东的市场都打不开，每月的销售额只有几万元，整个华东、华南都是如此。在漫长的拓荒岁月里，陆兆禧率领的这支销售团队，这波"老广东"，苦撑苦熬着。一度邻近的分公司都关了，广东仍然坚持着。马云每月都去看望他们，同他们交流，为他们打气。当时陆兆禧他们有一个梦：把广东一个月的销售额做到100万。当时的100万对他们来说是天文数字，因为他们的起点只有几万。COO关明生把它比喻为"吃大象"，如何吃下这100万的大象，他们想出很多办法分解大象。马总也承诺陆兆禧，拿下100万他一定过来和大家一起庆祝一下。

凭着永不放弃的精神，凭着阿里巴巴人的激情，陆兆禧带领广东团队整整苦撑了两年打拼了两年，2002年12月，整个广东销售额终于突破100万！那天马云如约而至，整个广东20人的销售团队相聚在一起，摆了两桌酒席，大家边喝边唱，群情激昂。那是个期待了许久的宴会，是个有歌声也有泪水的宴会，是个难以忘怀的宴会。席间，陆兆禧第一次看见马云喝醉了。散席时马云不让人扶，坚持自己走下楼梯，陆兆禧那天也喝醉了。

那一天是阿里巴巴广东分公司的里程碑，闯过了100万大关的广东团队看见了希望，也看见了了光明。

从那以后，就是势如破竹，就是一路凯歌高奏。2004年5月，陆兆禧离开广东时，广东每月的销售额是1000万，翻了10倍。如今广东的销售额已是2000万。当年100万的"大象"，现在一个人一个月就能完成。

胜之有道

中国供应商销售之战的第一回合是大获全胜。战役经历了三个阶段：2000年底～2001年底，艰难拓荒时期；2001年底～2002年底，全面突破时期；2002年底～2005年，高速增长时期。

李旭辉认为："在阿里巴巴三大块产品（中国供应商、诚信通和淘宝）中，中国供应商的发展潜力也许不是最大的。但在5年之内，中国供应商的潜力几乎是无限的。5年之内的目标是会员达到10万家。”

中国供应商的销售大捷挽救了阿里巴巴，也彻底改变了中国网络市场的格局。当年中国供应商的竞争对手如今不是消失就是已经不成其为对手了。

中国供应商为什么会成功？天时、地利、人和。

天时：中国供应商启动之后不到一年，中国加入WTO，民营中小企业的迅速崛起，使中国很快成为世界工厂。中国供应商的启动顺应了中国中小企业第一波出口浪潮，中国供应商的推出使阿里巴巴真正成为中小企业的出口通道和桥梁。同时，中国供应商销售大战开始时，阿里巴巴经过一年奇迹般的炒作，其品牌效应已经出现。没有这个品牌效应，中国供应商的成功是不可思议的。品牌的快速建立得益于阿里巴巴“倒着做”的战略：先做市场，后做产品，先聚人气，后找商机，先免费后收费，也得益于马云在全世界推销阿里巴巴。到2001年12月，也就是中国供应商启动一年之后，阿里巴巴会员总数突破100万，没有这100万会员垫底，不会有中国供应商销售年年翻跟头的奇迹。实际上中国供应商销售的第一年，收效不大而且极不稳定，真正的突破始自2002年，始自阿里巴巴会员总数突破100万之后。中国供应商的成功销售把阿里巴巴品牌效应发挥到极致，反过来又扩大了品牌的知名度。中国供应商的直销团队实际上在卖两样东西，中国供应商产品和阿里巴巴的品牌。他们也边卖边传播，传播的是阿里巴巴的文化。

地利：浙江是中国民营中小企业最发达的地区。阿里巴巴所瞄准的江南五省一市，是中国出口企业最集中的地方，其出口总量占了全国总量的70%。中国供应商会员的41%来自浙江，仅这一个数字就足以说明，杭州为什么会成为阿里巴巴风水宝地，而天堂硅谷的提出是如何地顺理成章。

人和：中国供应商之战打响时，经过了“延安整风”、“抗大培训”和“大生产运动”的阿里巴巴团队，经过贯彻九大价值观后的中国供应商直销团队，已经是一支充满激情，充满凝聚力和拥有使命和价值观的团队。团队的配合、分享和患难与共，保证了中国供应商战役的成功。

天时、地利、人和，三者皆备，中国供应商之战焉有不胜之理？

15“诚信通”的诚信宣言

阿里巴巴的中国供应商作为产品有自己鲜明的特色,但这个产品并非独创产品,它的竞争对手环球资源和美商网都有类似的产品。但诚信通的确是阿里巴巴独创产品,它把信用和产品结合在一起,为电子商务的全面应用开辟了一条道路。

中国供应商是阿里巴巴销售大战的第一场战役,诚信通则是阿里巴巴的第二场战役。诚信通之战虽然比中国供应商之战晚了一年多,但同样很重要很关键。

产品内涵

诚信通作为产品在2001年6月就推出了,当时它叫“网上有名”,是阿里巴巴英文网上的产品,产品推出后的一年多里,在英文网上表现平平。2002年3月,诚信通被挪到阿里巴巴中文网上,一时间风生水起,很快就成为了阿里巴巴的第二战场,成为其重要的创收渠道。

诚信通产品的内涵包括四个方面:第一,诚信认证:通过第三方认证机构审核企业真实身份。这里的第三方是指华夏、新华信等信用咨询公司,阿里巴巴与他们签有合同。当然这个认证是初步的,基本上就是核查工商注册和真实姓名,故98%的申请企业都可以通过这个认证。但这个认证也是必要的。调查显示,85%的买家和92%的卖家,会优先选择与诚信通会员做生意。诚信通会员的成交率和反馈率高于免费会员的四五倍。第二,独享买家信息:阿里巴巴拥有394万买家,其中包括世界500强中的150家。最关键的是这些买家信息仅对诚信通会员开放。第三,发布产品信息:免费会员也可以发布信息,但数据统计表明:诚信通会员发布1条信息,可以收到平均6~7条反馈,远比非诚信通会员得到的反馈多。第四,黄金商铺:诚信通会员可在阿里巴巴大市场黄金地段专设一个属于自己的网上商铺。这里的关键是诚信通会员得到的地段比免费会员好。商铺也是阿里巴巴以前取消的一个超前产品，后来恢复了。

诚信通的收费价格是每年2300元人民币。这个价格应该说不贵，大致相当于一个企业每年发电传的费用。

诚信通最核心的竞争力是建立了网上信用。委托第三方专业信用机构进行的身份认证实际上是面对企业的过去记录，而网上信用档案则是面对企业的现在和将来。

马云说："我们的诚信通现在成了火爆品牌，我们昨天和一个学者谈论'诚信'的问题。他说，在现实层面可能很难解决诚信这个问题，在网上反而容易解决了。诚信通其实很简单，以后谁要和你做生意，先看你在网上的诚信通活档案，你获奖了可以放上去，法院对你们判决了也可以查到。我希望全中国企业都有一份网上的活档案，这是信誉的档案。"

阿里巴巴诚信通会员可以通过以下五方面证实自己的诚信：第三方认证、证书及荣誉、资信参考人、阿里活动记录和会员评价。其中后两项就是马云所说的网上活档案。

由于诚信通的收费价格合理（不排除将来提价），其两个实质性服务——诚信认证和独享买家信息又如此关键，因此可以预见将来诚信通最终会成为阿里巴巴所有会员的必备通行证。阿里巴巴现有免费会员900万，诚信通会员10万。诚信通产品的潜力实在太大了。

诚信牌

阿里巴巴为何要打诚信牌？此事源远流长。

阿里巴巴自从进入电子商务的第一天起，就受到诚信缺失的困扰。一开始马云就清醒地看到：在中国电子商务是三年以后的事，因为银行没准备好，因为信用缺失，所以阿里巴巴只做信息流。在当时这是一个务实而聪明的选择，也是个无奈的选择。

还在2001年时，马云就和8848的王峻涛就电子商务的模式辩论过。结果坚持在中国推进电子商务王峻涛壮烈牺牲过一回，而坚持曲线救国先做信息流的阿里巴巴活了下来。

但阿里巴巴的目标是要做真正的电子商务，是做包括信息流、现金流、物流的电子商务。"我觉得电子商务信息流之后发展交易一定要过诚信的独木桥，没有诚信就实现不了。"正因为认识到这一点，阿里巴巴要在国内率先建立诚信桥。

金建杭说："全球商业的交易成本中很重要一块是信用成本。人均GDP1000美元是一个国家经济的分水岭，是信用大量破坏的时候，如美国的二三十年代；人均3000美元是信用重塑的时期，人均5000美元时，信用进入良性循环状态。拉美的经验证明，信用恶化会影响经济发展。中国有很多地方人均GDP达到了3000~5000美元，只有一个网上的公开商务信用体系，可以帮助中小企业解决信用问题，帮助国家减少交易成本。"

进入信用良性循环的西方发达国家，电子商务的发展很快。无论是亚马逊还是eBay，无论是B2B，还是B2C、C2C，都很快实现了网上交易网上支付。在中国，由于信用的瓶颈制约，使网上交易和支付变得遥不可期。

西方发达国家的网上信用主要是依靠银行信用，而中国金融改革的滞后，使网上的银行信用体系迟迟建立不起来。

从2000年到2003年，阿里巴巴耐心等了三年。是继续干等呢还是有所行动？阿里巴巴断然选择了后者。

马云说："任何企业家不会等到环境好了以后再做任何工作，现在的环境就是如此，我们必须自己来改善这个环境，光投诉、光抱怨有什么用呢？"然而信用的建立是全社会的大事，仅凭一家企业一个网站之力能够成功吗？信用缺失长期困扰着经济高速增长的中国，于是从政府到民间，都在全力启动企业信用体系和个人征信体系的建设。然而大家都知道这是个漫长的过程，没有十年八年是建不成的。

阿里巴巴之所以信心百倍地独自知难而进，是因为他们要建立的是网上信用体系，是网上信用档案。毫无疑问，网上信用的建立要快得多，操作起来也容易得多。

马云说："今天通用电气和我们有网上的合作，选择诚信商人作为其潜在供应商，沃尔玛也选择阿里巴巴为合作伙伴。我们不评论企业是否诚信，诚信是靠自己做出来的。你在网上的诚信记录由你的客户来写，以后新加入的客户来看你的档案，让他来评定你是否诚信。只能是诚信通客户才能进行诚信的评论，每一次评论都是详细的记载，到目前为止还没有竞争对手在记录中恶意中伤的事情发生。如果你的记录里有不好的记录，我们要张榜公布出来的，你做了坏事，我就让你活着比死了还难受。”

阿里巴巴的诚信通会员的诚信活档案是靠软件自动生成和延续的，其中包括交易记录、客户投诉、会员评价等。当网上交易成为主流，当千百万企业都有了网上诚信档案，中国信用体系的建设时间将大为缩短。

诚信通不仅是阿里巴巴的第二个创收产品，是阿里巴巴开辟的第二战场，而且是阿里巴巴的伟大创新。它开了中国网上信用建设的先河，为中国信用建设找到了一条快捷的高效之路，其结果必将影响和推动中国经济的发展。

诚信通的产品设计和运作一开始就联手国内外的信用咨询公司，当然这也意味着要与其分利。诚信通网上信用体系进一步发展，特别是支付宝的推出，阿里巴巴必然要与银行联手。网上信用体系的建立也是个系统工程，阿里巴巴开了一个漂亮的头，但以后的路还很漫长很艰难。阿里巴巴不但要联手银行和信用咨询公司，也许还得联手工商、税务、质检等部门，甚至还得联手其他网站。

前不久，发生了所谓国际防伪联盟把阿里巴巴列入“301”黑名单事件。虽然这个危机已经被化解，但在一个拥有数百万商家的网站要想完全杜绝假货也是不现实的。全球最大的拍卖网eBay上也有假货。要想减少假货，就得靠网上诚信体系，靠网上信用档案。

谁都知道信用重要，都知道信用缺失是中国电子商务发展的拦路虎。但把诚信融进产品，把诚信当作门票，全力以赴打诚信牌的网站只有阿里巴巴。

诚信通开始只是阿里巴巴的一个产品，是阿里巴巴提倡的一个理念。后来诚信通所代表的网上信用体系成为一个伟大的创举，成为解决中小企业信用危机的一条途径，成为中国信用建设的一条捷径。

“让诚信的商人先富起来”是诚信通的口号，也是阿里巴巴的口号。

诚信牌是阿里巴巴不得不打的一张牌。如今诚信牌变成了诚信旗，当诚信大旗在网上迎风招展时，信用成本的大幅度消减必将对中国经济的发展产生深远影响。

电话销售

2002年，阿里巴巴英文网上的中国供应商销售已经进入稳定快速增长期。但阿里巴巴最丰富的资源还是在中文网上，当时中文网上的浏览量是英文网的5倍。

英文网能赚钱中文网为何不能？马云当时就坚定地说："中文网赚钱是水到渠成的事。"

当诚信通从英文网移植到中文网时，终于水到渠成了。

诚信通的启动是先从几百个铁杆老会员开始的。当时给他们的优惠价是1200元。这些铁杆老会员都是根本不问费用直接申请的。

诚信通有了基本会员后，把价格调到了2300元。此时如何销售成了急需解决的问题。采用直销上门收钱成本太高，因为中国供应商的价格是4万，而诚信通只是2300元。于是想到了电话销售。

网络产品采用电话销售当时也是很难找到先例的。

诚信通的正式启动时间应该是2002年2月28日。这次挂帅的是资深副总裁张英。诚信通第一任销售经理是韩敏，后来接替她的是戴珊。巧合的是一帅两将都是女性，而且都是创始人。

诚信通销售团队开始是只有3人，后来增加到10人，现在已扩张到300人。

诚信通战役打响时，这支几个人的销售小分队只能摸索着前进。当时只听说过电话销售，谁也没见过，也买不到书，只好边试边打。每次打电话时，都要先写好一个脚本，然后照着念。

他们先后尝试过许多与客户电话沟通的方法，有成功也有失败的。最失败的是男销售模仿女销售员撒娇的声音，结果当即被客户挂机，以后这一招再也无人用过。

经过艰苦的摸索和试错，他们终于找到了用电话和客户沟通推销诚信通的方法。诚信通的销售也开始走上正轨。

在全世界，电话销售都是最苦最单调的活，电话销售人员离职率始终是最高的。在靠电话直销起家的戴尔流传着这样一句话："做满一年是人精，做满二年是人妖，做满三年不是人。"

在阿里巴巴，诚信通的电话销售也是很苦很累很富有挑战性的工作。销售人员从早上8点到晚上6点不停地打电话，平均每天打200个以上。内容高度重复，还有业绩压力。但在阿里巴巴，诚信通的电话销售人员的离职率是业界最低的，这要归功于阿里巴巴强大的企业文化。诚信通团队的维系不是单纯靠业绩提成，而是靠伟大的使命和目标，靠价值观，靠团结、和谐和亲密的氛围。

当然同后台相比，电话销售员工的离职率还是相对较高。离职有三种情况：一是公司考虑员工的职业发展，在他们有了一定经验积累之后，将其转岗；二是员工因为违反价值观或业绩不好（末位淘汰）而被公司辞退；三是员工本人适应不了工作压力而自动离职。

应该说绝大多数诚信通销售员工干得很漂亮。他们不但成功地开辟了第二战场，打赢了诚信通战役，为公司创造了数亿收入，而且把诚信通渐渐变成了阿里巴巴的门票，把"让诚信的商人先富起来"的口号变成了现实。

这些电话销售员工也学会了苦中取乐，学会把枯燥单调重复性的工作变成创造性的快乐工作。他们从中学会了与人沟通的艺术，也从电话中的客户嘴里学到大量宝贵的东西。许多员工是在诚信通电话销售中成长起来，成为阿里巴巴独当一面的将才。

此后不久，建立呼叫中心被提到议事日程。阿里巴巴把采购呼叫中心设备的重任交给了刚来不久的工程师王磊。这可是上百万的大单。

王磊为此事跑遍了全国，最后筛选剩下了两家供货方：华为和中科软。投标时，所有阿里巴巴相关高层都投华为，只有王磊一人投中科软，结果还是王磊用5条理由说服众人买了中科软的设备。

1月10日签了合同，3月10日要求第一批440席上线，而且不许掉线，因为每天都关系到上百万的收入。这在业内看来是不可能的事，王磊他们居然办到了，再一次表现出阿里巴巴的速度。

这座国内最大的呼叫中心投入使用后，阿里巴巴的诚信通业务如虎添翼。

诚信通的潜力

诚信通启动不久，阿里巴巴把中文网站改为中国事业部，副总裁张英出任总经理。

2001年6月在英文网上创建诚信通主要是马云的主意。2002年3月，诚信通搬到中文网上并开始电话销售。这时的马云说："就是只有一个诚信通会员，我也要做下去！"

2002年是诚信通的拓荒期。2003年诚信通进入快速发展期，特别是在"非典"期间，业务增长迅猛，当年的销售收入达到8000万；2004年达到1.6亿，2005年，突破3个亿。

2004年底，由于张英的退出，诚信通业务一度受到影响，发展势头趋缓，后经过调整得以恢复。

诚信通开始在英文网推出，后来挪到中文网，火起来也是在中文网。两年以后，当国内企业普遍认同诚信通之后，阿里巴巴又开始在国际网站上全面推行诚信通，并同美国邓白氏、亚洲澳美资讯合作，对海外企业全面进行认证。

诚信通战役的胜利是阿里巴巴取得的第二个重大胜利。从此阿里巴巴就有了两个增长点，并形成了两翼齐飞的态势。

2003年初，诚信通的会员数不到2万时，马云提出，诚信通要做到10万，当时大家都觉得是个梦。但是阿里巴巴早有了把马云的梦当成目标的传统，于是10万就真的成了诚信通的目标。两年之后这个目标变成了现实。

从长远来看，诚信通的潜力可能会超过中国供应商。阿里巴巴是最早建设网上信用体系的，一旦这个网上信用体系成为标准，诚信通就会成为阿里巴巴的会员门票。阿里巴巴现有900万会员（其中海外会员150万），诚信通现有10万会员，只是会员总数的1/90。从理论上讲，诚信通有89/90的空间可以发展，何况阿里巴巴的会员总数还在不断增长。

如今诚信通的服务内容还在不断丰富，网上信用记录还在不断创新。阿里巴巴建立网上信用体系的试验一旦成功，中国电子商务将从中受益，整个中国经济也将从中受益。

16 世界上最伟大的推销员

阿里巴巴发动的两大战役都是销售大战，正是销售大战的胜利使阿里巴巴起死回生。表面上销售的是阿里巴巴反复试错不断摸索出来的两个主打产品，中国供应商和诚信通，实际上销售的是阿里巴巴的理念、文化、模式和战略，销售的是阿里巴巴多年的积累和品牌。销售的胜利验证了阿里巴巴的道路和核心竞争力。

2000年是阿里巴巴遭遇的第一个冬天。2001年仍然是阿里巴巴的冬天。这一年虽然启动了中国供应商，但一年走下来仍十分艰难。销售收入增长缓慢而且波动很大。这一年，几乎每月阿里巴巴的董事会都要开会，会上的结论是：方向是对的，再做几个月不成功，砍掉网站。

形势依然严峻，前途依然渺茫。

2001年12月，重要的迹象出现了。当月阿里巴巴的会员终于突破100万，当月阿里巴巴的现金流历史上第一次出现盈余！虽然只盈余了几万美金，虽然全年算下来仍然亏损，虽然阿里巴巴的账面上还剩400万美金，只能支撑半年多，但几乎所有阿里巴巴的高层都看出：这就是曙光，是久久期盼的曙光！

曙光的出现使阿里巴巴人兴奋不已，也使一直在旁边盯着的风险投资公司开始行动。结果导致了阿里巴巴的第三轮融资。2002年2月，在互联网业界依然低迷、纳斯达克股价依然狂跌之时，阿里巴巴完成第三轮私募，日本亚洲投资公司向阿里巴巴注资500万美元。

日本这家投资公司实在是既精明又胆大，它敢于在阿里巴巴的寒冬雪中送炭，是因为它已经看见了阿里巴巴的初露的曙光，看见了阿里巴巴不远的春天。

事实证明，这家日本公司赌赢了。三年后它得到了18～20倍的回报。

连风险投资公司都看到了曙光和希望，阿里巴巴高层怎么会看不到？在第三轮投资中，马云、蔡崇庆、关明生、吴炯都进行了投资。投资行动本身就表明：他们看好阿里巴巴！

2002年初的一天，马云和关明生爬上了玉泉山上喝茶。这一天，他俩的心情格外好，终于可以喘口气了，心情怎能不好？阿里巴巴这两个“O”要讨论的是公司2002年目标。COO提出：2002年实现全面收支平衡。CEO提出：2002年阿里巴巴要赚一块钱！这就是马云作为企业领袖所特有的魅力，关键时刻总能灵光一闪。

为什么要提赚一块钱？销售多卖一块钱很容易，后台节省一块钱也很容易，但全年算账赚一块钱就是盈利！就是历史性的转折和突破！从此有关马云能否赚钱阿里巴巴何时盈利的争议可以休矣！这就是“赚一块钱”口号的魅力。

口号毕竟是口号，结果如何呢？阿里巴巴2002年10月就实现了全年收支平衡，年底实现全年盈利，当然不是只赚了一块钱。

2003年，马云提出每天收入100万。这个口号提出时，不但阿里巴巴上千员工不信，就连李琪等高层也不信。不信归不信，但马云的口号和梦想就是公司的目标，人们照样执行，照样往目标奔。结果2003年阿里巴巴不但实现了每天收入100万，而且还超过了这个数。2004年马云提出每天利润100万，这回不信的人质疑的人大为减少，结果2004年一天100万利润的目标也达到了。2005年马云又提出每天交税100万，这次质疑的人更少了，到了2007年每天交税100万目标也顺利实现了。所有这些100万从哪来？还是得从销售中来，从中国供应商和诚信通的销售中来。

单是一单一单签的，钱是一笔一笔挣的。阿里巴巴越来越好看的数字里，有销售人员的心血和汗水。中国供应商的千人大军长年累月奔波在江南大地，诚信通的300个销售团队让电话铃声日日不停，即便是非典隔离时期，铃声也没有中断。当然还有后台，还有上百名工程师……

2001年，单个销售人员的全年业绩也就是3～5万元，做到6万元就可以成为Topsales。到了2002年，销售业绩开始普遍飞升。这时阿里巴巴销售的指挥者——关明生、李琪、孙彤宇和李旭辉都感到将有人达到100万。达到100万如何奖励呢？当时他们几人的心里还一片模糊。关明生和李琪商量搞一个百万俱乐部，因为GE就有旨在激励销售的百万俱乐部。8月22日，第一个100万出来了，是广东东莞的黄榕光。作为COO的关明生心想总得有个表示，于是情急之中做了一首诗，作为阿里巴巴第一个销售过百万的英雄黄榕光也不含糊，读到 COO 赠诗半小时就回了一首打油诗。

黄榕光一人在百万俱乐部里并没有孤单多久，很快第二个百万俱乐部会员就出来了，他就是深圳的王刚，第三个百万俱乐部会员是永康的罗建路。罗建路的业绩已经不是100万而是220万了。贺学友是阿里巴巴第四个百万会员，业绩是100多万，排在第四位；但是当他2003年成为Topsales时，他的全年业绩是令人咋舌的630万。

如何奖励呢？于是阿里巴巴高层决定带着这些销售功臣玩了一趟海南岛。也许这是最好的奖励。

2003年以前，百万俱乐部里都是中国供应商的英雄们独领风骚。2003年3月，张英几个女将带领的诚信通杀了出来。不久诚信通就提出他们也要做百万。2300元一单，做到100万着实不易。但是戴珊带着她的团队坚持冲击100万，结果他们做到了。朱亮是诚信通第一个百万会员，他只用了半年时间。不久，诚信通涌现了5个百万会员，中国供应商加诚信通一共涌现出15个百万俱乐部会员。大喜过望的关明生又写了一首诗。

从此阿里巴巴的打油诗文化开始形成。

这次对百万俱乐部会员的奖励还是旅游，也还是岛，但换了外国的岛：张英带领这拨“新科状元”去斐济兜了一圈。

从2000年底到2005年底，历时5年的销售大战中阿里巴巴涌现出一大批销售功臣，罗列出来是一个庞大的群英榜。下面是几个销售功臣的故事。

贺学友

贺学友无疑是阿里巴巴最具传奇色彩的销售功臣。

贺学友现任中国供应商二大区——东莞区销售专家(阿里巴巴的专家相当于经理)，工号467。从工号上就可以看出贺学友的资格并不老，他是2001年11月12日进入阿里巴巴的。

贺学友是高中毕业，是阿里巴巴团队中屈指可数的低学历员工。但低学历没有阻挡他成为阿里巴巴最耀眼的销售英雄。四年后功成名就的贺学友这样说：“学历对我的影响不大。现在的岗位在乎经验。阻碍我的是英语。太忙是借口，在慢慢提升，如果真正学我会很快攻克。还有一块是管理技能，必须不断改进自己，否则跟不上公司的脚步就会被淘汰。鱼和熊掌不能兼得，没法到外面去学。”

贺学友高中毕业后做过销售，后来自己在台州创办了一家小网络公司，是阿里巴巴的免费会员。贺学友到阿里巴巴去面试，一进大门，就感觉到这家公司非常优秀，感觉他属于阿里巴巴。回去思考了一个月，他决定放弃自己刚起步的公司，加入阿里巴巴。

贺学友是典型的精明而坚韧的江浙青年，他追求完美又苛求自己。到了阿里巴巴之后，他给自己制定的销售目标是每月15～20万，如果完成就奖励自己，奖励的办法是游泳；如果没完成就惩罚自己，惩罚的办法是在家里大睡几天闭门思过。

2002年5月，阿里巴巴表彰销售，上台领奖的前三名都是女孩。贺学友心中说道：明年不可以再让她们领奖了，销售应该是男孩的天下！

贺学友开始销售就去了萧山。当时大家都认为萧山是不可攻克的市场。在萧山，贺学友孤军奋战，每天早上7点出门，晚上7点回家，风雨无阻每天奔波12个小时。晚上回来疲惫不堪，还要自己烧饭，辛苦、艰难加孤独，但贺学友知道自己要什么，他要的是2002年的销售冠军。

经过一年苦战，贺学友与Topsales失之交臂。他有点遗憾，但并没放弃。2002年东莞的黄榕光第一个达到100万，然后是王刚，然后是罗建路，第四个才是贺学友。那一年四个百万俱乐部的成员竞争得很激烈，他们竞争的目标已不是100万，而是年度冠军。最后胜出的是罗建路。2002年的最后一个月，罗建路搞了一个以商会友俱乐部，8个与会的潜在客户全部签了约。罗建路最后一个月的销售额竟然是80万！全年达到220万。贺学友领教了竞争对手的厉害。

贺学友2002年虽然也进入了百万俱乐部，但他没有做到200万，也没有成为年度冠军。

颁奖会上，贺学友被请到台上做“分享”，面对台下全体销售和员工，贺学友慷慨陈词：“贺学友如果2003年做不到全国第一，对不起台下所有关心我的人，这是个郑重的承诺！”

贺学友发完誓后，心里并不知道2003年第一名到底要做到多少。300万？

还是400万?

庆功会结束后，贺学友与其他百万俱乐部会员一起到海南三亚旅游。飞机上他看了一本书《如何赢得大订单》，获益匪浅。接着他开始做规划，写了整整两页纸，题目是《如何让我成为NO.1》。

贺学友的这个2003年规划总共10项，其中前三项是：一，全新规划整个市场，把潜在客户做出来。二，给自己定出目标。除了业绩目标还有生活目标：2003年5月1日之前，买一辆价值20万的汽车，2003年12月31日之前，买一套房子。三，业绩全国第一。

贺学友在飞机上做的10项规划，一年之后完成了8项。2003年4月18日，贺学友买了一辆蓝鸟；2003年10月，他买了一套价值50多万，面积为117平方米的房子；2003年12月31日，他如愿成为阿里巴巴全国销售冠军，业绩是破天荒的630万！（当年第二名的业绩是390万）这一年贺学友拿到的佣金是90万。

一个20多岁的年轻人，如此有目标有决断，如此身体力行说到做到，实在令人感叹。

贺学友的2003年目标像马云的阿里巴巴目标一样狂妄。

定完规划的贺学友变得很坦然。因为有了方向，因为知道做什么了。

2003年2月，在阿里巴巴的员工狂欢节上，在黄龙饭店的大厅，贺学友和马云打了一个赌。

马云说："他说要赌。我说好，我说你赢了我，全世界任何一个地方，你挑一个地方我请你吃饭。我说输的话，你就到杭州西湖去脱光衣服跳下去。"

贺学友和马云赌的什么？原来那天马云一直在想，罗建路在2002年已经突破了200万，2003年定一个什么目标呢？当他看见贺学友时，就即兴对他说："贺学友2003年你给我做到365万，一天一万，续签率78%。两个指标都做到，你可以提任何要求，我可以在任何城市请你吃饭；做不到，穿三角裤沿着西湖跑一圈，然后跳下去。"

贺学友当场就说："OK！"所有人都认为一天一万是很难的事，贺学友居然敢赌。赌完之后，贺学友虽然也有点迷茫，但仍然很自信，还是觉得有把握。

其实还在海南休假时，贺学友就向马云、关明生和李琪提出了一个狂妄的问题：如何做到每月120万，全年1440万？三个人一听就愣住了。后来关明生说了三点：团队、策略、市场。贺学友说，给我四个助手，我来试试。最后公司给了他两个助手。

黄龙饭店打完赌后三天，贺学友作出了2003年的团队计划和个人计划。团队（他和两个助手）目标是1000万，个人目标是588万，这个数远远高于马云的365万。

目标定出来后，贺学友把588万细分到每一天，然后制成表贴在家里的墙上。战斗打响后，贺学友每天提醒自己必须完成多少。遇到挫折时，沮丧时，他就听磁带，去上培训班，去和别人交流，去看书。2003年贺学友看了60多本有关市场销售的书，他突然发现自己的学习总结的能力蛮强。

2003年8月，贺学友的销售额就突破了365万！马云知道了，高层知道了，阿里巴巴的全体员工也都知道了。关明生和李琪在杭州张生记请贺学友吃饭，关明生还特意从香港带来一瓶红酒，那顿饭让贺学友很感动。

马云一直等着请他打赌那顿饭！马云对贺学友说：你来，我随时恭候。在任何地方！贺学友说：希望我的团队达到顶峰，希望马总请我和团队一起吃这顿饭！

2003年年底终于到了。结果贺学友的业绩达到了630万，比马云提出的365万高出了165万；贺学友的三人团队也突破了1000万！然而遗憾的是续签率没达到78%。贺学友说："续签率差了两个百分点，有几个客户没有续签。他们是2002年的客户，自己关注不够，有一些误解，是我的责任。"

马云说："他最后差两点，我后来跟他讲，功不可抵过，请你吃饭，我们照请不误，但西湖一定要跳。所以那一年很冷很冷的冬天，他就去到西湖边跳了下去。他的经理也在边上，他们也脱光了衣服跳下去。"

贺学友跳西湖的确切日期是2004年2月7日。那天晚上，贺学友去参加了一个婚礼，席间喝了一点红酒。马云说，就在今晚吧。于是他们来到杭州香格里拉西湖边上，闻讯赶来的阿里巴巴员工有三四十人，有拍照的，有助威的，场面颇为壮观。贺学友的两任经理都到了，陪他一起脱了衣服，三人一起Show了一下，虽不是健美比赛，但肌肉还是有的。这一"秀"引来阿里巴巴围观的女员工一阵喝彩。三人在湖边跑了大约1公里，然后跳下湖去，顿时人声鼎沸，灯光乱闪。马云跑过来，招呼他们上来。当时打赌只说跳西湖，没说在水里待多久，赢了赌的马云显然认为跳一下就足矣了。

贺学友三人上岸后，马云在人群中讲了一段话："今天这个日子值得纪念，它已成为阿里巴巴历史上非常重要的事件。第一体现诚信，承诺了就要兑现，该奖的奖，该罚的罚。第二体现团队精神，贺学友的两个经理都来陪绑。续签是我们的生命，希望以后不再看到这种事。我非常钦佩贺学友……"

裹着军大衣的贺学友也当场发言："跟马总吃饭，心里很沉重，就是不跳西湖，也觉得对不起客户。因为我们的服务没做好，客户不仅是损失了6万元，更重要的是对阿里巴巴的不认同……"

后来采访时，贺学友对我说："冷不是很冷，心情激动。我第一年客户不多，多签几个续签率就达到了，承诺了就要做到，这是个惨重的教训。做到365万，马总给了我很大肯定，说是历史的新纪元。那天晚上马总说，服务客户，真正帮助客户成功，是对我的鞭策。服务是我们的生命线，阿里巴巴本来就是服务公司。"

那天晚上的场面的确很壮观也很热闹。寒冬腊月，三个穿着三角裤衩的男子往西湖里跳，旁边几十个男女大呼小叫，过往的行人怎么也看不明白。好在时间不长，否则肯定会招来警察。

人们以为冬天跳西湖肯定是惩罚，但他们不会想到，那个跳西湖的人正是阿里巴巴的销售功臣，是他一人一年就为阿里巴巴带来630万元的销售收入！

这就是阿里巴巴的文化！把续签率当作生命线，把服务客户放在第一位。

在阿里巴巴，贺学友跳西湖早已成为一个历史事件，一个典故，一段佳话。毕竟是贺学友开启了阿里巴巴的销售新时代！从此阿里巴巴的销售收入坐上了火箭。

2004年2月的员工大会也许是贺学友半生中最风光的时刻。阿里巴巴所设17个销售大奖，贺学友一人就拿了11个。奖杯、鲜花、掌声，还有提成和股权。2002年贺学友进入百万俱乐部时已经给过一次股权，2003年，贺学友不仅是年度第一名，而且四个季度都是第一，六次月度第一，再次得到股权，所有这些都超出了贺学友自己的想象。

在台上贺学友激动地说："终于没有辜负大家对我的期望！感谢阿里巴巴

给我机会，感谢李琪的帮助，感谢历任经理主管对我的包容和鼓励，感谢小团队和大团队，感谢后台！”

此时此刻贺学友要感谢的人很多，但他没有忘记后台。贺学友是个感恩心很重的人。还在2003年8月突破365万时，他就自己掏钱请后台20多人吃了一顿饭。在阿里巴巴，所有的销售成本和支出都由销售人员自己承担。业绩不好，收入比后台差，业绩好自然比后台收入高。

好在贺学友并没有沉迷在鲜花和掌声中，他很清醒，也没敢松懈。2004年2月，这位销售冠军升任杭州区销售主管，他的团队也从3人发展到10人。在以后的8个月里，面对熟悉的团队熟悉的市场，贺学友一路顺风，两夺全国销售冠军。

2004年10月1日，贺学友被调任东莞销售主管，他知道这是公司在培养他磨炼他。

到东莞后，面对陌生的团队和市场，贺学友一下子从巅峰跌入低谷。东莞的挫折让贺学友刻骨铭心。他慢慢认识到自己的问题所在，追求完美，对员工缺少包容。当然东莞的市场也的确特殊，台商多，上门销售见不到老板。

面对低谷，贺学友有过情绪波动，有过迷茫，在东莞经理的帮助下，他很快把心态调整过来。他终于知道公司为什么派他到东莞，就是让他把使命感和激情带过来，就是让他来开拓新局面。

心态好了，信心也恢复了，贺学友从头做起。从激情团队开始，从培育市场开始，从攻克台商开始。

贺学友的东莞新规划是带领团队上半年实现突围，下半年冲击巅峰。

我采访贺学友时，是2005年7月，他的下半年规划刚开始实施。但这时，东莞的销售增长量已排在全国第一，7月份的人均业绩已从全国倒数第一上升到全国正数第二。

周峻巍

浙江大学外贸英语出身的周峻巍，2000年4月加入阿里巴巴，现任中国供应商二大区——深圳区域经理，工号164。

周峻巍开始在后台做网站策划，两年以后他做出一个大抉择：申请到一线做销售。阿里巴巴员工主动申请从后台到销售的人很少，不过一两个。他想做销售的理由有两个：一是想直接同客户交流，二是想提高收入。周峻巍知道这个抉择是一个挑战，但他想试试。

他的请求被张英批准了。2005年5月，周峻巍被派到温州做销售。温州三个月的销售，周峻巍自觉不光彩，从5月到8月，是温州最热的季节，周峻巍每天6点半坐车往工业区赶（当时工业区条件很差），午饭不吃，一直奔波到晚上。这样拼命，三个月只做了两单，总共6万元，勉强过关。但没过自己的关，他自己的目标是10万。

周峻巍遇到了门槛。他徘徊了半个月，也曾想到放弃。最后他打电话给李琪，要求调到杭州，李琪说：从哪儿摔倒从哪儿爬起来！

李琪的话对周峻巍的帮助很大。他明白了是自己意气用事。如果离开，公司照样往前走，是自己掉队了。

天真的周峻巍慢慢成熟起来。当他后来终于调到杭州做销售时，转折点出现了。也许周峻巍的风格适应发展相对快的杭州市场，到杭州的第一个月，就做到了金牌，第二个月做到全国第一。

在杭州周峻巍的收入不差，但这时他又作出了第二个大抉择，主动请缨做主管。和公司领导谈完之后，周峻巍成了中国供应商杭州地区的销售主管。两次抉择两次主动调动，周峻巍更加认同了阿里巴巴的文化：唯一不变的是变化！

在杭州做销售主管对周峻巍又是一个挑战。他接受了这个挑战，做了一年主管，也是全国第一。

这时李琪找他说，上海要成立新的办事处。周峻巍说，我刚对杭州市场有感觉，接下去会做得更好。李琪说，上海需要你，公司用到你，上海也适合你！周峻巍明白了，说，OK！星期五谈完，星期六周峻巍就到上海做主管了。

上海市场的客户要求高且非常理性，上海团队都是新员工，销售基本功不扎实。开始一段很艰难也很压抑，于是周峻巍就和团队到南京路上唱卡拉OK，喝啤酒，喝到夜里12点，然后跑到马路上。发泄完了，头脑特别清醒；到底要什么？所有人都说：全国第一！

平凡的人做不平凡的事。周峻巍记住了马云的这句话。他努力和新员工交流，尽量发挥团队的作用。第一个月，做到了100万，三个月后，周峻巍带领的10人团队真的做到了全国第一!

三个月后，对上海市场刚刚有了感觉的周峻巍又被调回杭州，出任区域经理，这次是升迁，不是他主动请缨，而是公司决定。

在杭州做经理也是三个月，周峻巍又被派往宁波做经理。他到宁波时，宁波是个中等团队，每月业绩在400～500万之间徘徊。周峻巍感到光靠自己的力量推动团队很难，要靠团队。当时宁波团队有60人。渐渐地宁波团队发生了变化，变成了一个非常团结，执行力非常强的团队，渐渐地周峻巍感到了团队的力量，感到了团队的浪潮在推动他。

从2004年元月到年底，周峻巍在宁波做了整整一年。12月29日是周峻巍的生日，这时他已接到出任深圳经理的调令，团队的人也知道了。当天晚上他赶到杭州和家人一起过了生日。第二天赶到宁波，在餐厅的包间里，灯突然熄灭了，宁波团队的同事们推出了一个点着蜡烛的两层蛋糕。这时12月份的业绩也出来了：1069万！这是他们一年来梦寐以求的数字。

那天，生日也过了，业绩也突破了，宁波的一年很完整，周峻巍的感觉特别好。

频繁的调动对于周峻巍已是家常便饭。但2005年对于他仍然是新的挑战。在深圳，每个人的销售能力都很强，但团队的凝聚力不强。由于缺少交流，相互比较冷漠，团队的创业精神淡漠。

周峻巍刚到深圳就有了感触。深圳下午6点下班，而宁波，晚上10点还在做方案。

他知道公司为什么让他到深圳。公司是在讲激情时提到他。也许还因为他体力好，当然最关键是成功。上海的成功，宁波的成功。上午成功，下午加油，继续出发，这就是阿里巴巴的文化。

我采访周峻巍时，他在深圳已经半年多了。他对深圳的业绩、团队的凝聚力都不满意，经常坐下来反思哪些地方做得不好。

周峻巍在深圳有过无奈。第一次开会（深圳团队有90多人），他讲了许多鼓动的话。在宁波讲这些时，反应很热烈；但在深圳，几乎没什么反应。他意识到这是一个规范的团队，但缺少激情，想注入激情并不容易。

在周峻巍看来，管理的主要手段是激励，团队的潜力是无限的。

虽然周峻巍对深圳半年来的表现并不满意，但从2005年3月到7月，深圳的业绩每月都是第一。

周峻巍认为，深圳的市场大，成为第一不值得骄傲。他在深圳主要抓岗位责任感，抓服务专业性，抓给客户的价值和续签率，抓维护阿里巴巴的口碑和形象，至于业绩倒不怎么讲了。

深圳现在做到4200万，但周峻巍给公司的承诺是做到一个亿。要想兑现承诺，下半年的业绩就要是上半年的1.5倍。

说到做到是周峻巍的形象。

周峻巍想起2002年10月第一次做到第一，才33万，就有点满足，后来在上海、宁波、深圳做第一，他没有了满足感，只感到肩上的担子越来越重，心中的责任感越来越大。

周峻巍在三年半销售大战中成熟起来。销售锻炼了他的执行能力和对客户的敏感力，也锻炼了他的激励团队的能力和做事以结果为导向的能力。

周峻巍是走到哪把第一带到哪的销售功臣。能培养出这样的年轻销售干将，阿里巴巴销售奇迹的出现就是顺理成章的了。

彭翼捷

我见到彭翼捷时，她刚刚戴上“五年陈”的戒指。彭翼捷是湖南人，西交大科技英语专业毕业。1999年毕业后到杭州游玩，与阿里巴巴结缘。彭翼捷是2000年5月加入阿里巴巴的，工号152，现任中国网站部交易中心总监。她是为数不多的从一线销售成长起来的年轻女总监。

2001年诚信通在英文网创建时，彭翼捷就在。后来诚信通移到中文网，彭翼捷带着10人的团队开始打天下。她的上司是韩敏，后来是戴珊，总头是张英。

彭翼捷和她的团队干得很辛苦也很成功，夜以继日地打电话，每天晚上10点以后回家是常态。诚信通的电话销售，要用脑子更要嗓子。彭翼捷原本有一副天生的好嗓子，在大学里她是合唱队的领唱。在诚信通激情奋战了一年后，突然有一天，彭翼捷的嗓子说不出话来了，这就是她为电话销售付出的代价。公司领导知道后，不准她上班，并告知其他人一旦发现彭翼捷在公司就把她轰回家。

嗓子坏了以后，彭翼捷的感觉就像个废人，心态很不好。她挂念着她的团队，挂念着诚信通的业务，不能上班只好在家里她通过网络和大家聊天。待到刚刚能叫，她就偷偷在晚上10点之后趁老板不在溜到公司给她的团队开会。

我采访她时，她的嗓音依然沙哑。她说，完全恢复是不可能了。说起当时为什么那么玩命？她说，不是为了公司的股权，也不是为了团队的回报，仅仅是事业的感召，是激情的演绎。

从2002年3月诚信通启动到2003年底，在将近两年的时间里彭翼捷一直在诚信通团队做管理。她带领的团队一直都是团队销售第一。团队组建时只有10个人，她离开时已经发展到140人，现在是300人。

一个刚毕业的大学生，年轻又没有经验，成长的过程肯定有很多波折，成熟是需要时间的。

彭翼捷曾应聘秘书，结果被聘的是她的徒弟。她觉得不公平，一时冲动，想离职，是团队的姐姐让她清醒，让她想明白：是爱多于恨，不是不爱这个公司。

她开始做管理，畏难不想做，每天心力交瘁，回家以后就大爆发。一个叫熊武斌的年轻人给了她很大打击：他当面和她吵，气得她几乎哭出来。几经努力，才搞定熊武斌，她第一次有了成就感。

彭翼捷在诚信通做到一年时，遇到困难和瓶颈，会上，为了让她做一些调整，张英当着众人严厉地问了三个问题。彭翼捷一下子就哭了出来。会后，张英对她说：一辈子不敢接受一次失败，一生就非常失败。听完彭翼捷有所领悟。

下午开会，哭了很久的彭翼捷觉得没有面子回去，就回家调整了半小时，然后杀回去。许多人不知道她的大波动。结果，一旦想明白，对成长很有好处。瓶颈一旦突破，就会有全新的感觉。

彭翼捷冲关时，团队很多人帮他，公司给她时间和空间。在一年半的时间里，彭翼捷做了很多调整，最后考核是，团队的续签率提高了10%，这个结果公司很满意。

经过销售前沿的磨炼，彭翼捷这个年纪小资历浅的女孩奇迹般地成长起来。在三年半的时间里，连升四级做到总监。

人们都说，在阿里巴巴干一年胜过别处三年，对此，彭翼捷深有体会。彭翼捷小时太顺，所以自我感觉良好，故性格有缺欠，听不进别人的话。到阿里巴巴后，彭翼捷好像变了一个人，她学会了包容。在她成长的过程中，她记住了张英的话，也记住了李琪的话："你是聪明，还不是智慧。"也记住了彭蕾的话："重剑如风，争输赢，输了朋友和合作。"

对她影响最大的还是马总。马总在会上说：做管理就是实力、眼光和胸怀。委屈比别人多得多，觉得下属都是混蛋，你自己肯定是混蛋。突然换视角看人，每人都有可爱地方。

马云的话可能不是专门对她讲的，但使她有了感悟。

从经理到总监，彭翼捷感到变化很大。经理是执行，做了总监没人教你。怎样搭配，怎样创新，怎样调整，空间特别大，真正是在玩一盘棋，可以有最大的成就感。

朱亮

朱亮现任诚信通销售二部销售主管，工号656，浙江工业大学毕业，2002年1月17日加入阿里巴巴。

朱亮一进公司就成为诚信通第一批销售人员，一直做到现在。他是阿里巴巴做电话销售时间最长的人之一。"百年大计"一期毕业，自称黄埔一期的老骨头。

业内流传电话销售做满一年就是奇迹，朱亮做了三年半；公司流传，在电话销售做一年等于在阿里巴巴别的部门做三年，如果这样算朱亮在阿里巴巴的工龄超过10年了。

阿里巴巴是创业公司，诚信通更是创业部门。朱亮一来就赶上创业，每天都在压力下，也都在快乐和激情的氛围中。他和同事白天打十多个小时电话，晚上写说词脚本，夜里就睡在会议室里。

开始半年朱亮的业绩排在倒数第二。阿里巴巴有末位淘汰制。面对危机，朱亮想得开：没关系，做不了销售就去做保安。2002年10月以后，业绩缓慢爬升，在80人的团队里排在前10名，其中有一季度排在第5位。2002年底公司让他调动，过了一段时间，他认为自己适合做销售，总经理就把他留了下来。如今看这个决定很正确。2003年的第一季度，朱亮就做到了第一。在员工大会上，朱亮第一次上台。

志存高远的朱亮这时有了新目标：成为百万俱乐部会员。当时的百万俱乐部的会员都是中国供应商的销售，启动较晚的诚信通还没有一个百万会员。当时有5个人的销售业绩都达到了80万的水平。为了制造竞争气氛，COO关明生写了两个版本的藏头诗，谁得第一，诗就送给谁。2003年10月，朱亮幸运地成为诚信通第一个百万俱乐部会员，并得到了关明生的诗。

朱亮得了第一以后，身上有了光环，自我感觉也不错。他被请出去做交流做分享，他也被提升为专家，带销售团队。

朱亮开始做主管带团队，身上有百万会员的权威，业绩还不错。但到了2004年，人员变化，朱亮开始带新人，很快朱亮就发现自己不是一个合格的管理者，更像一个保姆，没有自己的思路。从2004年开始，朱亮的团队发生波动，业绩下滑并出现瓶颈，但他仍然坚持着。他信奉三句话：最大的失败是放弃，最大的敌人是自己，最大对手是时间（似乎典出马云）。

朱亮动摇过。他原来团队的业绩一直是前三名，后来他带的新团队业绩跌到8～10名。朱亮一度萌生退意。一天他突然收到远在南京招聘的经理的电子邮件："爱自己喜欢做的事，把事做专做透。因为业绩不好想调动，你要么在我手上死掉，要么做TOP团队的主管！"

朱亮反复分析，发现自己缺少专注，留有很多退路。最后他的结论是把现在的事做透！

2005年，朱亮跟阿里巴巴许多年轻的中层干部一样，犯了很多错误，经历了许多磨难。为了提高，他们上阿里巴巴的夜校培训，学习管理，也学习价值观，慢慢地朱亮有了天灵盖打开的感觉，他的管理也渐渐有了味道，不再胡子眉毛一把抓了。

朱亮自称不怕犯错误，虽然总体来说他还算是发展比较稳比较快的，但他还是犯了许多错误。前面提到的那个学女孩跟客户在电话里撒娇的就是朱亮。在他看来，犯了错误，及时总结和调整，正是阿里巴巴的特色和文化。高速发展的阿里巴巴，决策太快，难免错误，管理层一旦发现，立刻总结调整。阿里巴巴的价值观已经溶进了朱亮的血液里。

三年半里，朱亮跌了不少跤，吸取了不少教训，慢慢地成熟起来，抗压能力大为增强。业绩不好，朱亮夜里睡不着觉，就出去跑步，把前面的路灯当作目标。2005年4月，朱亮的团队的业绩在30个主管团队中排名第5，5月终于上升到第一。

朱亮有机会调动，也曾萌生动意，但他还是在又苦又累又单调的电话销售中坚持了三年半。用戴尔“三年不是人”的话来套，他半年前就不是人了。

朱亮在电话销售中找到了乐趣：享受与客户沟通的乐趣，享受向客户学习的乐趣，也享受欣赏自己的乐趣。电话销售每天都要遭到拒绝，平均拒绝率为10～20%，这时你必须学会欣赏自己，必须锻炼抗压能力。电话销售重复率高，每天都要归零，必须虚怀若谷，永远保持“空杯”状态。

三年多的电话销售，让朱亮知道了什么是专注，什么是脚踏实地。电话销售改变了朱亮的性格。

二十多岁的人，就自称“老骨头”，但朱亮拿起电话来侃销售的确是老手。

朱亮是诚信通的销售功臣，也是阿里巴巴的销售功臣。

当我们历数这些销售功臣时，不要忘记阿里巴巴最大的销售员是马云。

靠着中国供应商和诚信通的成功销售走出困境的阿里巴巴，如今已走入了新的发展阶段。销售大战的胜利彻底扭转了战局，改变了中国互联网的态势。但销售并不是阿里巴巴的一切。

阿里巴巴的销售之战还在继续。有1万会员的中国供应商还有10万的目标，有10万会员的诚信通还有100万的目标。未来的淘宝也需要销售，未来的支付宝也需要销售，未来的雅虎搜索也需要销售，虽然销售的模式可能完全不一样。

销售拯救了阿里巴巴，销售成就了阿里巴巴，但销售的模式也制约了阿里巴巴。如今阿里巴巴收入增长主要靠招人扩大销售队伍来实现，一个资金密集知识密集技术密集的网络公司不可能永远靠人海战术发展。

寻找新的销售模式，寻找新的增长模式，是阿里巴巴面临的新挑战！

第五章 会当凌绝顶

我们的试验证明，一个团队如果拥有强大的价值观强大的使命感的话，可以面对非典的挑战。SAVIO发出的一封信里面讲到这句话：在非典时期阿里巴巴团队所表现出来的精神是GE这样的公司几十年来梦寐以求的境界！我为大家骄傲！

——马云

17 典型SOHO对抗非典型性肺炎

当人们提起“非典英雄”时，自然会把目光投向那些白衣天使；其实还有许多不着白衣的英雄。

阿里巴巴是非典的大赢家。阿里巴巴团队也是真正的“非典英雄”。

非典期间阿里巴巴做了三件事：其一，帮助企业化解非典危机。突如其来的非典使企业间的正常贸易陷入绝境，危难之时，阿里巴巴出手相助。他们利用其业已成熟的电子商务平台，利用其全力推出的“中国供应商”和“诚信通”，利用公司近千名高素质员工，帮助企业特别是中小企业渡过难关。调查表明，没有上网交易的企业90%为非典所伤，而国内140万阿里巴巴的会员企业其中一半免受影响，有些企业的业务不降反升，从而创造了非接触经济的奇迹。其二，以SOHO击败非典。阿里巴巴是非典的受益者，也是非典的直接受害者。5月8日，正当阿里巴巴业务激增商机突现之际，该市发现了第四例非典诊断病人，这个病人又恰好是阿里巴巴的员工，一时间风云突变，阿里巴巴杭州总部近500员工被迫隔离。在马云和高层的带领下，500名年轻的阿里人激情演练SOHO。他们不但未使阿里巴巴业务受损，而且反使其业务激增5倍，创造了中国企业应对非典的成功范式，也创造了全球商界SOHO运作的典范。其三，以非典为契机把电子商务带进春天。全球互联网于2000年达到第一个高峰，2000年底年泡沫破裂跌入谷底。2001和2002年是网络的冬天。面对网络的漫漫严冬，春天的身影日渐朦胧。几乎没人把复苏的希望寄托在2003年的春天，而奇迹恰恰发生在这个多灾多难的春天。非典是神州大地百年不遇的天灾，但却是电子商务百年难觅的商机。正是非典使企业认识到电子商务的价值，使成千上万的企业迈上了电子商务的战车。

此时，作为全球B2B网站领头羊的阿里巴巴的表现最为世人瞩目。非典期间，阿里巴巴每日供求商机增长5倍，每天新增会员3500名，涨幅高达50%；到6月中旬，阿里巴巴已胜利完成从追求数量到追求成交量的历史性转型，提前实现每天收入100万，全年收入过亿的目标。从此有关电子商务网站能否盈利和有关阿里巴巴何时盈利的争论可以休矣。

是阿里巴巴利用非典契机使电子商务复苏，是阿里巴巴为全球的电子商务网站带来春天的消息。

阿里巴巴人无愧非典英雄的称号。

人们说阿里巴巴是幸运儿，但机遇并非自天而降。没有网络先驱的8年苦苦求索，没有阿里巴巴4年来的艰难耕耘，没有撤站裁员断臂求生，没有整风培训西湖屯兵，没有"遵义会议"，没有三个"B TO C"，没有独孤九剑，没有优秀的阿里巴巴团队，要想绝地胜出，于冬天走进春天，于大危机中抓住大商机是不可能的。

生死关头

非典是百年不遇的天灾。非典的可怕在于它不但能夺去人的生命，而且可以置企业于死地。试想如果阿里巴巴网站瘫痪10天(这种可能性一度非常大)，那么阿里巴巴4年的苦心经营将付之东流，刚刚起来的销售势头将随风而去，阿里巴巴就会一蹶不振，再次陷入死亡的深渊。

非典第二次使阿里巴巴处于生死关头。

2003年春天的广交会如期举行。阿里巴巴曾答应客户派人参加广交会，但是非典发生了，非典的发生地就是广州，当人们谈非典色变，视广东为畏途时，去还是不去？为了信守承诺，马云抉择了去。当时被派往广交会的员工，没有一个畏缩，没有一个逃避，反而个个大无畏。于是外面人都说，阿里巴巴的员工不怕死！

那次参加广交会的阿里巴巴员工有好几个，其中有马振亮、宋洁、Porter。

5月8日，从广东回来的宋洁被诊断为杭州第四例非典疑似病人，阿里巴巴公司总部近500名员工被迫隔离。

从天而降的危机，使这个全球最大的B2B网站面临瘫痪。面对危机，阿里巴巴高层变果断决策：以SOHO抗非典，改集中办公为分散办公。事发三小时，彭蕾指挥行政人员，把500名员工分散完毕，随即在各自家中安好电脑宽带，照常办公。

在以后的14个日日夜夜里，500名员工各自为战，秩序井然；高层网上指挥，网上管理，犹如一场军事演习。在这期间，阿里巴巴的价值观得到了淋漓尽致的表现，阿里巴巴团队的凝聚力空前高涨。在那些非常日子里，无论电话何时打来，无论接电话的是员工还是家人，第一句话总是："你好，阿里巴巴。"在那些非常日子里，员工相互关爱，个个情同手足，涌现出许多感人的故事，许多闪光的精神。

长达14天的隔离和SOHO，阿里巴巴团队不但维持了公司两大网站的正常运转，而且使业绩激增5倍；做到了让全世界210万会员浑然不觉，让媒体和外界浑然不觉，这不能不说是个奇迹。马云说："我在上海碰上了《中国企业家》杂志的总编，他不相信我们500多个人是真的都被隔离起来，以为是外界传言。"

隔离的第一天，马云就在网上发表了致员工的公开信。以后关明生、李琪、彭蕾等高层也都写了信。宋洁住院的日子，马云每天都打电话，来自员工的慰问和信件更是数不胜数。

非典期间，阿里巴巴所有的高层都是通过电话和网络进行指挥的。员工在危机状态下表现出来的镇静和自觉，表现出来的执行能力和独立作战能力，使阿里巴巴高层感到惊讶和骄傲。

马云说："非典隔离的那几天，我从来没有布置过一项工作，每天照样100万现金进来，每天我们的网站照样那么稳定，每天客户打电话进来，什么异常也没有感觉到，这是我们团队体现出来的最大价值，阿里巴巴的团队让我骄傲。"

信里真情

非典危难中的阿里巴巴，隔离状态的阿里巴巴，只能依靠网络。网上指挥、网上工作、网上交流、网上娱乐。

往日朝夕相处的阿里人，如今咫尺天涯，不能见面只能写信——当然是电子邮件。高层如此，员工也如此。一封封真情流露的信，慷慨激昂的信，鼓舞人心的信，大彻大悟的信，真实记录了非典中的阿里巴巴。阿里巴巴人的精神、价值观、内心世界，阿里巴巴人的勇气、意志、境界，全都在信里。还有什么比这些宝贵的信件更珍贵？两年以后，当一个局外人看到这些历史信件依然被深深感动。因为他从信里仿佛看见了那个难忘时刻的那些难忘的人。

各位战友：

从今天开始，我们阿里人就像是海军陆战队的士兵一样在各自的家里展开工作了！

小宋的病情和全体阿里人的身体状况牵动了我们阿里人，会员客户，杭城父老兄弟及各方面的心。

从来没有一家公司会遭遇这样的挑战！

从来没有让我们这些年轻人经受如此大的精神压力！

从来没有机会让我们可以如此地团结一致面对挑战！

当然，今天我们还有一个最大的令人羡慕的机会：那就是我们不仅可以为自己也为我们国家在特殊情况下必须在家上班积累大量的经验！还填补了世界上近400人在毫无准备的情况下在家上班维护全球最大商业网站的空白和吉尼斯记录！

看见这两天阿里人的团队精神和为使命拼搏的精神，我想再次和大家说一声：

我们应该为自己骄傲！

我们可以创造奇迹！

我们年轻但能够接受挑战！

保护好身体，只要健康在阿里人，会创造更大奇迹的！

马云

2003年5月7日在家

Dear All：

当我2001年第一次到阿里巴巴的时候，我就深深地被我们员工表现出的阿里巴巴文化所打动，尽管这些文化并没有被写下来。

正是阿里巴巴的价值观，使我们区别于一般的电子商务公司；正是阿里巴巴的价值观，帮我们追求阿里巴巴的远景和使命——“让天下没有难做的生意！”我在一些伟大公司的经历告诉我：价值观不是虚幻的，它真实地体现在每个地方。我非常自豪地看到，这一点在阿里巴巴的团队中得到很好地体现。

但是，突如其来发生在杭州的非典状况是我始料不及的。

我们只用了几个小时，而不是几天，就转入了SOHO办公。我们的运营、我们对客户的支持都几乎毫发无损。

我曾被一封邮件感动到落泪，这是我们一位员工的妻子写的，她自己就是阿里巴巴价值观的人格化体现。她没有参加过阿里巴巴的培训，没有参加“百年大计”，“百年阿里”，或是“百年诚信”，但她的行为是一个真正的阿里巴巴人的行为。我不知道为什么会这样，但她的先生的行为一定鼓舞和影响了她。

我唯一的遗憾是没有和杭州的同事一起隔离，但是通过电话和网络，我依然感到了你们的热忱、你们的精神和阿里巴巴的价值观。我觉得我和所有的阿里巴巴人紧紧地连结在一起，我为你们骄傲，希望很快可以和大家在杭州见面。

能跟大家一起是缘分，能跟大家一起共事是我的福分！

Savio（关明生）

各位前线的战友：

你们好。到现在为止，一切都还比较顺利（包括我们的她），这段时间，令我感到非常自豪和感动的是，我们所有的同事在面对危难的时候，选择的不是恐慌、错乱，不是逃避、气馁，而是镇定、坚毅，所有的人都严守岗位，群策群力应对危机，用阿里人特有的价值观和激情、信心来勇敢迎接困难。就连现在身处病榻的她也是表现出无比的乐观、坚定的信心和无畏的勇气。

我深为你们的所作所为自豪！

特别是我看到这几天的order和cash竟然还和平时一样，真的无尽感叹啊。

特别当广州区域经理告诉我，这个月他们要创出历史新高，真的不知说啥好。

各位前线的战友，你们承受着心理和身体的压力，为了阿里巴巴的明天，在这非常时期，选择了用合同和单子来做出自己的回答，所有的人此时此刻都有着前所未有的信心和勇气，谢谢，真的谢谢你们。

我希望所有的同事，特别现在在10个地区的同事们，特别注意自己的身体，身体第一啊。昨天我们已经给各个区域经理发了一个防止非典的具体措施，请HR协助，请各个区域经理严格执行。

向所有阿里巴巴人致敬，向所有前线的人员致敬，特别向在“重灾区”的广州、深圳全体员工致以我们最崇高的敬意。

让我们共同祝愿小宋战胜病魔，早日康复！祝愿她的家人，祝愿所有阿里人健康平安！

谢谢大家！

李琪

各位同事：

常常提醒自己不再年轻，所以常常不好意思再让自己感动，以至看电影或看书到动情处有流泪感觉时就开始拼命找破绽，直到可以无动于衷事不关己到最后。回想读书时看《活着》可以哭到不能自已，简直不可思议，觉得那个神人不是我。

而这次，不能不感动，不能不放肆地感动。

四年的公司，还算顺利的年轻的公司，一群年轻到有理由不知天有多高地有多厚的年轻人，面对突如其来的危机和四面八方的压力，这群年轻人表现出的冷静有序足以让所有怀疑我们的人闭嘴而且汗颜。

从事情发生到现在，短短的36小时，我们的工作环境乾坤大挪移，惯常的流程和方法离我们远去，少了熟悉的声音更看不见同事亲切的脸庞。没有听到抱怨也没有一个人逃避，每个人不约而同默默坚守自己的阵地，阿里巴巴战队以另一种阵形集合并迅速启动，开始另一段虽短暂却崎岖的征程。无论是风雨同行的老阿里巴巴人，还是报到仅3天的新阿里巴巴人，每个人迸发的激情和能量让我不得不相信无论面对怎样的困境，我们都能够创造奇迹。

而我们可爱的同事背后可爱可敬的家人，他们给予我们的力量更让我们感动到不敢有丝毫懈怠，全因爱之越切，盼之越甚。

那位同事妻子写来的邮件，她的感动何尝不令我们感动，我们的眼眶又何尝不因她的湿润而湿润……阿里巴巴何其幸，拥有你们和这么好的家人。当抽象的团队精神、责任感在非常时期变成鲜活的人与事时，我无法停止感动。

愿所有阿里巴巴人和家人快乐平安！

彭蕾

2003年5月12日

阿里巴巴：

10天我与丈夫24小时厮守在一起，我很幸福，感谢阿里巴巴！

10天我与阿里那么亲密的接触，我很感动，祝福阿里巴巴！

这10天来我作为阿里巴巴的家属而被隔离，这10天因为丈夫我走进了阿里巴巴，我从网上认识了更多的阿里人，让我敬佩和感动的阿里人和让我无比感动的阿里精神。

工作已经10多年、年纪已不轻的我再次被深深地打动。当我看到格桑梅朵写给马总的信，当我看到你们的员工相互鼓励的话语，当我看到老公在家认真的工作态度，当我看到“朋友”的flash……我的眼眶一次又一次的湿润了。

早上看了马总的信，我很激动。

一个正在创业的公司哪有不艰难的？一个发展中的国家哪有平坦的道路的？人类不就是在一次又一次与各种灾难作斗争中一步一步前进的吗？

叶欣倒下了，邓练贤倒下了……我们畏惧了吗？没有！成千上万的医生护士写了请战书；一个被感染了，又一个被感染了，我们害怕了吗？没有！成千上万的人民走到了抗非典的第一线；小宋病倒了，阿里巴巴恐惧了吗？没有！我看到了一张张让人着迷的笑脸，我听到了一片片乐观的笑声。我看到了一群积极向上的、充满激情的、团结一致的智慧的年轻人。有了你们，阿里的未来是辉煌的，我坚信。

如果现在阿里巴巴还需员工去开广交会，我相信马总的桌上会堆满了请战书。前赴后继，才会勇往直前！

人为了活着而活着就没有活着的意义了，生命的意义在于活着的过程，我为我的过程与阿里巴巴有缘而幸福。

祝福小宋，她是一个美丽而勇敢的姑娘，出院的时候我要拥抱她。

祝福阿里巴巴、祝福阿里巴巴人、祝福我丈夫！

我为你们鼓掌！为你们骄傲！

一个阿里巴巴家属

2003年5月14日

梦寐以求的时刻

阿里巴巴战胜非典之后，马云说过这样一段话："互联网是为战争准备的。美国国防部设计互联网的时候说，万一战争爆发，美国国防部的数据库被炸掉以后，整个美国处于瘫痪状态，该怎么办？所以他们设计的互联网在全国各地全世界各地都可以运营，但是美国没有试过，英国也没有试过，日本也没有试过，阿里巴巴是天下第一个试的公司。但是我们试验证明互联网可行，我们试验证明，一个团队拥有强大的价值观强大的使命感的话，我们可以面对它的挑战。所以我看到Savio发出的一封信里面讲到这句话：在非典时期，阿里巴巴团队所表现出来的精神是GE这样的公司几十年来梦寐以求的境界！我为大家骄傲！"

虽然宋洁的疑似最后被排除了，虽然阿里巴巴500员工虚惊了一场，但非典带给阿里巴巴的这场生死考验意义重大。它验证了阿里巴巴文化的强大，验证了阿里巴巴团队的优秀，验证了SOHO的可行，网上生活的可行，网上交易的可行。

关明生的话是有感而发的。GE的文化延续了百年，百年的辉煌佐证了GE

企业文化的力量，但遗憾的是GE文化并没有得到一次于大危难大震动中爆发和闪光的机会。阿里巴巴的文化只有四年的历史，但它却得到了在非典危机中爆发和闪光的机会。

在短短12天里，人们在阿里巴巴看见了GE几十年梦寐以求的境界，看见了一个有伟大使命和价值观的年轻团队在危难中达到的境界。

这一切比业绩翻5番更重要，比每天100万进项更重要。

有人说阿里巴巴是非典的暴发户。其实不是阿里巴巴利用了非典，而是非典成全了阿里巴巴。正如马云所说：不是非典让电子商务好，而是非典让人们知道了电子商务的好，电子商务本身就好。阿里巴巴能够战胜非典，能够在全员隔离时不瘫痪，能够在灾难中抓住商机在重压下实现大飞跃，实在是阿里巴巴发展的逻辑结果，阿里巴巴的爆发是迟早的事。没有非典，阿里巴巴也会起飞，非典只不过是充当了催化剂。

非典期间，卓越、当当等电子商务网站的业务也有大幅攀升。但最具代表性的喷发还是阿里巴巴。

阿里巴巴的喷发，标志着网络漫漫寒冬的终结，也标志着互联网春天的来临，这是全世界IT人梦寐以求的境界。

18 "淘宝网"一朝选在君王侧

淘宝的横空出世不但互联网界没料到，就连阿里巴巴的员工也没想到。淘宝是马云的神来之笔，是阿里巴巴的第二个杰作。

同样还是湖畔花园，同样是秘密打造，同样是完全免费，而且从三年免到五年……一切都似曾相识，淘宝的确是阿里巴巴成功的复制。

淘宝的出世改变了阿里巴巴的格局，使阿里巴巴从一个B2B公司变成一个涵盖了B2B、B2C和C2C的真正的电子商务公司，因此马云说："全世界真正称得上是电子商务的网站，一家是eBay、一家是亚马逊、一家是阿里巴巴。"

淘宝一出世，就开始了与eBay易趣的战争，随即也揭开了阿里巴巴与eBay的战争序幕。这场战争很惨烈也很壮观。

如今这场战争已经持续了四年。

战争伊始杨致远就说："在日本、台湾，我们跟eBay竞争过，在这两个地方雅虎是最大的拍卖市场，已经有过经验。只要提供一个很好的当地性服务，就可以把eBay打败。以现在我了解的淘宝成就，淘宝在中国真正到了我们当时在日本的成熟阶段，因此我很有信心它在中国把eBay打败。"

战争打了两年半时，即2006年10月，马云宣布："与eBay的较量淘宝已经取得胜利。"此时，淘宝的市场份额超过eBay易趣，达到60%。

战争进行到第四个年头即2007年7月，此时，淘宝的市场份额已经超过80%，eBay易趣已经不是淘宝的对手了。

横空出世

2003年7月10日，我去王府井的君悦大酒店参加阿里巴巴的新闻发布会。会上马云宣布阿里巴巴投资一个亿人民币打造C2C的淘宝网。话音刚落，会场就一片骚动。这消息太出乎意料了，会上记者的提问又多又尖锐。刚创办不久的《京华时报》记者问："为什么要投这么多钱？一个亿可以投一张报纸了，《京华时报》才投了4500万。"马云答："我们看中的是三年后的市场，一亿元只是第一期资金。"很多记者则对阿里巴巴突然做起C2C来表示不理解，多数人认为阿里巴巴叫板eBay简直是发疯，大家都知道一月前的6月6日，世界上最大的C2C网站eBay斥资1.5亿美元购买易趣剩余股票从而正式入主易趣。会后一起吃饭时，我问马云：你坚持做B2B不是都赚钱了吗？怎么突然做起C2C来了？马云说，电子商务发展的新趋势是：B2B，B2C，C2C的界限将不复存在。

其实阿里巴巴的淘宝网早在几个月前就已经被秘密打造出来，7月10日的发布会只是第一次公开对外宣布而已。

2003年4月16日，马云把师昱峰、姜鹏等7人叫到办公室，郑重地对他们说："我想派你们去做一个C2C的新项目，这个项目目前还处于绝密状态，全公司的人都不知道阿里巴巴会进入C2C领域。公司派你们去做这个项目，要求你们不许告诉身边的任何人，哪怕是女朋友，哪怕是爸爸妈妈，否则，我们将会开除你们。如果你们愿意的话，这里有一个合同，全是英文版的，你们马上签字。"

这7个人也没经过什么思考，一起回答马云：可以。他们在一分钟内就签字了。尔后他们和各自的经理说有另外的项目做，当天下午7个人就搬到了湖畔花园。

这次马云点的帅是孙彤宇。孙彤宇出任淘宝总经理之重要不亚于当年李琪出任销售总指挥。两者都是临危受命，都是肩负决定阿里巴巴命运的重任，都是去打一场只能成功不能失败的硬仗。

我问孙彤宇，为什么会选择你去做淘宝总经理？孙彤宇回答："选择我也许因为我当时比较空闲。"

孙彤宇怎么会空闲呢？原来2002年12月阿里巴巴成立了投资部，做过产品、运营、销售的孙彤宇忽然对投资感起兴趣来了，其实当时的孙彤宇并不懂投资，但马云还是让孙彤宇当了投资部高级经理。投资部成立后，阿里巴巴却拿不出钱来投资，于是大将孙彤宇就暂时空闲起来。

当然，马云选择孙彤宇绝非单单因为他暂时有点空闲。

受命之时，马云单刀直入问孙彤宇：“什么时候超过易趣？”孙彤宇鼓足勇气回答：“给我三年时间！”

请注意，马云这里让孙彤宇超越的是易趣而不是那个巨无霸的eBay。马云不是不知道2002年eBay出资3000万美元收购了易趣33%的股份。野心勃勃的马云很懂策略，他知道叫板eBay的时机还没到。

其实即便是三年超越易趣也是个很狂妄的目标。孙彤宇鼓足勇气说出给我三年时间时，底气并不很足。但后来不到两年这个目标就达到了。

孙彤宇带队一行8人于4月16日进驻湖畔花园。还是三年前创办阿里巴巴的那套房子，师昱峰等几个工程师用的甚至还是当年那间屋子，触景生情，百感交集。有过一次成功的二次创业，感觉既亲切又新鲜。又是关起门来闭门造车，又是没日没夜的连轴转。人都是老人，其中大半还是创始人，根本用不着磨合；房子还是老房子，环境还是老环境，阔别三年，温馨依旧；依然是辛苦紧张，但用不着吃3块钱的盒饭了。今非昔比，阿里巴巴如今已是盈利的品牌公司了，没有多少人能有这种同一拨人在同一地点二次创业的经历，这种经历很刺激也很奇妙。

此次创业与上次创业最大的不同是，一开始孙彤宇就提出：这次要不犯错误的创业。

三年前打造阿里巴巴时，因为没有经验，犯过许多错误，走过许多弯路。如今孙彤宇带领的这支队伍，已经是身经百战的网络老手了，湖畔花园二次创业不犯错误是可能的。后来的实践证明淘宝的打造称得上高效精彩，基本上没有犯错误。

项目启动后，开始并没有名字。工程师们全力设计的就是一个C2C网站。淘宝网的名字是一个叫阿科的员工起的，灵感还是出自金庸小说，出自那个一呼百应的韦小宝，还有小宝和7个老婆开店的故事。

孙彤宇他们是边做边想名字，最后采用了淘宝。名字一旦定下来，阿里巴巴就赋予了它新的内涵：“淘宝”一词是这样被解释的——淘金的“淘”：在淘宝网站，人人都可感受到网上逛店的便利和乐趣，将传统的“用脚”出门逛街的经验转化为“用手”上网逛店的体验。宝贝的“宝”：在淘宝网站，人人都可以迅速而低成本地在网上开店，喜好是成功的维生素，把自己喜欢的商品开成小店与众人分享，收获了市场，也收获了知音。

淘宝启动之初坚持阿里巴巴客户第一的原则，坚持与客户沟通和互动。淘宝网所有员工都叫做“店小二”，这个名字也是和客户互动的结果。也有客户建议他们不要叫店小二，理由是店小二地位太低下了，与淘宝网员工的身份不吻合。但这个建议没有被采纳。孙彤宇他们坚持要叫店小二，理由是淘宝的员工一定不能高高在上，店小二就是端茶送水擦桌子的。客户第一也是淘宝的最高原则。

淘宝坚持与客户互动，坚持与客户共同建设淘宝网的主意很聪明。就连后来推出的支付宝都是客户的主意。当时提出的理念是淘宝是做生意和交朋友的地方。孙彤宇提出一个口号：淘宝是大家的淘宝！他不希望员工关起门来自己做，而希望员工倾听客户的声音，根据客户需求设计功能。当然这是5月10日以后的事。

从4月16日到5月10日这二十多天，淘宝还是封闭打造的。项目启动时，马云给了孙彤宇一个月的时间。当淘宝设计高速运转起来时，5月8日，从天而降的非典造成阿里巴巴员工被迫全部隔离。好在淘宝本身早已自动隔离二十多天了。5月10日，经过24天彻夜奋战，淘宝终于提前6天推出。当天晚上8点淘宝网站推出时，马云、孙彤宇等人在空中举了一下杯，庆祝成功。这时除了淘宝一班人马外，知道此事的只有公司高层的六七个人，连正在与非典做殊死搏斗的数百名阿里巴巴员工都蒙在鼓里。

5月10日淘宝网的保密并没有解除。淘宝网本身既已推出就得开始征集商品和客户，已无密可保；但淘宝与阿里巴巴的关系依然是绝对机密。

5月10日，淘宝诞生的当日，开始招募“淘宝先锋”——在淘宝网站开通的第一个月内通过身份认证的淘宝人。淘宝先锋的招募很顺利，卖家很容易就来了，商品增长也很快，几天以后，淘宝网上的商品就突破1000种。商品量过千的当天晚上，淘宝员工又庆祝了一下。由于是非典期间，所以只能在网上庆祝。大家用白纸写上1000！然后拍成照片放到网上以示庆祝。

淘宝启动初期，卖家增长很快，但买家很少，故淘宝网上的交易也很少。面对这种局面，淘宝启动了一个核爆炸行动——让所有的淘宝人一起来做网站推广。

那时淘宝的店小二们在网上论坛交流很多，每天都交流到很晚，大家都在想办法。那时店小二们除了自己交流外，主要是和卖家互动，淘宝实际上是店小二和卖家一起做起来的。核爆炸行动启动后，那些淘宝先锋们动起来了。当时淘宝网上的论坛气氛很热烈，卖家们很踊跃，建议提的很多，许多建议很快就变成了现实。

无论eBay还是易趣都是自己做网站，后起之秀的淘宝则是玩了一场人民战争——商家和客户一起玩。在淘宝网上开店的这些淘宝先锋，最大的冲动是找到买家卖掉商品，而如果没有买家没有交易量，淘宝网就不能成长。在这一点上，孙彤宇的团队和淘宝先锋们有了共同利益。开网人与开店人的共同体一旦形成，淘宝先锋们的积极性一旦被调动起来，巨大的能量瞬间释放了。

淘宝先锋们不但自愿做了许多网站推广工作而且贡献了许多好主意。别的不提，仅支付宝这一个主意就价值连城。

马云和孙彤宇注意到：中国网民中93%的人访问过购物及个人交易网站，却只有33.8%的人在网上购买过商品或服务。那么，阿里巴巴是不是可以找出一条适合中国人上网购物习惯和需求的服务之路呢？在淘宝两个月的实践中，他们发现城市女性白领对在网上开小店，以及时不时在网上搜搜点点淘买点东西，表现出很大的兴趣和热情。

有的小店主，疯到可以通宵不睡地拍照、铺货；几乎所有第一次尝试开店的人都为卖出第一件货品——那可能只是一条狗项链或一包灯影牛肉丝——而激动不已。不少人有这样的心理：钱就不赚了，算赚个朋友吧。

其实网上的个人交易，不只是让你来“淘”，每个人还可以把自己的宝贝拿出来让别人“淘”。淘宝网除了拍卖外，还提供了一口价、讨价还价、张贴海报几种买卖方法。但是从网站上殷勤、周到的店小二，到类似传销式的网站推广方式——滚雪球俱乐部，再到淘宝者联盟（论坛），你可以看出，淘宝网站还想做所有“淘宝人”的网上家园。

面对个人对个人的网上交易诚信问题，马云给出第一步解决方案是：鼓励同城交易。淘宝首期启动了北京、上海、杭州三个城市。

从5月10日到7月10日，在两个月的时间里，淘宝成长得很快，其成长速度超出了马云和孙彤宇的预期。淘宝正式推出的时机成熟了。

马云说："到6月底，公司有人给我写了一封信：马总，你注意到了吗？有一个网站叫淘宝网，虽然很小，但是很可怕。我看了也不说。过两天又有人写信来，说有一个网站出来你要小心，我还是没有说什么。到了6月底公司内网有文章出来，说大家注意，我们现在出现一个竞争者，他的构思、想法都跟我们一样。大家就在想这个人肯定是阿里巴巴出去的。最后有人说，大家注意到没有，我们公司少了七八个人，突然失踪了。还有人说我知道，但我不说。我们知道这就是像一个对手，如果你发现这个对手他的思想、想法、出发点跟你一样的时候，真的是让人觉得很可怕。到7月10号我宣布，阿里巴巴投资一个亿做淘宝，那时所有的员工都说，原来是我们自己人。"

淘宝就是这样横空出世的。

2004年初，淘宝搬到华星大厦二楼，人员增到30人，但很快就发展到60人。在SUN的帮助下，淘宝的工程师推出了一个新架构。2004年7月以后，淘宝的所有指标——会员、商品、流量、成交额，都开始飙升。不久淘宝又推出了一个完全由自己设计的新架构，这个架构已经很成熟，一点不逊于易趣。

淘宝只用了6个月就在全球排名前100，9个月排名前50，12个月排名前20。2005年初，做了不到两年的淘宝的会员数突破600万，此时做了5年的eBay易趣的会员数是1000万。但除了这一个指标，其他四个指标：商品量、浏览量、成交额，淘宝全部超过eBay易趣。到了2007年，淘宝的市场份额已占到80%，彻底打败了eBay易趣。

孙彤宇兑现了他给马云的承诺。

免费当然是淘宝迅速超越易趣的重要武器。淘宝一开始就宣布两年免费，2005年又宣布继续免费三年，这样加起来就是长达五年的免费。淘宝的免费是彻底免费，既不收开店费也不收交易费。它的竞争对手eBay和eBay易趣一开始就收费。直到2005年底，易趣迫于竞争压力，宣布开店免费，但交易费还是收的。先免费先聚人气先占市场然后再收费，明眼人一下就能看出，这又是阿里巴巴的路数。实际上淘宝就是阿里巴巴成功的复制。

但免费并不是淘宝的核心竞争力。拥有一支有过成功经验且执行力战斗力很强的本土团队，对本土市场的出色把握，包括熟悉尊重本土消费习惯，善于学习又善于创新，才是淘宝的核心竞争力。

孙彤宇说："我们对本土市场的把握优于海归和老外。"

阿里巴巴做淘宝时没有任何做C2C的经验，因为以前它从未涉足过这个领域。它能借鉴的一是全球C2C的运作经验，二是开发服务本地网络消费者的经验，后一个经验是阿里巴巴创业四年多的宝贵积累。阿里巴巴打造淘宝，除了借鉴别人和自己的经验外，更重要的是创新。

阿里巴巴的淘宝有两个重大的创新：首先就是支付宝。这一创新不但揭开了在线支付大战的序幕，而且决定中国C2C的未来和命运。eBay易趣的相似产品"安付通"是2004年10月推出的，比淘宝网整整晚了一年。另一个是网上聊天工具"淘宝旺旺"。而eBay收购和淘宝旺旺相似的工具Skype已是两年以后的事了。

一个是在线支付工具，一个是在线通话工具。所有业内人士都知晓这两个工具对于C2C网站意味着什么。

淘宝推出时，eBay已经辉煌了8年，易趣也诞生了4年。失去了先发优势的淘宝居然能率先推出这两个举足轻重的工具，阿里巴巴的创新能力由此可见一斑。

孙彤宇带领团队在湖畔花园秘密打造淘宝时，干得很苦也很累。于是下午时，就来一个倒立放松一下，开始倒立只是一些人下午休息时的运动休息方式，后来发现倒立不仅很好玩，而且很有意义，头冲下的感觉是一种全新的感觉。慢慢地淘宝团队赋予了倒立崭新的意义：一，只要有信心就可以做成一件很难的事。倒立对有些人来说是件很难的事，有些人一辈子都没有倒立起来过，一旦倒立成功信心大增。做淘宝也是件很难的事，当时易趣领先淘宝很多，更不用说eBay，用倒立的心态做，很难的事也能做成。二，倒立看时空会有翻转的感觉。淘宝要想成功必须超越式成长，必须创新。倒立看时间，后发就会变成先发。"eBay看起来很强大，但也并非不可战胜。如果你倒过来看这个世界，很多事情是不一样的。"这是马云对倒立的诠释。

倒立成为了淘宝员工下午的必修课。每个淘宝员工都必须学会倒立。好在淘宝员工都很年轻，很快就全部倒立起来。如果关明生在淘宝，倒立对他可不是件容易事。

不久，一直关注阿里巴巴的《福布斯》，把淘宝员工集体倒立的照片登在了杂志上。

当阿里巴巴人用倒立的心态做淘宝时，淘宝的超越式成长就变为可能。当阿里巴巴人用倒立的眼光看eBay时，面对eBay的挑战就来临了。

马云说："我们要确保在B2B这个领域里面的第一位，如果我们在C2C这个领域里也确保是第一位，全中国的第一位——这样想象可能疯狂了一点。eBay在美国现在是这么好的一个企业，在中国它未必会赢，它选错合作者了，如果选到我们它就赢了。我们希望，在C2C领域里面，我们在中国创造一个比eBay更加eBay的C2C，那就是淘宝，我相信淘宝现在的人，我们可以做到。"

马云的这段话值得玩味。

叫板eBay

阿里巴巴为什么要进军C2C？马云为什么要叫板eBay？原因可以概括为两个词，以攻为守和不谋而合。

以攻为守：从美国市场发展起来的电子商务有三种模式：B2B，B2C和C2C。其中美国B2B模式的发展最不清晰，至今没有一家B2B的代表网站。诞生于第一次网络大潮中的许多美国的B2B网站，后来几乎都死掉了。今天美国著名的网络公司没有一家是B2B，虽然像雅虎这样的门户网站和像Google这样搜索引擎都涉足B2B。因而当阿里巴巴起家时根本找不到拷贝的对象。让B2B最终成为一种成功的电子商务模式的倒是中国的阿里巴巴。到了2003年，每天进账100万的阿里巴巴已经成为世界上最大的B2B网站，B2B霸主的地位已经初步确立。但在B2C和C2C领域却是另一番情景。

2003年，美国的B2C代表网站亚马逊已经成为美国五大网站之一并成为成功的跨国网络公司。国内拷贝亚马逊模式的卓越网、当当网、8848等也活了下来，其中当当网实现了盈利，卓越网被亚马逊收购。

2003年，美国的C2C代表网站eBay已不可一世。1995年硅谷的软件工程师皮埃尔·奥米迪亚为了取悦未婚妻，用了一个周末写出了一套系统的程序代码。这套系统就是在互联网上让买卖双方自己确定真正市场价格的交易系统。埃尔·奥米迪创办eBay时，开始曾在互联网上卖玩偶糖盒，当时很少人访问这个网站，但是到了1995年底，这个网站已经完成了几千宗商品拍卖交易。2001年，eBay的年收入就突破10亿美元，成为美国商业史上成长最快的企业，其成长速度超过了当年的微软和戴尔。2003年，eBay已成为年收入超过33亿美元、用户超过1.2亿、在全球30个国家拥有本地站点的全球最大的C2C网站。

国内拷贝eBay最成功的网站是易趣。它是邵亦波和谭海音两个“海归”在1998年8月创办的中国第一家C2C电子商务网站。虽然完全是拷贝eBay模式，但成长迅速。到了2003年，它的注册用户已有400万，每月交易量6000多万，在线商品30多万，成为中国C2C网站的龙头老大。加之世界C2C网站霸主eBay3000万美元的注资，更是如虎添翼。

这就是2003年初马云面临的网络大势。虽说阿里巴巴已成B2B霸主，但它与另一个C2C的霸主eBay可不是一个等量级。当时阿里巴巴的收入还不到eBay的1/32。那么马云为何要向这个巨无霸叫板？这里要说说马云思想的转变。

马云进入电子商务领域后，从一开始就认准了B2B而不看好B2C和C2C。在他看来，商家与消费者（B2C）、消费者与消费者（C2C）之间的交易额怎么会有商家与商家（B2B）多？在第一届西湖论剑上，他还对王峻涛和谭智说B2C和C2C没前途。2001年，马云曾对我说过，网上购物不符合中国人的习惯，中国人就爱当面挑挑拣拣。

但没过两年，马云的思想变了。eBay在美国的成功，易趣在中国的成功，雅虎在日本的成功，使他看见了C2C的巨大市场。2003年，他从C2C网上购买了一把猎刀，整个过程很顺利也很好玩，这是他第一次网上购物。“情况有时会变化，”这是马云的说法。“互联网就是变化快，马云看到形势变化，他会把昨天彻底忘掉。”这是李琪的说法。在马云看到C2C有戏的同时，他也意识到电子商务的新趋势：B2B，B2C、C2C之间的界限正在逐渐被打破。而最让马云受刺激的是C2C的霸主eBay要染指B2B！

2003年eBay在美国收购了一家B2B公司——Fairmaket.com。这个举动被马云看作是eBay进军B2B的信号。要染指B2B的eBay，同时又要大举进军中国市场，而投资3000万美元收购易趣33%股权只是其中国战略的第一步。与此同时，易趣网上也出现了非个人对个人的大宗交易，其实质与企业对企业的B2B已无区别。而B2B是阿里巴巴的领地。在马云眼里，eBay和易趣的举动已经威胁到阿里巴巴。信奉“进攻就是最好的防守”的马云，自然会想到以攻为守用淘宝回击eBay这步棋。马云知道，做C2C是要烧钱的，因而阿里巴巴的第四次融资已不可避免。

不谋而合：2003年2月，马云带领公司副总裁李琪、金建杭等一行赴日本考察。考察只持续了几天，当行色匆匆的马云一行正要启程回国并已经到达机场时，孙正义突然来电话说要求面谈。马云这趟日本之行本来没有与孙正义会面的安排，孙正义执意要见，马云只好匆匆从机场返回下榻的酒店。

后来的发展证明，这次孙、马会谈意义重大。这次会谈没有涉及融资事宜，却谈出了一个重大共识。

孙正义这位互联网投资皇帝，从投资雅虎发家，先后投资的互联网企业有几十家，仅在中国就投了十几家。在第一次互联网高潮中，鼎盛时期的孙正义财富超过世界首富比尔·盖茨。随着网络泡沫的破灭，孙正义的财富大幅缩水，众多网络投资失败也使孙正义成了众矢之的。此时的孙正义和马云有点像，虽然一个是投互联网的，一个是做互联网的，但都是永不言败，永不放弃，一条道走到黑，要和互联网死磕。

孙正义的转折出现在他一手打造的雅虎日本上。雅虎日本的市值最后居然超过了雅虎本身。当他通过雅虎日本进军日本C2C市场时，与eBay打了一场遭遇战。结果在全球所向披靡的eBay被雅虎日本打得落花流水，雅虎日本一举拿下了日本C2C市场70%的份额。雅虎日本的成功使这位一度落魄的投资皇帝恢复了元气，并开始了新一轮战略扩张。这次他把目光转移到中国，盯上了阿里巴巴，他想在中国复制雅虎日本的成功，首先复制雅虎日本在C2C上的成功。其实，当孙正义三年前第一次投资阿里巴巴时，就提出把阿里巴巴打造成第二个雅虎。

孙正义说出的宏图大略，正中马云下怀。早在2002年底，马云就在阿里巴巴设立了一个投资部，其任务就是寻找新项目。到了2003年初，以攻为守进军C2C的念头已经产生。如今孙正义提出了一个完全相同的主意，正所谓不谋而合，英雄所见略同。

马云和孙正义就进军C2C上达成的惊人共识，其结果导致了淘宝网的横空出世，导致了中国乃至世界互联网格局的再次变动。

马云做C2C得到孙正义的认同很重要。因为对于互联网人士来说，孙正义的眼光是独一无二的，孙正义钱袋也是独一无二的；虽然那一次的东京会谈，两人谁也没提钱。

以攻为守和不谋而合就是马云下决心进军C2C的原因！

马云一行从日本回来后两个月，淘宝项目就启动了。4月16日淘宝启动时，是阿里巴巴独自投资的。当然这个投资的数目不会很大。2003年7月10日，阿里巴巴在新闻发布会上宣布投资一个亿打造淘宝网时，这一个亿的资金也是阿里巴巴自己掏的，当时的阿里巴巴已经是每天收入100万了。

新闻发布会开完之后，马云和蔡崇庆来到东京见孙正义，这次当然是为钱而来。

其实，阿里巴巴进行第四轮融资的想法早在2002年年底就有了，其间谈过的一些风险投资，他们与公司的战略安排都不甚契合，所以融资的事就拖了下来。

2003年2月，当马云和孙正义就进军C2C市场一事达成高度共识时，阿里巴巴知道，第四次融资的事已是板上钉钉了，因为孙正义是非投不可的，关键是投多少和占多少股份的事，这才是谈判的主要内容。

不出所料，2003年7月，孙正义越洋电话来了。在电话里，孙正义正式提出了二度注资的想法，双方约定几天后在日本东京会面。于是这才有了马云和蔡崇庆会后上东京的事。到东京后，在马云和孙正义初步定下调子后，蔡崇庆与孙正义及其手下开始了正式谈判。谈判进行得很激烈也很艰苦，焦点集中在两个问题：一是孙正义二次投资后是否控股，二是阿里巴巴员工能否持股。蔡崇庆可谓谈判老手，况且他也和孙正义交过一次手，但这次谈了很久，双方还是僵持不下。“当时讨价还价的程度不亚于第一次。”蔡崇庆如此描述。

会场休息期间，马云去了趟洗手间，孙正义也跟进来，双方对视了一会儿，马云突然提出了一个折中的方案：“我觉得8200万美元是个合适的数字，你觉得怎么样？”孙正义想了一下，很痛快地同意了：“好，那就这么定下来。”

回到谈判桌前，他们告诉在场的人问题解决了。蔡崇庆说："他们两人去洗手间时，还显得有点紧张，再回到谈判桌上时已经笑容满面了。"为什么马云要提8200万美元，不多不少？"这是平衡的结果，投资者和我们都作了妥协。"马云这样解释。在软银二度注资之后，其股份已经增至接近30%，但尚未达到相对控股，相对控股的是包括管理层在内的阿里巴巴员工股。

这就是阿里巴巴的第四次融资，实际上是阿里巴巴为淘宝融资，也可看作孙正义主动投资让阿里巴巴做淘宝。

8200万美金到账后，阿里巴巴在北京君悦大饭店又开了一次新闻发布会。就是在这次会上，马云宣布向淘宝追加投资3.5亿人民币。这个内容是当时在东京谈判时就定下来的。

作为B2B的霸主阿里巴巴突然染指C2C，并且在几月之内突然秘密打造出一个C2C的淘宝网来，这个行动本身就是对eBay叫板。这是阿里巴巴对eBay的不宣而战！

硝烟弥漫

2003年5月10日，淘宝作为一个C2C网站在网上出现时，它并没有进入eBay和eBay易趣的视野，当时国内这样的C2C网站有好多个。也可以说，由于eBay的轻敌，使它错过了封杀淘宝的绝好时机。

2003年7月10日，当淘宝公开亮相，公布了它与阿里巴巴的关系时，eBay应该是吃了一惊，但它并没有特别在意。这时的eBay和eBay易趣，一个是世界C2C市场的霸主，一个是中国C2C市场的老大，两个网站还是一家人(这时eBay已经完全入主易趣)，也就是说在中国C2C市场上eBay易趣的背后有eBay这个强大的后盾，虽然还没盈利，但依然霸气十足，不会把等闲网站放在眼里。

但因为淘宝出自阿里巴巴，eBay肯定会对它另眼相看。首先eBay会把淘宝的问世看作是阿里巴巴对eBay的叫板。淘宝刚一公开亮相，eBay的女掌门、全球总裁惠特曼（Meg Whitman）就立即表态："它最多只能存活18个月。"

横空出世的淘宝几乎一下子就进入疯狂成长的阶段。面对淘宝难以遏制的势头，起初没有特别在意的eBay易趣开始重新打量眼前的这个有点怪异的竞争对手。于是一场经过精心策划的封杀开始了。eBay易趣对淘宝的封杀意味着易趣与淘宝之间的战争的开始。易趣和淘宝对中国C2C市场份额的殊死争夺一点不亚于国美和苏宁对中国电器零售市场的争夺。两场战争的区别在于一个是线下一个是线上，一个是传统战场，一个新兴战场。两场战争表面看起来毫不相干，其实还是有内在联系。它们并不是两条永远不会相交的平行线，迟早有一天，两个战场会交织在一起。数年之后，当C2C和B2C完全打通，当网上零售交易成为主流，当易趣和淘宝的胜者（也可能两家平分天下）占据了80%以上的零售市场，国美和苏宁的日子就不好过了。

eBay易趣对淘宝的封杀是从广告下手的。第一招：eBay易趣有意策划的“要淘宝，到易趣”的互联网广告同时出现在Goolge和百度上，同时，eBay易趣在自己的页面上也推出了“淘宝贝，开店铺，生活好享受”的广告。明眼人一下就可以看出，这两个广告都是对着淘宝去的。对于eBay易趣如此封杀招数，淘宝进行了愤怒的投诉。此时互联网业界对于eBay易趣这个“损招”也表示不满，于是在一片控诉和谴责中eBay易趣无奈地取消了这两个广告。eBay易趣封杀淘宝的第一招是个损招也是个败招。

第二招：巨资在手的eBay易趣（第一笔是3000万美元，第二笔是1.5亿美元）在与新浪、搜狐、网易等门户网站签署的广告合同中特别写明，如果这些网站与淘宝、雅宝、酷必得及雅虎拍卖等同类拍卖网站发生宣传方面的任何合作时，易趣要对合作的网站进行高额罚款。eBay易趣封杀行动的第二招可以说是个“狠招”，对淘宝的杀伤力不小。此时以1亿人民币启动的淘宝，刚刚获得阿里巴巴3.5亿的再投入，热钱在手的淘宝急于开展广告攻势，打造自己的品牌知名度，而由于eBay易趣的第二招封杀，致使淘宝有劲无处使，有钱无处花。为了打破eBay易趣的广告封杀，淘宝暂时放弃门户网站，采用迂回战术，选择了在上千家个人网站上大量投放广告，同时采用电视广告和路牌地铁广告相结合的形式，进行广告轰炸。

eBay易趣的第二招广告封杀并没有持续多久，由于新浪和Yahoo合建一拍网，占有一拍股份的新浪很快就停止了eBay易趣的网络广告；而从2005年

4月起，搜狐不但停止了eBay易趣的广告，而且还宣布与其竞争对手的淘宝结成了战略伙伴。至此，eBay易趣对淘宝的两招广告封杀都以失败而告终。

18个月过去了，eBay易趣对以淘宝为代表的C2C网站的封杀收效甚微。虽然雅宝、酷必得等一些网站在重压之下死掉了，但作为eBay易趣封杀的主要对象和主要竞争对手的淘宝不但活了下来，而且迅速壮大起来。eBayCEO惠特曼女士的预言没能变为现实。

淘宝与eBay易趣的战争开始于2003年7月，至今已有四年的光景。这场惊心动魄的C2C战争可以从以下几个方面描述：

广告战：eBay易趣和淘宝最先交火的是在互联网广告上。eBay易趣两招封杀淘宝失败后，突围后的淘宝展开了大规模的广告攻势并把广告投放的重心转向了电视台。淘宝趁电影《天下无贼》热映之际适时推出“傻根”系列广告，这一系列广告合作的金额达到了1000万元，随后在中央电视台几个频道同时展开广告轰炸。面对淘宝的广告攻势eBay易趣立刻还以颜色，选择了CCTV几个频道在春节联欢晚会的黄金时段，做了5秒钟价值200多万元的电视广告。

众所周知，广告大战的实质是烧钱大战，是资金比拼。让我们先看看eBay易趣的烧钱规模：2002年eBay收购易趣部分股份时，向易趣注资3000万美金，2003年eBay入主易趣时注资1.5亿美金，2005年1月eBay宣布向eBay易趣投资1亿美金。三笔资金加起来，eBay在中国C2C市场的总投资已达到2.8亿美元，折合人民币22.4亿元。短短三年之内如此大规模资金砸向中国市场，eBay的意图是势在必得。

当eBay宣布投资eBay易趣1个亿时，阿里巴巴的反应有点微妙。马云一边说“我鼓励他们在中国进行更多投资，我担心的是，如果他们不在中国投资，我们就要投资以便教育市场”，一边又说“竞争市场是不需要用钱去打的，如果用钱去竞争的时候，是一点技术含量都没有，那就不需要企业家了。应该运用智慧。”

让我们再看看淘宝的烧钱规模：2003年淘宝网启动时阿里巴巴投资1亿人民币，2004年完成第四次融资的阿里巴巴又对淘宝网追加投资3.5亿人民币，2005年10月阿里巴巴宣布对淘宝再次追加投资10亿人民币，三笔资金加起来一共是14.5亿人民币，其烧钱规模比对手eBay易趣少10个亿人民币。但不要忘记，eBay 是三年投资 24.4 亿，阿里巴巴是两年投资 14.5 亿。

当 2005 年阿里巴巴宣布对淘宝追加投资 10 个亿时，eBay 易趣的反应也很微妙。eBay 易趣的新帅吴世雄对媒体说："10亿元是不是真的存在，数据真实吗？我们是上市公司，说话要负责任。"他又说："烧钱是没意义的。我以后不会随便宣布投资，而是提供服务。互联网不缺少噱头，要严谨和诚信，要噱头并不能让主流消费者进来。"

eBay 易趣和淘宝的广告战和烧钱战有点像当年的美苏之间的军备竞赛。他们在拼广告，拼资金，也在拼家底。这两个对手的家底又如何呢？eBay 易趣的背后是 eBay，全球最大的 C2C 网站，市值 500 多亿美金，年收入 40 亿美金。淘宝的背后是阿里巴巴，全球最大的 B2B 网站，还没有上市，年收入 10 亿人民币。但由于阿里巴巴收购了雅虎中国，雅虎握有阿里巴巴 40% 的股份，因而阿里巴巴的身后还有其市值和年收入与eBay旗鼓相当的世界最大的综合网站——雅虎，而阿里巴巴和雅虎的身后还有互联网投资皇帝——孙正义。应当说，两个对手的家底不相上下，都有实力烧下去。因而这场军备竞赛恐怕要旷日持久。除非两个对手调整竞争策略，从单纯的广告战走向全方位的纵深战，而这种迹象已经出现了。

心理战：淘宝问世时，eBay 易趣在中国 C2C 市场老大的位置是无可置疑的。但是淘宝疯狂成长两年之后，中国 C2C 市场的格局开始发生变化。2005 年 4 月，淘宝两周年时，孙彤宇向外界宣布：除会员数外（当时淘宝宣布的会员数是 600 万，eBay 易趣宣布的是 1000 万），其他各项指标（商品量 700 万、每天浏览量 6000 万、一季度成交额 10 亿人民币）淘宝全部超过 eBay 易趣。但是易趣对淘宝公布的数字并不认可。从此关于谁是中国 C2C 老大的口水战开打，这种口水战其实是心理战。

2005 年 10 月 20 日，淘宝网总经理孙彤宇宣布控股股东阿里巴巴网向淘宝增资 10 亿元人民币，并宣布淘宝网继续免费三年。此前淘宝已经免费了两年。eBay 易趣对此立即作出回应："免费不是一种商业模式。"

对淘宝免费的质疑，对淘宝盈利模式的质疑，有点像当年业界对阿里巴巴的质疑。其实 C2C 的盈利模式已经很清晰：收开店费和交易费。eBay 一开始就收费，结果半年就盈利；奇怪的倒是拷贝 eBay 的易趣，一直在收费，但 7

年过去了依然没有盈利。

面对质疑，孙彤宇这样说："对于淘宝到底靠什么盈利，公司并没有长远的规划。现在最需要做的，是把人们拉到网上拍卖中。"马云这样说："淘宝一旦收费就必须盈利，就像阿里巴巴收费的第二年就赚到了钱。如果收费了还是亏损，收费也没什么意义。"由此可知，淘宝迟早是要收费的。免费是淘宝占领市场的策略，淘宝何时收费如何收费至今还是它的商业秘密。淘宝的免费是马云的故伎重演，但这一招很灵，一下子就让淘宝抢占了一大块市场份额，就让原本遥遥领先的eBay易趣陷入两难的被动之中。为了抵御淘宝的攻势，曾经提出"免费不是一种商业模式"的eBay易趣也不得不宣布开店免费，并决定降低中国市场的交易费用。

就在2005年10月20日这一天，eBay发布了第三季度财报，宣布eBay易趣新增用户近200万，中国用户总数达到1510万，商品交易总额和交易收入连续两个季度快速增长。国内专业的网络调研公司艾瑞咨询调查报告显示，eBay易趣已占有国内65%的市场份额，稳居行业首位。对于eBay的财务报告，淘宝总经理孙彤宇作如下表态：eBay财报只公布了其中国会员数，因为eBay易趣只有会员数是领先淘宝的，其他指标都没有淘宝高。

淘宝公布的财务报告显示，淘宝注册用户超过1000万，第三季度成交额超过23亿，已经占据超过60%的市场份额。马云也对外宣称淘宝已超过eBay易趣。对此，吴世雄笑着表示：马云先生是个公关天才，以前eBay的用户大会，你甚至可以在会议中心门口领到阿里巴巴的袋子。

淘宝和eBay易趣的口水战和心理战还在继续。两个竞争对手争夺中国C2C市场主宰的战争也愈演愈烈，而且战争已经扩展到阿里巴巴和eBay之间。惠特曼预言：eBay在中国市场一定会赢。马云预言：市场很大也很复杂，也许至少能容下两家企业。我认为淘宝未来将得到70%的市场份额，eBay能得到20%到30%。

究竟谁的预言会变为现实，人们都在拭目以待。

工具战：支付从一开始就是中国C2C网站的瓶颈。无论是淘宝还是eBay易趣，谁也绕不开这个瓶颈。从某种意义上说，谁先解决支付瓶颈谁将赢得市场。

2003年10月淘宝网率先推出的“支付宝”是一个全额赔付的信用担保工具。一年之后的2004年10月eBay易趣推出诚信支付工具“安付通”，这是个限额赔付工具；2005年7月eBay旗下的在线支付方案贝宝(Paypal)进入eBay易趣。

淘宝和eBay易趣在支付工具上的竞争刚刚开始。有用户评价淘宝的支付宝比易趣的安付通和Paypal更适合中国消费者。也有用户列出了这样一个公式：安付通+贝宝=支付宝。

为了优化服务，淘宝推出了即时通讯工具“淘宝旺旺”。两年后，eBay宣布用41亿美元收购Skype。如今Skype已成为eBay易趣的有力武器。EBay易趣CEO吴世雄最近透露：eBay易趣会先结合Skpye的PC2PC通话的功能，或者在页面内嵌入VoIP电话功能，只要用户点击一下就可以直接电话联系。

在搜索工具方面，并购了雅虎中国的阿里巴巴正在全力打造搜索引擎，挑战Google。届时淘宝将是直接受益者。eBay也将大力开发搜索技术，把商品的搜索比较和排名完善起来。eBay易趣将与百度等搜索引擎合作。

淘宝和eBay易趣在支付工具、即时通话工具和搜索工具上的竞争已经全面展开。竞争的结果将直接影响各自的市场份额。

攻防战：2003年4月，马云以攻为守突然推出淘宝进入C2C，这个行动本身不但是对eBay的叫板，而且是一场突然进攻。在两年多的时间里，淘宝至少拿下了中国C2C市场的半壁江山，而这原本都是eBay易趣的地盘。面对淘宝的进攻，eBay易趣也没有一味防守。在主动出击封杀没能奏效后，eBay易趣开始进军B2B，意在给阿里巴巴来一个釜底抽薪。

有消息称eBay易趣在完成与eBay平台对接后，跨国贸易数量剧增。eBay易趣打算通过进入B2B市场，帮助其卖家挖掘更多进货渠道。而eBay也在美国开始推广“Reseller战略”，帮助eBay大卖家增加货源，并试图建立统一的网络分销市场，向大卖家和中小电子商务企业开放，利用网络促成更多的交易。前不久又传出eBay要联手环球资源强攻B2B的消息。

其实eBay和eBay易趣进军B2B是早晚的事。这是他们向淘宝和阿里巴巴发动的最有力的进攻。由于eBay的进入，中国的B2B市场也会发生微妙变化。号称拿望远镜也找不到对手的阿里巴巴不仅要面对环球资源网、慧聪网、买麦网的竞争，还要接受eBay这个世界C2C霸主的挑战。

淘宝与eBay易趣的攻防战由此也延伸到B2C领域。至此，电子商务原有的B2B、B2C、C2C的界限全部被打破。这是马云很早就料到的事。

吴世雄说："eBay易趣不是单纯的C2C公司，而是全面涵盖了C2C、B2C等模式。中国厂商要进军国际市场，拥有上亿用户的eBay可以充当这个渠道。"

吴世雄说得没错。易趣创立之初就是一手做C2C，一手做B2C。现在大规模进军B2C市场更是顺理成章的。

面对eBay易趣的进攻，马云说："今天在淘宝网站上有很多的B2C，如果说B2B和C2C结合，B2C这个过渡是非常easy的。传统的电子商务不外B2B、B2C、C2C三种模式，阿里巴巴和淘宝网迄今已有了B和C，进入B2C应在情理之中，但到底怎么个进入法，我还没有想清楚。"为此，阿里巴巴斥资3700万美元成立了一个专门研究电子商务创新模式的实验室。

淘宝和eBay易趣从C2C开始的攻防战，势必扩展到B2B和B2C领域，势必演化为阿里巴巴与eBay的电子商务大战！

大局已定

淘宝和eBay易趣之间的战争打了整整四年。本来人们都以为这是一场持久战，但没想到四年就决出了胜负。

淘宝和eBay易趣之间的博弈很有意思。棋到中盘时，胜负还看不出来。

2005年9月新上任的eBay易趣CEO吴世雄说："eBay易趣与淘宝这两个公司的发展阶段不同，策略也不会一致，从长远来讲，电子商务应该是很大的饼，现在还实在太小。"

马云当时也说："这世界上永远不要想垄断，永远不要做垄断，也做不成垄断。信息时代谁想做垄断，谁就会倒霉了，免费的目的不是为了杀对手，免费的目的是培养客户，了解客户，培养真正的市场机制。"

看来两个CEO都为将来平分市场留下了活话。

当时两家网站的各项指标非常接近，市场份额大体相当，就是地域上也出现了划“疆”而治的局面。易趣斥巨资在上海成立了“中国客户服务中心”，牢牢占领着这个发家之地。2005年7月28日，eBay宣布在上海张江高科技园区兴建eBay园区，这个eBay中国研发中心是第一个位于美国本土之外的海外研发中心。淘宝则绕开了易趣的势力范围上海，北上组建了京津商盟，南下组建了广深商盟，并于2004年下半年，在网上建设“香港街”。

当时淘宝和eBay易趣这两个最大的C2C网站，各有优势也各有软肋。

在吴世雄看来，15%的交易额来自跨国交易，这是eBay的最大优势。eBay易趣在进出口贸易方面有很大的发展空间。eBay易趣的社区、eBay全球跨国交易能力和即将更加严谨的诚信建设和细化客户服务，这些对在上网买东西或者开店的大卖家有用，能帮助eBay易趣拉开与淘宝的差距。吴世雄强调：“eBay易趣要锁定中国主流消费者。”

在马云看来：“易趣去年在中国下的‘臭棋’太多，这给了我很多自信。但我清楚易趣仍然是一个九段高手，下臭棋是因为起先没把淘宝当‘成年人’对待。”而孙彤宇认为：“免费不是淘宝的优势，贴近客户才是优势所在。”他特别强调：中国的老百姓和国外老百姓购物的很多习惯都不一样，他们对于网站的界面、客户服务的流程都有与国外不同的需求，淘宝正是在根据他们的要求优化服务。

淘宝和eBay易趣目前都没有盈利。两家拼死争夺的是用户。卖家和买家的流向决定着谁先盈利，也决定着两家网站的命运。

孙彤宇与吴世雄之间的竞争不仅仅是“土鳖”与“海龟”之间的较量，也不仅仅是两个电子商务老将之间的较量，而是阿里巴巴文化与eBay文化的较量，而是马云和惠特曼的较量。

如果吴世雄胜了，那将是个奇迹。因为此前互联网跨国公司在中国市场还没有胜过。如果孙彤宇赢了，那将是阿里巴巴的又一个神话，阿里巴巴的神话将延续下去。

惠特曼无疑是世界互联网界唯一的传奇女掌门。eBay正是在她手里迅速发展并把其竞争对手远远甩在后面。在美国、欧洲所向披靡的惠特曼第一次受挫是在日本，她在中国的命运还未可知。

eBay在惠特曼的率领下仅用了几年时间就成为了美国C2C的霸主，然后

eBay乘势扩张，很快占领了全球33个国家的C2C市场，其架势有点像沃尔玛，区别还是一个在线上一个在线下。成功扩张后的eBay在全球拥有1.5亿注册用户，年商品交易总额超过400亿美元。

2005年中国的上网人数超过一个亿，网民人数超过美国只是时间问题。马云说："电子商务在中国一定会成为超越美国电子商务的模式，这是我个人的判断。为什么我们觉得C2C领域一定会有巨大的发展呢？我经常讲中国13亿人口，通过这几年的努力，经济高速发展，3亿人上网只需要几年，而美国要想搞3亿人上网，生孩子就要生好几年。"

用不了多少年，中国将成为世界上最大的互联网市场，当然也是最大的C2C市场。如果说互联网发展的前10年，谁占领了美国市场，谁就是世界老大，那么，互联网发展的未来10年，很可能是谁主宰了中国市场，谁将成为世界的领头羊。正因为中国互联网市场在全球市场的份量与日俱增，敏锐的惠特曼才把目光移向了中国。eBay必须占领中国市场，失去了中国市场，eBay世界C2C霸主的地位将难保。

正是基于以上的战略考虑，eBay于2002年2月斥资3000万美元收购了易趣33%的股份，又于2003年6月，斥资1.5亿把这个中国C2C的唯一霸主收入囊中。至此，惠特曼进军中国的战略一帆风顺。而同样是美国公司同样是网络霸主的雅虎进军中国时，遭遇到新浪、搜狐、网易的顽强阻击；Google进军中国时，遭遇到百度的顽强阻击。而eBay进军中国时，当它收购了中国C2C老大易趣之后，就再也没有了对手。雅宝、酷必得等网站和eBay易趣根本不是一个等量级，因而从来也没有成为eBay易趣的对手。然而eBay易趣独步中国拍卖市场的好日子不到两年，淘宝这个真正的对手就横空出世了。

谁都知道，淘宝和eBay易趣的竞争实质上是阿里巴巴和eBay的竞争。惠特曼可能没有想到她在中国遇到的强硬对手会是阿里巴巴。2004年在北京的财富论坛上，惠特曼遇见了马云，这一次他们没有对话。一向狂妄的马云会后对别人说，他要向惠特曼学习。2005年7月，尽管淘宝与eBay易趣已经打了两年多，但阿里巴巴的第五届西湖论剑还是邀请了惠特曼，但惠特曼没有去。

也许有一天，惠特曼的eBay易趣会在中国的B2B和B2C市场上也占有一席之地，也许有一天，马云的阿里巴巴和淘宝会打入美国市场。马云和惠特曼迟早还会见面的!

马云曾对人说:“我在想我的对手eBay做什么样的动作可以彻底把我给灭了。”吴世雄和惠特曼现在要想彻底灭掉淘宝和阿里巴巴绝非易事。

当然淘宝要想彻底打败eBay也非易事,马云要想真的战胜惠特曼更是一件艰难的事。和惠特曼竞争,马云真有一种同泰森打拳击的感觉,虽然对方是一位女性。但瘦小的马云早就立志战胜泰森。

淘宝生来不是为了战斗的。战斗是迫不得已。

马云说:“我一直认为电子商务肯定比网游更能赚钱。5年前没人相信这个理论。现在再来竞争就有些晚了,所以我也不怕后进者。我会继续做我想做的事,毕竟我们的主业不是战斗,而是做中国最好的C2C企业。希望淘宝网三年以后为中国创造100万的就业机会。”

当时人们认为淘宝与eBay易趣这场C2C大战的结局有三种可能:一是淘宝打败eBay易趣。eBay重蹈在日本覆辙,最后撤出中国市场。这将危及eBay的世界C2C霸主的地位。二是eBay易趣打败淘宝。这将危及阿里巴巴的世界B2B霸主地位。三是双雄并世,平分市场。就像今日的新浪和搜狐,国美和苏宁。

但不管淘宝与eBay易趣竞争的结果如何,不管孙彤宇与吴世雄过招的结果如何,不管马云和惠特曼的较量结果如何,中国互联网的格局已经改变了,世界互联网的格局也将改变。

后来两年的发展有点出乎人们的意料,但似乎正在马云的意料之中。

淘宝是马云的一步高棋,是阿里巴巴的自我突破,是阿里巴巴开辟的一条新路,是淘宝使阿里巴巴走进了与世界网络巨人对话的时代,走上了攀登电子商务巅峰的不归路。

这场博弈一开始,马云就有必胜的信念。战至中盘,马云就已胜券在握。

2006年5月,淘宝问世三年时,其市场份额已经达到了72%。马云的预言应验了。但惠特曼的预言却落空了。

2006年9月21日,吴世雄黯然辞去eBay易趣的CEO职务。2006年12月20日,惠特曼宣布eBay中国和TOM在线合资。业内人士都知道,所谓eBay中国就是eBay易趣。

淘宝与eBay易趣的四年大战结束了。

惠特曼终于还是败走中国。

马云终于又一次大获全胜。但马云说："淘宝网和支付宝刚刚发力。"

风波骤起

2003年5月10日，初创的淘宝承诺两年免费，2005年10月25日，淘宝宣布继续免费三年。2006年5月，淘宝网的形势一片大好。淘宝已在会员数和交易额等上全面超越eBay易趣。2006第一个季度淘宝交易额超过了30个亿。2006年5月10日，淘宝注册会员超过2000万。就在这一天，淘宝推出了"招财进宝"。于是一场始料未及的风波骤然而起。

招财进宝是淘宝精心策划的一项增值服务。其实质类似多数搜索引擎常用的竞价排名服务。网上的卖家为了更好地凸现自己的店铺，可以自愿出钱购买所售商品的关键词，这样当买家按照关键词搜索商品时，使用招财进宝服务的卖家商品将在搜索结果中按照出钱多少优先显示。

孙彤宇这样诠释招财进宝："招财进宝最关键的排名因素是成交量，其次才是卖家出价，时间稍长些就不会有大卖家出价高的所谓优势，市场经济看不见的手一定会让所有卖家处于同一个起跑线上。有些买家担心参加招财进宝的卖家会把招财的费用转嫁到买家身上，这是在一个非竞争市场中孤立地看问题，竞价服务只会提高有竞争优势的商品的成交量，每个卖家都是在和同行竞争博弈，而在这种相互博弈中，每个卖家一定会将商品价格调节到一个理性和合理的位置。同时对买家来说，因为市场环境优胜劣汰，唯有商品质量好和价格合理的商品才能排名在前，用户不需要担心买到价高质低的商品，相反，户会比较容易和快捷地在海量商品中寻找到自己理想的商品。"

也许初衷是好的。但招财进宝服务毕竟涉及了收费这个最敏感的问题。而此前淘宝两次允诺五年不收费。

招财进宝刚一推出就引起了轩然大波，遭到了部分淘宝用户的强烈抵制，一些用户认为招财进宝有变相收费的嫌疑，于是有用户在淘宝社区中用帖子发起一次"你怎么看待招财进宝"的投票。从5月10到15日，共有138名用户参与了投票，结果65.97%的用户投票反对招财进宝。

以后的十几天里，淘宝社区里反对招财进宝的帖子有如雪片，很快就达到400多张。淘宝网此时缺乏应对危机的心理准备，对反对招财进宝的帖子采取了删除的策略。5月23日，淘宝用户们发现400多页的反对帖子一夜之间被淘宝删除，矛盾立刻激化。一些愤怒的店主开始发难。

5月25日，发难用户开始组织淘宝店主“六一”罢市签名活动，这些用户决定从5月30日起提取支付宝中所有现金，从6月1日零点开始罢市。

就在这一天孙彤宇对媒体表态：“自从5月10日淘宝推出招财进宝以来，因为这个东西是电子商务领域的一个新东西，很多卖家一时间还没有完全把这个东西弄透彻，所以在淘宝论坛里面有相当多的人在讨论相关的问题，这也说明了用户对招财进宝的关心。但是这中间，有些别有用心的跳梁小丑为了一己私利，跳将出来，扇阴风挑拨怂恿卖家去罢市，甚至威胁有反对意见的卖家，称会以恶拍报复，淘宝24日晚上已经对发现的这些用户进行了处理。”

孙彤宇还强调：“电子商务网站要发展，必须有收入，而免费和发展这个难题也一直困扰中国电子商务网站，淘宝招财进宝不但不是收费，而且是为了更好和更长时间的免费，也保证了淘宝能够继续健康发展。竞价服务的推出，是我们为了淘宝网未来3年、5年、10年的发展所作的长期规划和有益探索，不是我们一时兴起的短期行为。淘宝要做102年的企业。招财进宝这项服务在国内电子商务领域是一个创举，最大限度地满足了用户一直梦寐以求的不成交不付费的想法，但可能也恰恰是因为其新，有些人一时无法接受，但这可以理解，即使是被称之为互联网界非常高明的Google的竞价排名的方式在刚推出的时候也是经历了很长时间大家不接受的阶段。一项改革出来要求所有人一下子全部照办根本就不现实。”

淘宝掌门人的表态虽然强硬，但并未能控制事态的发展。5月25日之后，淘宝社区建议厅里，反对招财进宝的帖子越来越多，致使其中80%的帖子都把矛头对准了招财进宝。

事态演变到如此地步，主帅马云不得不出面了。

5月29日凌晨，马云用“风清扬”的ID在论坛里发了“谈谈拥抱变化”的帖子。马云在帖子中解释了淘宝的初衷，并且一再向用户道歉，但淘宝的店主依然不依不饶，仍要为自己的利益抗争到底。

此时此刻，马云和孙彤宇都已意识到淘宝的危机。于是一场危机公关别开生面地开始了。

5月31日，淘宝决定就招财进宝进行公投，并声明将招财进宝去留的决定权完全交给用户。6月1日下午2点全民公投正式开始。公投得到了一些网民的支持，公投开始后，网民宣布暂停网上签名反对活动和“罢市”行为。公投一直持续到6月10日，6月10日中午12点，淘宝网公投结束，并由浙江东方公证处进行公证。淘宝网一个半小时后发布致网民公开信。在10天的投票期里，共有20余万淘宝网民进行投票。其中赞成保留招财进宝项目并完善的约占39%，赞成取消的约占61%。

6月10日凌晨，彻夜未眠的孙彤宇在电话里向马云汇报了公投结果，马云坚决地回答：“无论你做出什么决定，我都支持你。”

随后，孙彤宇做出了此生最艰难的决定：淘宝网宣布将于6月12日取消招财进宝的服务，并把卖家支付给淘宝的所有招财进宝服务费退回给卖家。

当天淘宝网相关负责人说：“在招财进宝的诞生到投票决定去留期间，所有店小二都因为淘宝人的包容和理解而感动，因为淘宝人耐心和中肯的建议而感动。”

公投结果发布后，风波中成立的“反淘宝”联盟也发布公开信进行回应：“我们对淘宝网负责的态度表示认可，对淘宝网重视广大店主的意见表示欣慰。同时我们为取得第一次网络民主的胜利并作为参与人而感到高兴。”

对于“反淘宝”联盟的一些做法，淘宝网公关陶然说：“这件事不排除一些别有用心的人从中挑拨，淘宝已掌握一些证据，只是不适宜公开。”他说，根据淘宝的统计，6月1日当天真正将商品全部下架的卖家不到5人，对“反淘宝”向媒体公开的数据网站表示质疑。“反淘宝”并不能代表绝大部分网民，但是，淘宝尊重公投的结果。

一场意想不到、骤然降临的风波结束了。

事后马云说：“客户反对我们就撤，代表了我们一切以客户利益优先的价值导向。我们退一步不是什么大不了的事。”

其实，招财进宝风波的实质还是收费问题。

业内人士都清楚，淘宝早晚是要收费的，就像当年的阿里巴巴早晚要收费一样。

对此，孙彤宇直言："我没有说过淘宝网成立以后不是为了赚钱，taobao.com的网址就说明它是一家商业的网站，如果不赚钱，我们应该叫做taobao.org。我说的是目前我对赚钱没有太大的兴趣，但未来我有很大的兴趣，等有了1000个亿的时候我们会赚很多很多的钱，也许是中国互联网最成功的公司。现在淘宝的成交金额一路攀升，但淘宝对于阿里巴巴而言仍是一个烧钱机器，还未对阿里巴巴的营收做出贡献。虽然我们短期内对淘宝网没有盈利指标，但是淘宝不可能长期做赔本的买卖。"

风波过后，淘宝宣布三年不收费的承诺不变。

有阿里巴巴做后盾，淘宝再撑三年没问题。

孙彤宇说："至于什么时候收或者不收，什么样的钱，我现在不关心这样的东西，淘宝现在真的不缺钱，我现在唯一关心的是，我们2009年能突破1000个亿，为社会创造1000个就业机会，赚钱真的不重要。"

招财进宝的风波给了淘宝许多教训，但这场风波还没有伤到淘宝的元气，也没有改变中国"C To C"战场的格局。

风波之后，淘宝依然高歌猛进。

2007年4月4日，淘宝网对外发布了《2007年1季度淘宝网购物报告》：淘宝网2007年第1季度的总成交额突破70亿，日平均交易额逼近1亿。目前淘宝卖家月利润在2000元以上的已经超过10万家，这意味着淘宝已经为社会提供了超过10万的直接就业岗位。同时，网上开店还带来了更多的就业机会，比如物流、快递公司等产业的迅速发展。再加上这些间接的专、兼职岗位，淘宝网解决的实际就业岗位超过40万个。

但这还不是淘宝的目标。孙彤宇的目标是，两年内，淘宝网将成为1000亿交易额规模的网站，同时为社会创造100万个就业机会。

作为淘宝掌门人的孙彤宇已经逐渐成熟起来。他并未陶醉在打败eBay易趣的胜利之中。他仍在关注eBay与TOM在线合资之后的变化："虽然eBay之前在中国是失败了，但是王雷雷加入进来之后形势就有了一些变化，因为他的执行力很厉害。"

在淘宝网创立四年之际，孙彤宇提出：淘宝网要开始“第二次创业”。

淘宝成功的秘诀何在？孙彤宇这样解答：“淘宝网成功的秘诀不是免费。因为，免费的不是只有我们一家，比我们有钱的人多的是，大家把钱都扔在桌子上，都靠免费烧几年，我不相信都能成功。总结淘宝网的成功，我们还是非常简单的两句话，因为我们是一个非常土生土长的本地的中国人的创业团队，所以我们了解中国的消费者，我们知道在座的消费者大家需要什么，渴望什么，因为我们知道，我们尊重大家的需求，所以我们去把它做出来，这才是我们成功的秘诀。支付宝和旺旺是淘宝发展的两大里程碑。”

19 “支付宝”天生丽质难自弃

阿里巴巴的诚信体系和支付体系都是在2003年建立的。诚信通是2003年3月推出的，支付宝是2003年10月问世的。马云是不会再等五年的，因为他知道要是真的再等五年，黄花菜都凉了。

马云不是没有等过。当1999年初创建阿里巴巴时，马云清楚网上信用没有解决，银行没有准备好，配送没有准备好，因此他只做信息流。阿里巴巴就是靠信息流盈利的。当时的8848等网站都在全力推进以网上交易为主的电子商务，但马云坚持认为中国的电子商务是三年以后的事。到了2003年，三年过去了，马云不能再等了。他知道没有支付和配送，没有资金流和物流的电子商务不是真正的电子商务。于是阿里巴巴率先推出了诚信通和支付宝。

2005年初，马云说：“2005年将是中国电子商务的支付年。”这个预言很准。自从2003年10月，淘宝第一个推出支付宝后，2004年10月eBay易趣推出安付通，2005年，99bill、yeEpay、Paypal(贝宝)、财付通等几十个支付工具纷纷出笼，到了2005年底，国内的网上支付大战已经如火如荼。

作为电子商务网站上的支付工具——支付宝这次不仅是领先了1年多，而且还引领了中国的网上支付风潮。

打造支付宝

淘宝推出后，很快就发现不解决支付瓶颈的C2C很难长大。在淘宝用户的建议下，淘宝决定打造支付工具——支付宝。

2003年9月10日。马云把坐镇广东销售的陆兆禧调到杭州，上来时陆兆禧并不知道让他干什么，马云说：这个业务适合你做。陆兆禧回答：没问题。陆兆禧就这样成为支付宝总经理。当时支付宝还设在淘宝里面，是淘宝的一个产品。

开始陆兆禧对做支付工具一点概念都没有。他手下的9个人里只有一个工程师，大家都不知道怎么做。于是就开始研究国外怎么做？竞争对手的产品是什么样？

研究发现：对于西方发达国家来说，建立基于银行信用之上的网上支付体系并不是一件很难的事。1995年创立的eBay半年后就实现了盈利。2005年，eBay旗下的网上支付工具Paypal已经拥有全球56个国家的7890万用户，全年支付总额达到260亿美元。Paypal的手续费是2%，其利润相当可观。

Paypal的网上支付体系是建立在信用卡体系上的。使用信用卡不需密码验证，由商家承担拒付风险。Paypal的作用相当于网上"镖局"，为交纳了手续费的商家承担坏账的风险。

淘宝要打造一个什么样的支付工具呢？照搬美国的Paypal完全不可能。因为中国的国情是信用卡使用很少，到处都是借记卡的天下。中国的网上支付体系必须建立在借记卡的体系之上，必须建立在信用不健全，银行网上支付缺位的现实基础上。

思路清晰之后，陆兆禧开始招兵买马，他先从人才济济的中国供应商和诚信通那里借了一些人。因为2003年9月淘宝已经公开亮相两个月了，阿里巴巴人都知道淘宝是自家人。也因为马云说过：淘宝是阿里巴巴的小儿子，阿里巴巴的大哥大姐都有义务帮他，所以借人比较顺利。然后，陆兆禧开始到市场上招人，也想尽办法到大公司挖墙脚，但找到合适的技术人才并不容易。

支付宝团队很快从9人扩张到几十人，到了2005年这支团队已经有近百人了。

陆兆禧率领的支付宝团队，在研究了国外成功网上支付工具后，针对中国具体国情和阿里巴巴和淘宝客户的具体需求，开发出具有阿里巴巴特色的支付宝。

阿里巴巴打造的支付宝，实际上是一个完全免费的实行全额赔付的第三方信用担保工具。其运作的实质是以支付宝为信用中介，在买家确认收到商品前，由支付宝替买卖双方暂时保管货款的一种增值服务。使用支付宝的流程是：交易开始——买家汇款到支付宝——卖家发货到买家——支付宝付款给卖家。

支付宝带给买家的好处是：一，货款先支付给支付宝，收货满意后才付钱给卖家，安全放心。二，不必跑银行汇款，网上在线支付，方便简单。它带给卖家的好处是：一，账目分明，有多个买家汇入同样的金额也能区分清楚。二，支付宝是信誉的保证，即使没有星级，也能获得买家的信任。

支付宝堪称是中国电子商务网的一个创举，从实质上突破了长期困扰中国电子商务发展的诚信、支付、物流三大瓶颈。支付宝服务自2003年10月18日在淘宝网推出后很受淘宝会员的欢迎。

支付宝开始推出时是镶嵌在淘宝网页上的。2004年12月30日，支付宝独立，成为阿里巴巴下属的独立公司。12月30日这一天，支付宝推出了一个独立的版本，建立了自己的会员系统和账号系统。2004年5月7日，支付宝推出了全新版本。新版的支付宝不但可以为淘宝服务，而且可以为阿里巴巴服务，也可以为其他网站服务。

支付宝在淘宝里成长了一年零两个月。这段时间很重要，陆兆禧说：支付宝的成功得益于背靠淘宝。很多网上支付公司没有做起来，是因为他们没有淘宝这样的大网站的支持，是阿里巴巴和淘宝帮助支付宝建立了信誉。当然支付宝的成功也为淘宝的迅速成长作出了贡献。

支付宝作为一个网上支付工具，一开始就得和银行合作。支付宝推出时，中国的电子商务网基本上处于银行缺位状态，银行是否愿意合作，是陆兆禧他们最为担心的事。他们找到的第一家是工商银行的西湖支行，没想到银行的热情很高，双方一拍即合。在支付宝网络与银行网络没有对接时，西湖支行员工甚至甘愿用手工操作支付宝的对账单。

目前支付宝已与四大银行实行合作，并成为银行眼中的肥肉。当然银行看重的是支付宝手中庞大的客户群和日益增长的交易额。目前，淘宝1000万会员中的一半即500万人在使用支付宝，加上阿里巴巴的会员、支付宝自己的会员以及其他网站的用户，支付宝手中的用户总数是700万。面对拥有如此众多客户的支付公司，哪家银行也不会放过。

支付宝与银行的合作并非一帆风顺，开始同银行的磨合很艰难。首先支付宝追求支付环节的简捷，但银行却从中设置了很多障碍。其次银行按传统方式运作，它的产品没有一个是为互联网为电子商务设计的，每个银行的页面都不一样，造成很多混乱，使支付宝与其对接时很困难。

但是陆兆禧知道，离开银行的合作，支付宝寸步难行。随着时间的推移，银行对网上支付兴趣越来越浓，对电子商务兴趣越来越浓，支付宝与银行的战略合作也变得越来越容易。携手银行共同开发网上支付市场，是支付宝的既定方针。

在追求简捷的同时，支付宝也在追求效率。经过不断改进，支付宝已经把网上付款速度降到了3分钟。即便是个不懂网络的人，或者是路边摆地摊的人，在支付宝上付一笔款也不会超过3分钟，像陆兆禧这样的操作熟练的人，在支付宝上付一笔款只需3秒钟。用户是非常重视资金回流速度的。过去一笔生意的全过程，即买家付款给支付宝——卖家发货——支付宝付款给卖家，需要10天。经过支付宝不懈地努力，现在这个全过程只需4天。

对于陆兆禧来说，追求简捷追求效率很重要，但安全更重要。从支付宝诞生第一天起，安全就是第一位的。在支付宝推出前期，出现过用户密码被盗事件。为了提高安全性，在支付宝的新版里采取了三项安全措施：安装了安全控件，防止“木马”盗取客户密码；免费提供短信提醒，强化修改密码制度，致使修改密码需要回答非常隐私的问题。采取三项措施后，客户密码很少失窃。

在支付宝的办公室里，安装了一台报警电话，支付宝与警方和银行保持着紧密联系。2005年以来，赔付案件发生率已经降到很低，而且没有了恶性案件。

安全、简捷、高效，是支付宝追求的目标。陆兆禧一度想把“让天下生意简单”做为支付宝的口号。

在实践中慢慢成熟起来的支付宝有三大特色：

第一，作为第三方担保工具，支付宝实行全额赔付。在支付宝的网站上，最先映入眼帘的就是支付宝“你敢用，我敢赔”联盟。正是全额赔付为支付宝的用户吃了定心丸。而它的竞争对手eBay易趣的安付通实行的是限额赔付，不过在保护买家利益基础上又为保护卖家利益增加了条款。于是，就有了买家最高赔付1000元，卖家最高赔付3000元的政策。在中国现有的支付企业中，敢于实行全额赔付的企业还很难找到第二家。马云说：“你们在支付宝上谈生意，满意你可以付款，不满意，你就退钱。但是我们在中间做担保，你赔一万我赔你一万，你赔一个亿我赔你一个亿。当然有人说赔一个亿，你赔得起吗？这一个亿我们阿里巴巴当然赔得起的。不过我马云还没有傻到让你骗一个亿的地步。”

实际上即便全额赔付，支付公司的风险也不是很大。由于中国的网上支付是建立在验证密码的借记卡体系之上，因而安全系数很高。Irearch的调查显示：61.2%的中国网民不使用网上支付是因为安全性问题。但实际上中国网上的安全问题绝大多数是交易安全问题，而不是支付安全问题。

第二，支付宝实行完全免费。不收用户的手续费，也不同银行分利。国内的许多支付公司是收费的，虽然价格战很激烈，但价格即便降得再低，也没有免费有竞争力。免费是马云屡试不爽的武器，阿里巴巴免费，淘宝免费，如今推出支付宝依然打免费牌。免费使支付宝成长迅速，但也给支付宝带来生存问题：不能像Paypal那样做镖局的支付宝如何盈利？何时盈利？当然，只要支付宝能够做大，盈利模式不难找到。好在资金充裕的阿里巴巴现在还不需要支付宝挣钱。

第三，支付宝只收钱不验货。这里的收钱是指交易时买家将钱先打入支付宝的虚拟账户，由支付宝代为保管。支付宝只保管钱但不像Paypal那样代客验货，而是让买家自己验货。不验货的支付宝自己也不做物流，而是把物流委托给几家有信誉的物流公司。支付宝这样运作使它成为一个非常专业的信用担保公司。但随之而来的问题是支付宝还必须承担验货仲裁的角色。因为纠纷往往出在买家验货环节。有时会遇到假货，有时货物会在物流中变质，所有这些问题都需要支付宝最后裁定。于是陆兆禧手下就不得不培养一批商品专家，有手机专家，有家电专家，有服装专家，这些人不但要熟知各种品牌，还得熟知各种假货，否则无法做仲裁。只收钱不验货使支付宝成为账上滞留大量现金的企业。这一方面使企业的风险加大，另一方面也使支付宝类型的企业成为监管的重点。

如今支付宝已经成长为阿里巴巴旗下的第二个子公司，而网上支付也成为阿里巴巴的一个新战场。网上支付的市场前景非常广阔，这个领域的竞争也变得越来越激烈。支付宝的胜败不仅会影响淘宝，而且会影响阿里巴巴。这又是一场不能输的战争。

支付生死战

网上支付企业的出现使中国网上支付瓶颈基本打破。但网上支付企业的生存和盈利问题仍是个没有解决的大问题。

由于中国电子商务的迅猛发展，网上银行缺位的状况正在急速改变。

随着商业银行的主动出击，网上支付的形势已经有了不小的变化。2004年，人们发现在不少电子商务网站上，上海浦东发展银行的客户可以畅通无阻地进行交易了。而在不久前，上海浦东发展银行卡的用户还无法进行网上消费。

主动出击的商业银行不止浦发行一家。2005年招商银行在网银上的重大举措是推出“财富账户”。兴业银行则在2005年4月推出了“在线兴业”3.0升级版本。2004年中国工商银行网上银行交易额达34万亿元。2005年5月，工行主动牵手阿里巴巴、盛大等12家电子商务企业，组成战略同盟，开始进行在线支付、企业和个人网上银行、客户资源共享、联合促销等方面的合作。

银行变脸对于支付宝这样的网上支付企业是件好事，它使支付宝与银行的磨合和合作变得容易多了。但是银行大规模介入网上支付，也使网上支付市场的形势变得越来越复杂越来越微妙。

银行大规模的直接介入，使北京首信、上海环讯、网银在线等为代表的支付公司受到威胁。一旦银行与商户直接相连，他们的日子就不好过了。

银行介入网上支付，本来对阿里巴巴、淘宝、eBay易趣这样的电子商务公司不构成威胁。因为这些公司都拥有大量用户，这正是银行觊觎已久的目标。但是银行大规模介入引发了监管层的一系列行动。2005年10月26日，央行下发了《电子支付指引(第一号)》文件。文件的出台标志着电子支付处于监管盲区的时代也一去不复返了，而牌照发放制度将置许多网上支付企业于死地，网上支付企业重新洗牌已不可避免。

种种迹象表明，像支付宝这样代客保管大量资金的支付企业，将是央行等部门监管的重点对象。在以后的牌照发放中，支付宝的命运还不可知。

中国的国情就是如此。民企造汽车还得几经周折，民企搞网上支付也不会一帆风顺。

2006年将是网上支付洗牌年，也将是网上支付企业生死年。有先发优势和上风优势的支付宝将面临严峻考验。支付宝盈利之路将会更坎坷。

虽然到2005年各式各样的网上支付公司已经有好几十家之多，虽然腾讯的财付通来势汹汹，但支付宝最大的竞争对手还是eBay易趣的安付通和贝宝(Paypal)。安付通很成熟，贝宝在海外很辉煌，两个工具加起来还是很有竞争力的。尽管有人说，安付通＋贝宝＝支付宝，但支付宝自己不能轻敌。

2005年7月eBay旗下的在线支付方案贝宝进入中国，8月底，eBay易趣的安付通与贝宝正式宣布对接。安付通的优势在于“货到放款”，使用户在跟新卖家买高价值物品时没有了后顾之忧，而对于金额小、周期短的交易，贝宝能为买卖双方提供即时方便的支付服务。安付通与贝宝的优势互补，使eBay易趣的在线支付体系变得很强大。

与安付通和贝宝相比，支付宝的优势在于它更简捷方便，更本土化和人性化。全额赔付和完全免费是它的两个杀手锏。

此外支付宝还先后推出“互联网信任计划”和“跨境交易”等功能。这些功能也是支付宝的制胜利器。

支付宝与安付通与贝宝的竞争进行了两年之后，支付宝打败了贝宝。

截至2007年9月17日，支付宝日交易总额达到1.9亿元人民币，日交易笔数超过100万笔。目前，支付宝活跃用户已经超过5200万，这比实体经济最为常用的信用卡活跃用户4000万还多出1200多万。

从具体功用和交易额度来看，支付宝已变身为安全易用的通行“数字信用卡”。

据艾瑞咨询预测，2007年中国电子商务市场总体规模将达17300亿元人民币，支付宝以53.29%的市场份额排名第一，占领了国内第三方支付市场的半壁江山，将国内30多家第三方支付企业远远甩在身后。支付宝已经成为中国的网上支付企业的龙头老大。

2003年10月，马云启动支付宝，目的是为解决淘宝广大商家用户支付需求。四年之后，支付宝用户需求早已突破淘宝网本身，被目标外用户广泛使用。目前，支付宝在淘宝网上有50多万B类（企业级）客户，支付宝C类（个人）用户已经超过5200万。

占领中国网上支付市场的意义非同小可。这个瓶颈一旦解决，阿里巴巴和淘宝将如虎添翼。马云的电子商务梦想有可能早日实现。

马云的判断："我坚信这世界20年以后会有80%的生意都是在网站上进行的，网下只不过是货运来运去而已。电子商务在中国一定会成为超越美国电子商务的模式。"

杨致远的看法："我想不但是在拍卖上，还有这个付费方法的成长也很快，如果这两方面抓住的话，在中国市场上它的价值是遥遥领先的。尤其现在中国在网络上把支付方式做出来以后，主流的付费地方出来了，我觉得这个机会是世界没有别的国家可以比的。"

在马云的眼里，淘宝和支付宝是阿里巴巴两个小弟弟，在阿里巴巴家族中被寄予重望。虽被认为才上小学，但最有志气，将来一定能担起养家的重担，所以大哥(阿里巴巴集团)将不惜一切代价供他上"哈佛"。

对于支付宝来说，养家还是以后的事。

阿里巴巴 B2B 业务即将在香港上市时，人们又问起支付宝将在何时单独上市。对此，支付宝公司总经理陆兆禧表示：支付宝在可预见的未来没有独立上市的计划。阿里巴巴集团给支付宝准备了足够的资金，不会花阿里巴巴B2B公司上市融来的钱。

20 震惊中外的并购大案

2005年7月18日，我在马云家里采访。马云颇为神秘地对我说："两个礼拜前，我做出了这辈子最大的决定，比做生意十几年来所有的决定都要大，但我觉得值得。为了企业的未来，为了中国互联网和世界互联网的未来，该做决定还得做决定。做决定时很痛苦，做了决定以后就别想它，保证决定正确，执行下去就是了。"

我问他："什么决定？"他说："现在还不能告诉你。现在还是高度机密。阿里巴巴只有很少几个决策层的人知道，但知道的人你打死他们也不会告诉你。再过20天，我们就会公布。"

然后马云又说："这个决定宣布时，一定会引起全世界互联网界的震动，一定会成为全世界各大媒体的头条新闻。我们就是要为中国企业国际化树立一个新标杆。"

听到这儿，我猜想：既然是有关国际化，那该是跟并购有关。

接着，马云大谈国际化。他对国内几家知名企业的国际化举措有诸多质疑："我尊重这些企业，但中国企业的国际化不能靠这些企业带头突破。有20年积累的这些企业生来就不是走国际化道路的。当时它们是靠中国的政策环境做大的，为什么要国际化，是因为跨国公司进来削弱了它们的市场占有率，它们就觉得要去国外突围。自己的国内市场占有率只有百分之二十几，就要跑到国外去。当时在国内是靠野招子，到国外还是靠野招子，一点用都没有。"

马云的话依然狂妄而犀利："像我们这样的企业从诞生的第一天起就知道什么是国际化，全球化。把全球化仅仅理解为到中国来买便宜东西是错误的，全球化和国际化就是本土化，就是给当地创造价值，创造福利，创造就业机会；就是形成当地的一个著名品牌，就是你去当地之后，当地人拥抱你欢迎你；就是你改变了当地人的生活，结果你也赚到了钱。这才是一种天下的眼光和心态。"

再下来的评论更为尖刻："我问国内那些著名企业到国外买工厂的目的是什么？他们说是买人家的先进技术和管理经验，我说这不可能！人家有先进技术和管理怎么会破产？还卖给你中国公司？人家是不是疯了？"

说到两代企业家，马云的议论发自内心："柳传志、张瑞敏、王石、倪润锋，当然还有无名英雄任正非，这一代企业家不错，我尊重他们，没有他们，我们这一代不会学得那么快。但老靠这一代是不行的，下一代企业领袖，像郭广昌、陈天桥、丁磊，我们该用怎样的眼光和胸怀去超越这一代；我们这一代能不能诞生一两个世界级的、在国际上讲话都是有分量有声音的企业家？"

我知道，马云的这一番宏论，无论是关于国际化还是关于两代企业家，都和那个重大决定有关。但这是个什么决定呢？如果真是并购，对象又是谁呢？一起什么样的并购案才会引起如此之大的世界反响呢？

从马云家里出来，这些疑问就一直盘旋在脑际。

收购雅虎

20天转眼就过去了，我陆续听到来自媒体的声音。开始是福布斯的网上，后来是国内的一家财经报纸。消息的版本不同，但声音是一个，就是雅虎收购阿里巴巴。一个年收入30多亿美元的世界互联网的巨无霸收购一个年收入10亿人民币的中国网站，一切都好像顺理成章。但我就是不信。我了解马云，他不会把阿里巴巴卖给任何人！

三天之后，真相大白了！

8月11日下午两点，北京中国大饭店聚集了来自全球的数百名记者。主席台上悬挂了一幅巨大的红布，旁边的显示屏上则定格了一幅照片：雅虎创始人杨致远和阿里巴巴创始人马云并肩坐在长城的阶梯上。

两点半，红色的幕布终于拉下，赫然闪现的是"阿里巴巴全面收购雅虎中国"、"10亿美元打造互联网搜索"几行大字。在掌声中，马云说："我们这次宣布的是阿里巴巴全面收购雅虎中国的所有资产，中间包括了雅虎的门户、雅虎的一搜、雅虎的IM、3721，包括雅虎在一拍网上所有的资产。这个行为对阿里巴巴来讲是非常激动的事情，其实这张照片早在1997年就拍了，那时候是把杨致远雅虎介绍到中国，我们几次的缘分，从中国最早的门户，到拍卖，可谓是7年的相爱。今天有人发了一个短信，说今天是中国的情人节，我们7年的缘分，在今天能够结合在一起了。”

“我们今天收购这个资产，还有雅虎给阿里巴巴公司投入10亿美元的现金，作为阿里巴巴重要的战略投资者之一，关于股份，雅虎在阿里巴巴的经济利益是40%，拥有35%的投票权，董事会阿里巴巴占两席，雅虎一席，软银一席，所以这个公司还在阿里巴巴的领导之下，我继续担任CEO。”

这就是马云在今年7月初做出的那个重大决定！这就是那个被媒体热炒了三天的惊世大并购！

新闻发布会之后，一些曾热炒雅虎收购阿里巴巴的媒体还在传播：雅虎两年以后收购阿里巴巴。其实他们根本不了解马云。

马云对我说：“CEO不要靠股份控制公司，而是要靠智慧、胆略和勇气来经营公司。靠控股就会弄得别人给你当奴才，反正你是老板，怎么说都可以。我从第一天就没有控股过。我对我的同事说，我今天不是你们的老板，而是你们的CEO，我不付你们工资，工资是你们自己挣的。我不希望你们爱我，而只希望你们尊重我。”

马云自己不控股，但他也决不允许投资方控股，决不允许任何人控股，而只允许阿里巴巴团队控股。

坚持如此理念的马云，决不会让任何人收购阿里巴巴。因而在这桩惊世大并购中，雅虎拿出10亿美金的巨资（这是迄今为止，中国互联网得到的最大一笔投资），加上价值连城的雅虎中国，才换取了阿里巴巴35%的投票权，而阿里巴巴团队仍拥有35.5%的投票权。

了解了马云的理念，业界至今仍在争论的雅虎和阿里巴巴究竟谁收购了谁，不是一目了然了吗？

因而当人们再次提出雅虎两年后收购阿里巴巴时，马云再次坚定地说：“两年后雅虎不会收购阿里巴巴。我们运营好的话，我们会拥有全世界最好的公司之一，我们有这样的机会。当然，有很多股东稀释了自己的股份，软银从第一天起就不是控股，今天也不会控股，我成立这个公司的第一天起，我给自己也给整个公司立下了规矩，永远不能有任何人控股这家公司，谁要当这家公司的CEO或者董事长，是凭自己的智慧、勇气和胆略来成为公司的管理者。当然，今天有了雅虎以后，我们更有机会把它变成全球化的公司，我本人也好，我的团队也好，没有一个人希望成为中国的首富或者杭州的首富，我们就想做事，我们能够创办一个真正伟大的中国公司，这是我们所有合作的目的。"

这是中国互联网历史上最大规模的并购案，也是最大规模的外国投资案；这是一次改变中国互联网乃至世界互联网格局的重大决定。

且看收购雅虎中国后的阿里巴巴公司旗下：阿里巴巴中国网站（www.alibaba.com.cn），阿里巴巴英文网站（www.alibaba.com），淘宝网（www.taobao.com），支付宝公司（www.alipay.com），搜索门户（www.yisou.com），在线拍卖网站（www.1pai.com.cn），中文上网服务公司（www.3721.com）以及雅虎中国门户（www.yahoo.com.cn）。

并购宣布之后，不止一家媒体在猜测，马云从这个并购中得到了多少钱？

马云对我说："第一我想创建一个伟大的公司，而不是让马云成为中国的首富。当然我看得出来网络将来一定会赚钱。第二我认为领导一家公司不是靠股份和权力而是靠智慧、胆略和坦诚。第三我自己吃过这样的亏，希望别人不吃这样的亏。直到今天，我和别人成立合资公司，我都不去控股别人，也不希望别人控股我。不管是谁想要控股50%，我是一定不同意的。他可以控股49%，但不能控股51%。我还有一个原则，只要是对公司好，我马云所有的利益都可以放弃，我89块的工资都拿过。我已经不可能成为世界首富了，也不想成为世界首富，从未想过。对于我来说，也许我比有钱的人更富有，今天我所能调集的资金会比他们更厉害。财富这东西，不是指你个人拥有多少钱，而是看你能调动多少资金去做有多大影响的事情。关键是支配财富，钱没有经过你手里花就不是你的钱。而我们今天可以调动阿里巴巴的每一分钱，调动巨大的资金，从而影响多少个家庭多少个企业，我觉得这就是财富。比如我今天缺1亿美金，打电话三天之内肯定到账。现在很多房地产老板叫他拿出1亿人民币出来看看？看他有好大的家产，没有用，不一定有人敢借给他钱。今天以我的信用，打电话给孙正义、郭炳江，说我今天资金有问题，我相信他们不会眨眼睛，他们都会说：I can do！信用比什么都值钱！"

大并购完成之后，人们普遍猜测阿里巴巴会提前上市。提起上市，马云对我说："阿里巴巴上市是早晚的事。以前的目标是做一个上市公司就行了，现在觉得上市的意义不是太大。对于一个在你掌控之中和快要得到的事情，你的兴趣就没什么了。"

进军搜索

在新雅虎中国的誓师大会上，马云说："自创业伊始我就和我的18勇士将对手锁定在了硅谷。"1998年底，马云和他的18勇士在长城发誓：要做一家中国人创办的全世界最好的公司！要成为世界10大网站之一！要实现这样的宏图大业早晚要把对手锁定在硅谷。因为世界5大网站——雅虎、亚马逊、Aol、eBay、Google都在美国硅谷。阿里巴巴不和这些世界网络巨人交手，要想成为世界10大网站之一是不可能的。

其实早在2000年，阿里巴巴就在硅谷建立了研究院，但那次进军硅谷是以失败而告终的。

2003年，以攻为守的阿里巴巴进军C2C，叫板eBay，这是阿里巴巴第一次将对手锁定在硅谷。但这一次阿里巴巴和eBay的竞争还只是在中国市场上，阿里巴巴实际的竞争对手还是eBay易趣。

2005年，并购了雅虎中国的阿里巴巴进军搜索，叫板Google，这是阿里巴巴第二次将对手锁定在硅谷。这一次虽然交锋的地点还是中国市场，但与雅虎联手的阿里巴巴这回要打败的是Google，而不是Google的在华分公司。

经过3个月的整合，变脸后的雅虎中国开始强攻搜索。

"从今天起，在中国，雅虎就是搜索，搜索就是雅虎。"这是马云向Google下的战书。

阿里巴巴要与世界网络公司老大、市值1000亿美元的Google决战搜索，开始战场在中国，随后战场在世界。

阿里巴巴为何决策进军搜索？2005年的进军搜索和2003年的进军C2C有相似之处，都可看作是阿里巴巴的以攻为守，当然也是阿里巴巴的乘势扩张。如果说，2003年阿里巴巴进军C2C是马云和孙正义的一拍即合，那么，2005年阿里巴巴进军搜索就是马云和杨致远的一拍即合。

且看2005年的世界网络态势：搜索是互联网最古老的行当。搜索的历史与互联网的历史相伴始终。互联网搜索的鼻祖是雅虎，但一直到2002年以前，搜索都没有成为一种成熟的盈利模式，没有一家网站可以单靠搜索生存，以至于靠搜索起家的雅虎都不得不把自己变成门户网站和综合网站。

2004年异军突起的Google改变了搜索的历史，也打破了世界互联网的格局。当2004年8月单纯搜索网站Google以每股85美元首次公开上市的时候，华尔街的分析师无人预料到一年之后Google创造的奇迹。到了2005年11月29日，Google的股价已涨到创纪录的423.48美元，Google的市值已经突破1000亿美元，差不多是eBay和雅虎的两倍。Google2005年第三季度的营业收入为15.78亿美元，净利润为3.81亿美元。从此eBay、Aol、雅虎、亚马逊（两家门户网站两家电子商务网站）四家雄霸世界互联网天下的局面被打破，变成了五霸争天下的局面，而这后起的一霸Google居然成了遥遥领先的霸主。从此互联网门户网和电子商务网主宰天下的时代结束了，搜索时代悄然而至。

Google的神话不仅改变了世界互联网的格局，而且还威胁到电子商务和门户网的生存。

Google的神话发生在美国市场，但接下来百度的神话掀起了中国互联网的搜索热。2005年8月，百度在美国纳斯达克上市，当天股价冲过150美金，创造了另一个搜索神话。2005年百度第三季度总营收为1100万美元，净利润为110万。随着搜狐投资打造"搜狗"，新浪投资推出"爱问"，中国市场的搜索热开始升温。

虽然2005年6月马云决策进军搜索时，百度上市的神话还没有发生，但百度强劲的增长势头马云已经看见，百度将要上市的消息马云已经知道。

2005年初，互联网市场还有一个重大迹象，那就是Google开始进军中国。其实Google的中文搜索早已进入中国，但由于其对中国市场的漠视，使Google的中文搜索在中国只排在第二位，排在它前面的是百度。进入2005年，Google开始在中国市场发力。先是从微软挖来了李开复做为中国区的总裁，然后任命前UT斯达康公司总裁周韶宁负责Google在大中华区的销售，紧接着Google在中国的研究院和Google中国分公司也浮出水面。

这就是阿里巴巴决策进军搜索时的网络态势。

搜索的异军突起，不仅使做为C2C老大的eBay感到了威胁，而且使做为B2B的老大阿里巴巴也感到了威胁。

阿里巴巴CTO吴炯分析：“美国eBay是Google最大的广告客户，Google为eBay带来了相当大比例的客户流量，所以电子商务和搜索引擎的结合已经是必然的趋势。Google Base的推出相信会让eBay吓出一身冷汗，因为如果Google决定做电子商务的话，eBay会遭受沉重打击。”

马云分析：“电子商务有很大一部分利润转移到搜索上，比如说许多在eBay上开店的商人，每年都要投很多广告费给Google，以购买靠前搜索排名，这样本该eBay赚的钱，硬被Google分了许多。”

按照马云和吴炯的分析，如果事态继续发展，阿里巴巴和淘宝的钱就要转移到百度上。这是马云无论如何不能接受的。

一向不愿意凑热闹不愿意做热门的马云这次终于按捺不住了：“我们进军搜索不是因为搜索现在很热门，而是因为电子商务的发展实在绕不开搜索这道坎。”

当马云再次决策以攻为守进军搜索时，面对Google的大举进攻，雅虎酋长杨致远也决定在中国市场大举反击Google，这又是一次不谋而合。

实际上雅虎反击Google的战役早就在日本和台湾地区就打响了，并且这两个反击战都是以雅虎的胜利Google的失败而告结束。在日本，雅虎日本凭借本土化运作已成为日本搜索市场的霸主，雅虎日本搜索每月使用人数超过Google的13倍。在台湾地区，同样靠本土化运作，中文搜索雅虎奇摩以74.8%的压倒性使用率独占鳌头，Google仅以14.8%的网友使用率而屈居第6。

一个要反击Google和百度以保住电子商务的利润，一个要在中国大陆复制雅虎日本和雅虎奇摩对Google的胜利，马云和杨致远的一拍即合似乎是早晚要发生的事，其结果就是阿里巴巴和雅虎的惊天大并购。

西湖两会

有媒体将阿里巴巴收购雅虎中国的举动戏称“雅巴合作”。其实这个比喻并不恰当。阿里巴巴和雅虎的合作不仅是世界上最大的互联网并购案而且是动静最大的举动。从走漏风声到媒体追踪，从新闻发布到业界质疑，可谓沸沸扬扬满城风雨。

2005年8月11日，阿里巴巴和雅虎在中国大饭店举行了联合新闻发布会，正式宣布阿里巴巴全面收购雅虎中国。这个消息给互联网业界到来很大震动。这是一个无论是业界还是媒体都没有预料到的举动，也是华尔街和互联网界都没有见过的收购方式。

新闻发布会后，媒体和业界对这次收购的分析和质疑就没有中断过。质疑的焦点是以下几个问题：一，是阿里巴巴收购雅虎还是雅虎收购阿里巴巴？二，孙正义是否幕后策划者和最大赢家？三，10亿美金是否到账？阿里巴巴真正到手的现金是多少？四，得到40%股权的雅虎是否控股阿里巴巴？五，雅虎中国的门户和阿里巴巴的B2B如何融合？

谁也没想到以上问题的求解成了一件很难很漫长的事。

两个月后，2005年9月10日（也是阿里巴巴成立6周年的日子），第五届西湖论剑如期召开。第二天，2000人出席的第二届网商大会也在杭州人民大会堂召开。这就是所谓的"西湖两会"。

8月11日的新闻发布会上，杨致远没有露面，但西湖论剑杨致远来了，网商大会杨致远也出席了。

本届西湖论剑的主题是"天下"。新浪CEO汪延、搜狐CEO张朝阳、网易首席构架师丁磊、腾讯CEO马化腾四大掌门人如期而至，加上做东的阿里巴巴的马云，中国的著名网站掌门人就差盛大的陈天桥和百度的李彦宏了。为了壮声势，马云还特意请来美国前总统比尔·克林顿前来演讲。西湖论剑上，虽然克林顿的演讲很精彩，虽然远道而来的四大掌门的论剑也很精彩，但媒体和业界的关注重心还是在杨致远和马云的对话上。第二天的网商大会也是如此，虽然十大网商的颁奖很热闹，人们还是重点关注马云和杨致远的演讲。也许大家都想通过西湖两会求解那5个问题。

通过西湖两会，通过马云和杨致远的现场讲述，人们还是破解了不少谜团。

关于雅虎和阿里巴巴合作的动机：

杨致远说："我们选择的都是优秀团队。我们知道雅虎是日本最大的拍卖、搜索网站，虽然雅虎中国只有八九年的历史，但很多方面有大量新的开发，能够真正把握这个市场上的潜力、这个市场上的机会，还需要有当地优秀的团队，跟我们做跨国公司的资源、品牌互相帮助、互相依靠。我想我们是互相补助、互相需要的，这种方式能够帮助我们在中国成功，就像在日本成功一样，这也是吸引我们做这个事情的初衷。”

马云说：“我查过eBay每年有30%～40%的收入是用来交给Google和雅虎的搜索引擎的。所以eBay如果把百度买去就使得我心里很乱，我不想将40%的钱花在搜索引擎上，很自然，在想这个的时候我认识了雅虎，雅虎也找到了我，我们就自然地走到一起。就跟淘宝一样，刚开始做这个事情的时候，我的投资人孙正义给我打电话，有的时候是，追一年、两年追不到，一个电话就联系碰到了，我追杨致远7年了还在追啊。”

关于合作过程：

杨致远说：“大家知道我跟马云第一次见面是第一次来中国的时候，是1997年，那次也算是缘分，我跟我母亲、弟弟来，那次马云接待了我们，我那次没有商议工作，完全是友情，第一次见面就觉得他很诚恳，很有雄心，对世界的看法非常强烈，那时我觉得他以后肯定会成为不平凡的人。我们认为在中国要做一个领导性的公司，一定要在当地找一个有能力，对当地、中国市场熟悉，而且在中国市场上是创造型的公司。我跟马云先生有多年的友谊，马总定了这个价，没有什么好谈的，没有讨价还价，所以他很厉害，价值观念大家不太了解。”

马云说：“我跟杨致远是在1997年初认识的。我记得第一次碰电脑就碰到雅虎，杨致远先生他比我小，所以我们第一次在长城上会面感觉就挺不错，当然后来感觉就越来越好了，刚才你说朋友，我觉得不太像，像兄弟差不多。2005年五一节我到美国打了一个来回，用了28个小时，这28个小时期间我跟杨致远在海滩上见了面，我在海滩上跟他说了十几分钟，就把这个事谈成了。如果我不去可能就没有雅虎和阿里巴巴的合并了。”

关于合作模式：

杨致远说：“我想这实在对雅虎来说是战略性的成交，因为中国是一个战略性的市场，我们是把雅虎在中国的资产让阿里巴巴团队来管理，变成一个公司，然后合并后雅虎成为阿里巴巴最大的股东。说真的我想说是刚才讲的独特的合作重要性，我想在国际上或者科技上、品牌上来支持阿里巴巴，帮助阿里巴巴用它们聪明，他们的能力把我们合并了以后的公司做得更大。”

马云说：“我们做任何决定的时候就问自己，他能不能通过这次融资让我们阿里巴巴成为全世界最好的公司，而不是考虑有没有股份，股份被牺牲掉了。雅虎公司特别尊重我们的意愿，尊重我们团队的管理哲学。当然钱也是重要的。”

到了2005年年底，马云再次对媒体公开收购“内幕”：

关于到底谁收购谁，马云说：“现在外面传言很多，有人说阿里巴巴收购雅虎是一种炒作，我们并不认为是这样。事实上收购雅虎是我们自己提出了整个模式，我们收购了雅虎，雅虎又在我们的总部占40%的股份、35%的投票权，这个想法是我们自己独创的，华尔街没有这样的模式，全世界也没有听说可以这样收购的。为什么这么做呢？第一，电子商务在中国的发展必须有搜索引擎做工具，我们考察了大批搜索引擎以后发现只有雅虎合适。第二，必须给雅虎面子，我们就想了一个办法，我们收购你雅虎中国，你在阿里巴巴总部必须拥有一些股份，但是这个股份不能控股阿里巴巴，永远不能控股阿里巴巴，也不能操纵阿里巴巴。大家猜测是孙正义控股还是杨致远控股，我很负责地告诉大家，我不会让任何人控制这家公司。这家公司由是中国人创办在全世界发展的公司。我们的结构非常巧妙，整个收购是全世界看起来不可思议的10亿美金，还有折合7亿美金的雅虎中国的所有资产、所有的品牌和技术，这是世界上去年最大的收购案，我们没有用顾问公司，也没有用投资银行，所以我们快速地做了这个决定。给了雅虎面子，同时在整个组织结构里面不让任何人控制这家公司。阿里巴巴要活102年，102年以内这家公司永远有一个中国人做这家公司的董事，这家公司可能走下去成为跨国公司，技术国际化、市场国际化，但是有一点，必须有一个中国人是这家公司的董事，我要求把这点写进章程里面，这就是创新。那些董事傻掉了，我说没办法，这就是我的想法。”

关于孙正义，马云说：“孙正义是阿里巴巴的投资者，他有两种感情，一种是对中国的爱，一种是对互联网的激情，我很佩服他。在2001年中国互联网最冷的时候，我就看见孙正义还说互联网、互联网，我对他很敬佩，大家说雅虎美国孙正义占有的股份很少。孙正义是日本雅虎的伙伴，孙正义做了牺牲。我们六年来没有回报，我们的股东可能会有回报，但是至于公司留下多少的钱我们不谈，我觉得公司留下太多的钱不是好事情，我们淘宝、支付宝可能需要一点点的钱，雅虎搜索引擎需要很多的钱。”

关于10亿美元是否到账，阿里巴巴新闻发言人金建杭说：“雅虎公司10亿美元现金没有任何附加非正常条款，10亿美元现金在整个收购结束之时会准时到账；阿里巴巴公司计划用其中的7.5亿美元回购日本软银公司在淘宝网的股份以及阿里巴巴其他股东的股份，阿里巴巴将用剩余的2.5亿美元拓展电子商务和搜索市场。”

有了以上的解释，有关收购雅虎中国的疑虑应该大半澄清了。

决战搜索

自从2005年8月收购了雅虎中国之后，阿里巴巴CEO兼雅虎中国总裁马云开始对雅虎中国进行整合。业界很是关注此时此刻马云这个出手无招的网络怪侠的举动。

马云用了一个多月的时间完成了雅虎中国的人事整合。整合的结果是拥有700名员工的雅虎中国离职人数约为30人，离职率仅为4%左右。外界某些人猜测的大动荡大换血并没有发生。

雅虎中国的人事整合，当然离不了阿里巴巴的HR副总裁邓康明。为此马云把邓康明从杭州调到了北京。

为了保留包括3721在内的雅虎中国原有团队，为了挽留人才，马云煞费苦心。他制定的人员调整政策是：留下的员工可以得到阿里巴巴的股份，离开的员工也可以得到丰厚的补偿金，为此，马云特意拨出专款200万美元。

邓康明说：“阿里巴巴收购雅虎中国后，人员流失率很低，大部分高层和业务骨干都选择留下来。”

原负责渠道运营的雅虎中国副总裁田健、CTO谭晓生和搜索事业部总经理李锐三位核心人物都留下了。离开的要员有原雅虎中国副总裁齐向东。在马云任命的新雅虎中国的管理团队中，田健被任命为雅虎搜索的执行总经理并全面接管齐向东所管辖的公关、行政、人事以及财务等运营大权，李锐被任命为副总经理，谭晓生出任雅虎搜索工程技术部总监。未来雅虎中国的技术总管当然是阿里巴巴的CTO吴炯。

人事调整告一段落后，马云开始着手业务整合。这是业界最为关注的。

2005年11月9日，阿里巴巴收购雅虎中国后3个月，雅虎中国突然变脸，马云终于出手了。9号推出的雅虎中国新页面，一改7年门户网站老面孔，变成了一个简洁的搜索页面，只是仍然保留了财经、体育和娱乐三个新闻频道。

阿里巴巴把雅虎中国的变脸叫做瘦身。马云说："我们觉得原先的雅虎胖了点，是先减肥再增肥。我们并不是不做网络新闻了，只是集中收缩在财经、体育和娱乐上。雅虎将重新把搜索服务放在核心地位。"

现任雅虎中国执行总经理田健也说："新雅虎虽然已将主方向定位在搜索上，但是邮箱、即时通讯、短信和内容部分也没有放弃，内容仍保留了财经、体育和娱乐三大频道。这三大频道将摆脱原始的人工采编模式，通过添加博客、RSS、音乐等新的元素，朝着提高用户互动体验的方向发展。"

在瘦身的同时，马云着手整合"一搜"和"3721"这两个品牌："'一搜'网站将被直接指向雅虎中国。'一搜'这个名字从此将不复存在！"马云笑着说。"网络实名服务实际上就是中小企业营销服务，这项服务将被划入阿里巴巴诚信通业务，3721这个名字以后就不用了！"田健笑着说。在马云和田健的谈笑间，"一搜"和"3721"这两个曾经显赫一时的品牌灰飞烟灭了。至此周鸿祎在雅虎中国的痕迹已被抹去。

业界有人认为雅虎中国的瘦身是"换汤不换药"，但也有人认为，雅虎中国不是瘦身而是变脸。雅虎中国的大胆变脸意味着从门户转向搜索，确切地说是复归搜索。谁都知道雅虎是世界上最早的搜索引擎。7年前雅虎进入中国，迫于竞争的压力改成门户网站。经过7年厮杀，雅虎中国作为门户网站不温不火，中国门户网站的前三名一直被新浪、搜狐、网易霸占着，雅虎中国只能屈居第四。时隔7年，雅虎中国终于通过变脸实现重归搜索。

马云和杨致远联手的初衷就是进军搜索抗衡Google。收购之初马云就说过，中国门户网站已经高手如云，雅虎中国没有必要再去扎堆。如今整合初步完成，从门户转向搜索，这更像马云的风格。当然要完全放弃一个第四大门户网站不是一件简单的事，因为它还有很多客户和广告。而且雅虎手中的门户未能跻身中国三甲，阿里巴巴手中的门户未必没有作为。因而阿里巴巴同时采用了瘦身战略和变脸战略。瘦身和变脸后的雅虎业务实际上变成了两大块：搜索业务，这是雅虎的主攻方向；门户业务，这是雅虎有意保留并期望日后创造奇迹的阵地。为了在门户上有所作为，阿里巴巴特意将高级副总裁金建杭从杭州调到北京，统帅雅虎中国的门户业务。媒体出身的金建杭不仅长期担任阿里巴巴的新闻发言人，而且是阿里巴巴高层唯一精通网络新闻的大将。金建杭的出马告诉业界，雅虎中国没有放弃门户。瘦身是为了经营特色，今天瘦身，明天还可能增肥。"少做是为了多做"。

虽然保留了门户，但从11月9日起，雅虎中国已经脱胎换骨变成搜索引擎了。在马云看来，雅虎中国重归搜索就是重返互联网纯真年代。虽然搜索广告是一块很大的蛋糕——目前，中国网络搜索广告服务收入约为1.34亿美元，业内分析人士认为，到2010年上述数字将增长到10亿美元，但近期内马云还没有用搜索赚钱的打算。他从杨致远手中收购雅虎中国时就承诺过：要把雅虎打造成全国最响的招牌，其次才是赚到钱。"这些人曾经经历过中国互联网的纯真年代，只想做事，不想赚钱，后来互联网的冬天到来，迫使他们不得不寻找赚钱的机会和门路，但是现在要他们重返不赚钱的互联网纯真年代，不用考虑任何商业模式，只要把搜索服务做好，阿里巴巴的盈利足够支持雅虎中国、淘宝网和其他几个业务网站的发展。"

变脸当天马云宣称："我们此举是想向中国网民和雅虎团队传达出一个强烈信号，那就是，我们来啦，而且是来势汹汹。"业界都明白，这是雅虎和阿里巴巴联手向Google和百度宣战。从此中国网络市场上的搜索大战将全面升级。

2006年一开始，瘦身变脸之后雅虎中国就发动了声势浩大的万场培训攻势。它携手全国1100多家合作伙伴，面对全国400多个城市，重点是北京、上海、成都、杭州、广州等网络实名业务竞争最激烈的城市开展培训。培训客户是阿里巴巴的老传统，也是其制胜法宝之一。此举意在扩张雅虎中国的渠道，是其争夺搜索市场的第一仗。

首场培训在上海开讲。培训现场异常火爆，能容纳300多人的主会场座无虚席，过道上都挤满了听众。雅虎中国联手代理商，高调推出将3721实名业务与雅虎搜索竞价排名结合在一起的“实名搜索”，标志着阿里巴巴的“搜索+电子商务业”模式亮相。

马云对搜索市场的同质化竞争早有看法。2005年底，马云宣布：“前面是同质化竞争，后面将是差异化竞争。我觉得明年开始，搜索引擎的差异化就出来了。”

雅虎中国副总裁田健这样注解雅虎中国的“差异化”：“我们下一步会更注重分享，更注重社区化、个性化的发展方向。”但新雅虎中国最大的差异化竞争是电子商务搜索。

马云称：“阿里巴巴在B2B领域拥有超过900万名商人会员，淘宝网注册会员已经突破1000万人，将雅虎搜索和阿里巴巴的优势电子商务结合，将是新雅虎搜索的另一个杀手锏。我们一定会对阿里巴巴和淘宝网的客户推出套餐。把雅虎搜索资源和阿里巴巴整合在一起，一条代理、广告、搜索、销售的产业价值链即将成型。”

阿里巴巴副总裁金建杭向媒体透露：“电子商务搜索与Google和百度等类型的搜索区别在于电子商务搜索的信息更加有针对性、更加有商业价值并且有风险控制体系。利用阿里巴巴目前电子商务的成功模式，未来的电子商务搜索引擎将具备诚信体系，而支付机制将控制交易中的风险。这种电子商务搜索将降低商业交易的信用成本，消解交易中的风险。与Google的自动排名搜索以及百度的竞价搜索比起来，电子商务搜索的信息无疑具有非常大的含金量，未来Google与百度将受到电子商务强大的挑战。面向企业的搜索产品，才有可能赚到钱。”

“不是让电子商务为搜索引擎服务，而是让搜索引擎为电子商务服务。”雅虎中国的电子商务搜索正是这一逻辑的必然产物。至此，短短4个月之后，阿里巴巴的业务和雅虎中国的业务平行发展的时代结束了。两者业务的融合来得很快也很自然。

“未来全世界的电子商务离不开搜索，搜索引擎是电子商务的组成部分。”在马云和阿里巴巴人眼里，信用、支付、市场、搜索是电子商务的四大发展趋势。如今有了雅虎中国这个搜索引擎，电子商务的四要素阿里巴巴都占全了。

马云和阿里巴巴团队操控的雅虎中国果然一出手就石破天惊，一露面就来势汹汹。

你听听马云的口气："我认为，在中国市场，至少一定会存在三个比较强大的搜索引擎。Google的优势在技术，百度的优势在本土化，我们既有雅虎的强大技术，又有阿里巴巴本土化优势，两者加在一起……现在我不想说我们多好，要不人家又说我很狂了！"没过几天按捺不住的马云还是说了出来："相信用不到一年的工夫，雅虎和阿里巴巴就将超过百度，成为网络搜索市场上的老大。如果我们不能更快采取行动，8～10个月之后我们就永远地失去了机会。要么第一、要么第二，没有第三，所以我们这个第三经过一年两年努力，没有办法成为第二的话，我们就关闭掉。"

雅虎搜索执行总经理田健口气也很大："新雅虎的技术、本地化、团队在国内搜索领域都属于顶尖配置，虽然说搜索领域的NO.2仍有生存空间，但成为NO.2不是雅虎搜索的目标。"

看来雅虎中国此次出击的目标是中国搜索第一，屈居老二不行，平分市场也不行，非要独占鳌头不可。雅虎中国要想达到目标，就必须先灭掉百度，再灭掉Google，他们一个是中国搜索的老大，一个是世界搜索的老大，这可不是件闹着玩的事！

雅虎中国的胜算有多少？马云和杨致远取胜的概率有多少？

先看雅虎中国的优势：

第一，技术优势。马云说："自己可以在中国打败eBay、Google，靠的就是与雅虎并购后取得的YST搜索技术。"马云这里所说YST技术是雅虎斥资26亿美元收购了可以与Google匹敌的Inktomi、Overtune（全球最大的搜索广告商务提供商）、Fast、AltaVista、Kelkoo（欧洲第一大竞价网站）等五家国际知名搜索服务商后，用一年多时间打造出来的。YST技术目前是国际两大顶级网页搜索引擎之一，也是全球使用最高的搜索引擎之一，目前具有全球领先的海量数据库(190亿网页)。阿里巴巴CTO吴炯说："在中国，雅虎搜索依托的雅虎国际领先的搜索技术以及阿里巴巴带来的本地化策略，将是新雅虎搜索角力乃至克敌的左膀右臂。为了缩短用户搜索时间，抓取更多中文网站，在过去几个月内内，雅虎不远千里将超过2000台运行搜索的服务器全部搬到国内，目前雅虎搜索已经实现抓取10亿中文网页，在雅虎美国总部，已经成立了一个全部由顶尖华人工程师组成的技术团队，打造中国人做出的面向全世界的最好的搜索引擎。除了中文搜索之外，雅虎搜索凭借其遍布全球的网站渠道，也可以支持中国用户完成包括英文在内的38种语言搜索。”吴炯这里提到的抓取10亿中文网页正是百度目前达到的技术水准。

第二，资金优势。雅虎和阿里巴巴的并购使雅虎中国拥有巨大资金优势。数亿美金在手的马云，在2005年11月18日央视广告招标会上，砸下8000万巨资拿下网络界的“标王”。阿里巴巴还宣称要将从雅虎处得来的10亿美元的80%投入搜索业务。雅虎中国的资金优势和技术优势主要是相对于百度的。马云说：“我们比百度更国际化，而且在技术长期发展过程中，雅虎的技术投入19亿美元，每年要投入10亿美元以上的研发经费。我们在美国建了一个巨大的研发中心，它的技术可以马上使用，然后进行本土化。”

第三，本土优势。相对于Google，雅虎中国有本土化的优势。互联网跨国公司在中国至今没有一个赢家，究其原因还是输在本土化上。eBay输给雅虎日本，Google输给雅虎日本和雅虎奇魔，也是输在本土化上。网络企业比传统企业受文化因素影响更大。互联网跨国公司独自进入中国市场单练，就像以前的雅虎和现在的Google，迄今为止没有成功的先例：互联网跨国公司收购中国公司，然后采用总部控制模式的，迄今为止，也没有成功先例；卓越网被亚马逊收购后流量下跌，易趣成为eBay易趣后同样进入发展平台期。互联网跨国公司在中国的成功之路在哪里呢？马云站在云头高声指点迷津：“卖给中国人就有可能成功。”雅虎中国就是这种马云模式的代表作。这是一条崭新的本土化模式。这种模式有两个显著特点：一，不是跨国公司雅虎收购阿里巴巴，而是阿里巴巴收购跨国公司雅虎的雅虎中国。二，跨国公司雅虎放弃总部控制，全权把雅虎中国交托给本地化团队阿里巴巴运作。雅虎中国的这种本土化模式使它在同Google竞争时具有明显优势。“新雅虎中国的减肥完全是中国团队自主决定的结果，这个新形象不同于世界任何地方的雅虎。没有通知雅虎总部。有一点需要注意，雅虎中国现在不是带有国际背景的跨国公司，雅虎中国彻底就是阿里巴巴的，是属于中国的，换句话说我明天宣布把雅虎中国彻底关闭也是可以做到的。我们做任何事情都不需要向杨致远报告，我是董事长，他是董事，我把雅虎Logo变了以后他是在美国新闻通告上看到的，他看电视后发现雅虎怎么改了，他发了信说很好。当然雅虎改了不等于成功了，它的路还很长，雅虎需要很长的时间做事情。”由此可见，雅虎中国没有采用总部控制模式。

在这场搜索决战中，雅虎中国的优势是明显的。相对于Google，它有本土化的优势；相对于百度，它又有技术和资金的优势。除此之外，雅虎中国还有没上市的优势，还有阿里巴巴成功复制淘宝的优势。

但雅虎中国的劣势也很明显：

第一，后发劣势。雅虎中国进军搜索时，Google和百度已经抢先占领了市场，其先发优势和先入为主效应都很明显。Google成为世界英文搜索第一、百度成为世界中文搜索第一的时间都不长，他们在美国股市上创造的神话人们记忆犹新，人们对这两个品牌的认知度和忠诚度都很高，要想把用惯了百度和Google的用户拉到雅虎中国的确不是一件易事。于是有人就说你马云也不能口吐莲花啊！

第二，市场变数很大。中国搜索市场和世界搜索市场的变数都很大。加入中国搜索市场角逐的不是只有雅虎中国、百度、Google三家，还有新浪、搜狐等门户网站，还有大大小小的桌面搜索、专业搜索、个性搜索网站，中国搜索市场的格局随时会变。互联网市场的变数则更大，今天搜索红极一时，明天搜索就可能司空见惯。就连Google也在向搜索之外的领域拓展。雅虎中国孤注一掷玩搜索也有风险。另外，虽然搜索是雅虎的老行当，但对于马云还是新鲜事物，雅虎中国的总裁毕竟是马云。

第三，跨国并购文化整合很难。虽然11月9日阿里巴巴宣布雅虎中国整合结束，但马云承认：“整合现在完成的只是第一步，估计阿里巴巴和雅虎非常默契地融入，可能需要18个月。合并以后整合为一家新公司，成为最伟大的公司还有很长的路。”人员整合和业务整合并不是最难的，最难的是文化的整合。马云说：“好比十七八岁的时候两个人谈恋爱，总要经历一个相互磨合、相互了解的过程才能进入婚姻的殿堂。文化的整合，只是合作的基石。”阿里巴巴和雅虎中国的文化整合还刚刚开始。马云说：“世界80%的收购是失败的，中国收购公司一加一很多是小于二的，我们企业的整合，雅虎的文化在一起怎么样发展，如果成功可以给很多的兼并合作提供一些经验。”阿里巴巴是一个企业文化非常独特的公司，也是一个靠文化制胜的公司。双方谈合作时，彼此的文化相互都不甚了解。杨致远就直言：“价值观念大家不太了解。”虽然杨致远是中国血统，但雅虎毕竟是地道的美国公司和跨国公司，阿里巴巴与雅虎的文化整合不会一帆风顺，而且也需时日。

除了以上三条劣势外，雅虎中国面临的对手非常强大。百度在搜索技术汉化方面已经遥遥领先了，更别提Google这个神速崛起的巨无霸，这个连微软都奈何不了的后来居上者，谁轻视它谁就会遭殃。

2005年11月14日，Google发布的衡量网站与网上营销活动效能的免费服务——Google Analytics，让国内的搜索网站感到一些恐慌。Google Analytics被称作“榨汁机”和“毒苹果”，其作用是挤干搜索网站提供的点击量数据中的水分。这是Google向包括雅虎中国在内的竞争对手的重拳出击。面对这个重拳，马云却泰然自若：“这样的服务早就有了吧？对雅虎中国能有什么影响？现在还有什么能影响雅虎中国？”

阿里巴巴与Google和百度的搜索决战胜负还很难预料。阿里巴巴和雅虎中国完全可能在中国市场打败Google和百度，成为中国的搜索之王。马云说：“与百度相比，雅虎中国搜索的优势是有更加国际化的资源，包括资金和技术上的支持。而Google的问题在于不够本土化，Google在中国起码还要再犯5年错，雅虎中国做错过的，他们也会错。雅虎搜索超越它们并非不可能。”一向自信的马云，战胜百度和Google的信心很足。

当然雅虎中国也可能失败。

对于失败，马云是有心理准备的。马云说：“阿里巴巴收购雅虎中国，目前只是收购的行为成功，但是后面到底怎样，我现在也很担心。”他还说：“也许三年以后我告诉大家，我失败了。”

但马云是不会轻易认输的。“今天雅虎搜索引擎已经做到第三名、第四名，今天Google凭市值1000亿美金打败雅虎中国是应该的事情，但是万一被雅虎打败了事情就又要变成一个奇迹了，所以我们打一个赌，5年以后大家看看雅虎中国会是一个什么样的公司，等着看。”看来天生爱赌的马云又要做一回赌徒了。

2005年是阿里巴巴走向巅峰的一年，也是马云在网络江湖兴风作浪的一年，他先后向eBay和Google两个世界网络巨人叫板，先后在C2C和搜索两个领域搅局。

2005年也是阿里巴巴经受更为严峻考验的一年，也是马云感受压力最大的一年。

2005年底，正当阿里巴巴高歌猛进时，马云第二次宣布公司处于危机状态。“因为别人都说你好的时候，问题一定来了。”这是马云逆向思维的结论。

雅虎之痛

2005年9月，阿里巴巴创建6周年。此时的马云可谓春风得意。他一手打造的阿里巴巴王国已经拥有了阿里巴巴B2B，淘宝C2C，支付宝和雅虎中国四大业务。阿里巴巴的业务飞速挺进，马云和阿里巴巴的名声更因收购雅虎中国而响彻全球。

2007年9月，阿里巴巴创建8周年。此时的马云可谓踌躇满志。他手中的阿里巴巴B2B业务增长了两倍，淘宝网占据了中国80%的市场份额，支付宝占据中国的半壁江山。阿里巴巴成为中国最大网上B2B公司，占据中国B2B电子商务市场大部分份额。使用第三方经营的B2B网上交易市场或其他电子商务平台的中小企数目不断上升。根据统计显示，付费使用第三方B2B平台的中小企数目由2002年约2万家增至2006年约3.5万家，《华尔街日报》推算2012年会增至160万家，预计年增长率达104%。高盛集团则预计2007年阿里巴巴网站的利润可达8380万美元，比2006年大增186%。而阿里巴巴自己的公布财务数据显示，截止到2007年6月30日，公司营收9.57亿元，相比2006年同期增长61%。此前，杭州税务部门曾披露，阿里巴巴2005年纳税每天超过100万元，总额超过2.5亿元，2007年，预计净利润将增长近2倍，达到6.22亿人民币。

但此时的马云，大喜之中还有隐忧。雅虎中国成了他心中的尚未除去的痛。

阿里巴巴收购雅虎中国之后，马云坦言：“我接手的时候雅虎中国已经很危险了，差不多被抽空了，随时会倒掉！雅巴合作不仅是两个公司的整合，而是7个公司的文化整合。”

为了重振雅虎中国，新老板马云为其制定了三年的整合计划：第一年是求存，第二年是健康运营，第三年是强劲发展。

收购三个月后即2005年11月，马云对雅虎中国进行了大改造，将雅虎中国从门户改造成搜索。大调整之后，原3721网络实名、短信、门户广告收入只剩下3721网络实名以及雅虎搜索带来的广告收入。其后，马云开始投入巨资进行雅虎搜索的宣传推广。先是斥资8000万元夺取了CCTV新闻联播后5秒广告的播放权，然后斥资3000万元拍摄“雅虎搜星”广告片。

雅虎中国决战搜索一年的战绩如何呢?

根据易观国际统计数据，雅虎中国一年来广告份额有所下滑，搜索市场份额也在下跌。

易观国际分析师黄涌涛认为，雅虎中国与阿里巴巴的整合影响了其市场业绩和搜索市场份额。

据分析师黄涌涛介绍，在2006年二季度中，雅虎中国的全部广告收入占整个在线广告市场的8.06%，而去年这一数据为9.48%；其中，搜索广告市场份额为18.18%，而去年这一数据为26.98%。而宣传雅虎搜索的巨额广告也收效甚微，从百度和Google转向雅虎搜索的用户也寥寥无几。

马云也承认：“过去一年是最为艰难的一年。”但马云坚信三年时间可以让雅虎重返第一梯队。当时雅虎中国的营收占据整个集团的10～15%，旗下B2B业务占到营收的70～80%。

2006年8月，马云任命的雅虎中国现任总经理田健与原雅虎中国总经理周鸿祎发生了一场中国互联网史上最具影响力的口水战。口水战的焦点是流氓插件。

9月9日，杨致远表态：“现在他（指周鸿祎）做事似乎有个人化的情绪在里面，这不太合适。”与此同时，身为雅虎中国总裁的马云则直接批评周鸿祎掏空了雅虎中国。

2006年10月17日，阿里巴巴宣布谢文出任雅虎中国执行总经理，田健调任集团投资部副总裁。马云肯定了田健的业绩，认为雅虎中国在第一阶段的收购整合已经完成，也就是“诊断”阶段结束，开始进入“康复”阶段。

与此同时，雅虎中国的战略发生了变化，雅虎中国的首页又从搜索改回了门户。一年走了一个轮回。

由于雅虎中国门户改搜索的战略没有成功，于是业内流行起“杨致远对马云在雅虎中国的整合工作很不满意”的说法，甚至传言“杨致远责令马云把雅虎中国首页改回去”，对此马云笑着回答：“完全是无稽之谈，只要我愿意，我甚至可以把雅虎中国改得只有一个字，杨致远没有权利干涉我的决定。”马云还说：“雅虎中国就像是一个重病的病人，需要推上手术台做大手术，而我才是主治医生，具有最高的决策权，其他人只能给建议，而不能提要求。雅虎中国与雅虎美国之间没有任何报告的关系。所以即使是杨致远，合理的建议我会听，我认为不合理的他说一万句也没用。”

马云的强硬由此可见一斑。

雅虎中国从搜索改回门户之后，业绩并未能好转。雅虎中国门户的人气依然上不来。2006年8月2日，由于合同到期，微软、中国电信与“雅虎网络实名”中止了地址栏搜索的合同，这对于通过中文网络实名获益的雅虎中国来说是一个不小的打击。8月15日，雅虎中国再次宣布改版。业界认为雅虎中国创造了国内网站首页大调整的纪录。从庞杂的门户到简捷的搜索数次变身，此次又提出“搜索”加“编辑”的复杂概念。同时，雅虎还发布了一个跟百度相似的搜索页面。

雅虎中国的频繁改版和多次调整战略，说明马云和雅虎中国的高层还没有找到雅虎中国的突破口。

2006年9月9日，马云与杨致远在北京会面。马云对杨致远直言：“如果说自己已经完全想清楚，那是在说谎。雅虎必须要有创新，不是传统的门户，也不是纯粹的搜索，至于具体是什么，还要看发展。”

会面之后，马云还说：“阿里巴巴同雅虎的合作并不算成功。”

有业内人士断言：“杨致远已经在选择退出中国市场了，作为股东他只关心马云的业绩。”

2006年9月22日，国内影响巨大的IT杂志《IT时代周刊》的封面文章是：“雅虎兵败中国”。这篇重头文章的导言是：“酋长”杨致远的雅虎在全球互联网市场笑看天下，唯独在中国不得其门而入。雅虎在中国的摸索不可谓不短。在长达7年的前行中，他们一直磕磕绊绊，把独立运作、并购、合作等几乎所有的本地化方式都尝试了一遍后，雅虎中国仍然处在主流市场的边缘。杨致远自始至终“错”在哪里？为什么具有相同业务模式的本土公司活得相当滋润，而雅虎中国却始终无法亢奋起来？为什么张平和、周鸿祎和马云等人都无法施针用药，痼疾到底在哪里？

这期杂志的封面是一幅漫画：头缠绷带的马云抬着一副担架，担架上躺着的正是“雅虎中国”。

阿里巴巴收购雅虎中国至今已经两年。马云对雅虎中国的整合和改造还没有成功的迹象。雅虎中国依然是马云心中的痛。

但雅虎中国会成为马云心中永远的痛吗？阿里巴巴对雅虎中国的并购会以失败而告终吗？马云会栽在雅虎中国身上吗？

轻易放弃不是马云的性格，知难而退更不是马云的性格。马云的抗击打能力是超乎常人的。何况，雅虎中国目前的困境和网络冬天时阿里巴巴的困境不可同日而语。

2007年8月，马云对媒体这样说：“这家公司我们要做成盈利很容易，但是我希望每家公司必须成为No.1。因此，我把它的武功全废了，从头开始。雅虎中国无线业务一个月七八百万的收入，色情小广告一个月三四百万的收入，我先把他们砍了，因为我们要讲诚信。雅虎中国网站首页原来密密麻麻，我把它简单化，搞成一页，不行就再搞大，训练大家拥抱变化。雅虎原先的文化是做任何东西都要让老板开心，阿里巴巴是做任何东西必须让客户开心。为了调整，我把雅虎的员工带到杭州，让他们看一个优秀、健康的公司文化到底怎么样。我承诺一年不会裁撤员工，一年到了以后，我全面改制文化。今年雅虎中国开始恢复元气，原来肚子剖开都是癌细胞，现在癌细胞没有了，人很虚弱。先不忙挣钱，养身体，然后练基本功，有的是机会。”

不久前，马云在参加路透社举办的“中国：全球消费者高峰会议”期间宣布：“雅虎旗下中国业务整合顺利，预计明年将会盈利。”

第六章

独孤但不是求败

价值观是一个公司安身立命的核心。我们有九大价值观，不是编出来的，而是自己积累出来的。每一个新来的员工都要从这里学起。我们的价值观不是贴在墙上，而是放在每个人的口袋里。公司的价值观就像穿在珍珠里的那根线，跟珍珠相比，这根线最不值钱，但没有线，珍珠会掉得满地都是。

——马云

21 安身立命价值观

企业文化是什么？企业文化就是企业的价值观和行为准则。在中国许多企业，企业文化开始就是企业创建者和灵魂人物的文化，继而是领导层的文化，然后才是全体员工的文化。

在阿里巴巴，企业文化开始表现为马云的价值观和行为准则，稍后表现为18个创始人的价值观和行为准则，再后表现为上百名老员工的价值观和行为准则，最后表现为阿里巴巴2500名全体员工的价值观和行为准则。

阿里巴巴的企业文化由使命、目标、价值观、“四项基本原则”和“三个代表”组成。

表述

阿里巴巴企业文化的标准表述如下：

使命：让天下没有难做的生意

目标：做102年的企业，做世界10大网站，是商人就一定要用阿里巴巴

价值观（六脉神剑）：

客户第一

团队合作

拥抱变化

激情

诚信

敬业

“四项基本原则”：

唯一不变的是变化

永不把赚钱作为第一目的

客户第一、员工第二、股东第三

永不谋求暴利

“三个代表”：

第一代表客户利益

第二代表员工利益

第三代表股东利益

以上应为阿里巴巴企业文化的正式版本。在这个表述中，我们可以看到两个重复：一，六脉神剑中的“拥抱变化”和“四项基本原则”中的“唯一不变的是变化”。二，“四项基本原则”中的第三项和“三个代表”，但也可以看作是两次强调。

阿里巴巴企业文化有一个演变过程：

第一阶段：可信、亲切、简单。在湖畔花园创业时代即2000年3月至2001年3月，阿里巴巴在实践中提出可信、亲切、简单的口号。当时阿里巴巴的价值观还没有总结出来，这三句话六个字就成了阿里巴巴18个创始人和前100个老员工的行为准则，它也是阿里巴巴价值观的源头和雏形。

第二阶段：独孤九剑。在华星时代初期，也就是在阿里巴巴最危机最艰难的冬天，2001年1月13日，阿里巴巴第一次将企业文化总结、提炼、固化为文字，这就是“独孤九剑”。阿里巴巴的这九大价值观是：创新、激情、开放、教学相长、群策群力、质量、专注、服务与尊重、简易。

第三阶段：六脉神剑。创业大厦时期，2004年8月，阿里巴巴将独孤九剑简化变动为“六脉神剑”。并提出“四项基本原则”和“三个代表”。

阐释

对“可信、亲切、简单”的阐释：

彭蕾说：“可信就是诚信，后来演变为价值观，又衍生出‘诚信通’产品。亲切就是人性化和人情味。就是阿里巴巴与客户亲如一家。简单就是阿里巴巴的页面和软件要简单，因为商人应用网络的水平不高。简单还包括公司人际关系要简单，杜绝办公室政治；所有的争论都要留在办公室，不准带出办公室。”

对独孤九剑的阐释：

关明生说：“阿里巴巴的独孤九剑有两个轴线。一是创新轴：创新、激情、开放、教学相长。激情是阿里巴巴的核心。阿里巴巴为什么会激情无限，永不放弃，永不言败？可以输，可以败，但不能言败，因为这就是马云的本质！激情来自马云小时候的学外语的经验总结，来自中国黄页和外经贸部时的经验总结。开放，阿里巴巴的氛围很特别，没大没小，不明白的人可能受不了。大家有什么说什么。阿里巴巴的人没人因为害怕不敢找我，不敢和马云说心里话。二是系统轴线：群策群力、质量、专注、服务与尊重。质量就是客户第一、客户满意。我的话就是：今天的最高表现是明天的最低要求。专注就是做正确的事，做重要不紧急的事，做紧急不重要的事。群策群力就是平凡的人做平凡的事。贯穿创新和系统轴线的是简易。创新要简易，系统也要简易，简易就是防止内部产生官僚主义作风，防止办公室政治。”

马云说：“阿里巴巴是一批有激情有理想的年轻人聚在一起，想创建一家伟大的公司。这件事从未有人做过，要逐渐的完善，需要所有人的配合。年轻的团队容易产生激情，但更容易因挫折而失去激情。在兵荒马乱时期要保持长时期的激情对一支年轻的团队而言尤为艰难。但艰难时期更需要激情，从工农红军到1949年全国解放，共产党凭着坚强的信念和永不放弃的激情取得了成功。激情应该是永远留在心中的！短暂的激情只能带来浮躁和不切实际的期望，它不能形成巨大的能量；而永恒持久的激情会形成互动、对撞，产生更强的激情氛围，从而造就一个团结向上充满活力与希望的团队。永不言败，永不放弃，不仅是对公司而言，更是对公司里的每个同事而言，是对自己人生和职业生涯的一种态度。一个有追求的人会不断唤醒自己的激情，并用自己的激情去影响四周的人；得过且过不是阿里人崇尚的作风！”

对六脉神剑的阐释：

客户第一：

客户是衣食父母

无论何种状况，微笑面对客户，始终体现尊重和诚意

在坚持原则的基础上，用客户喜欢的方式对待客户

站在客户的立场思考问题，最终达到甚至超越客户期望

平衡好客户需求和公司利益，寻求双赢

关注客户需求，提供建议和资讯,帮助客户成长

团队合作：

共享共担，平凡人做非凡事

乐于分享经验和知识，教学相长

以开放的心态听取他人的意见；表达观点时，直言有讳

在工作中，群策群力，拾遗补缺；不是自己份内的工作，也不推诿

决策前充分发表意见，决策后坚决执行

有主人翁意识,积极参与，促进团队建设

拥抱变化：

迎接变化，勇于创新

对于行业和公司的变化，认真思考并充分理解,积极接受

对于变化对个人产生的影响,理性对待，充分沟通,诚意配合

面对变化，积极影响和带动同事

在工作中具备前瞻意识，不断尝试新方法，新思路

即使变化后产生了挫折和失败,也能重新调整,以更积极的心态拥抱下一次变化

激情：

乐观向上，永不言弃

对公司，工作和同事充满了热爱

以积极的心态面对困难和挫折，不轻易放弃

不断自我激励，自我完善，寻求突破

不计得失，全身心投入

始终以乐观主义的精神影响同事和团队

诚信：

诚实正直，言出必践

胸怀坦荡，对事不对人

言行一致，不受利益或压力的影响

勇于承认错误，敢于承担责任

不传播未经证实的消息，不背后不负责任地议论事和人

坚持原则，不随意承诺或妥协

敬业：

专业执著，精益求精

今天的事情不推到明天；自己的事情不推给别人

专注工作，做正确的事情

在工作上以较小的投入获得高效的产出

以专业的态度，平常的心态对待每件事

持续学习，不断提升，今天的最好表现是明天的最低要求

对使命和目标的阐释：

马云说："一个企业为什么而生存？使命！这一点我很自信。我参加过很多世界性的论坛，全球大企业的CEO讲的就是这些东西，而中国的企业都不相信。是我们犯过的一些刻骨铭心的错误，促使我们提出价值观、使命感和共同目标。"

"让天下没有难做的生意是一种使命感。90%的《财富》500强CEO都有很强的使命感。你有很强的使命感，你就有冲劲和狂热。"

"100年以前通用电气生产电灯泡时，他们的使命是'让天下亮起来'，生产的灯越亮越好；迪斯尼乐园创建时他们的使命是'让天下的人开心起来'，他们做的都是开心的东西，我们提出的使命是'让天下没有难做的生意'，这让我们彻底地改变。"

"阿里巴巴想做102年的企业，为什么呢？我们是成立在1999年，上世纪我们活一年，这个世纪我们再活100年，下个世纪我们活一年，正好是102年，马云不可能待在这个公司102年，我有可能待5年、7年、10年，不可能待得太长，我主要的职责是帮我的继承人把整个公司的机制建好，这个企业才会不断地成长起来，今后我离开这个公司以后，公司会更加发展壮大，这才是一个优秀的企业者，或者领导者做的事情。"

对"四项基本原则"和"三个代表"的阐释：

马云说："但无论如何，我希望大家记住阿里巴巴的'四项基本原则'和

‘三个代表’。‘四项基本原则’的第一条是，唯一不变的是变化。我们在不断的变化中求生存，在不断的变化中求发展。如果发现公司没有变化，公司一定有压力，所以说我希望告诉你们每一个人，看看你自己的成长，是否带来变化，Transformation也是变化。我们的网站，Traffic，我们的Revenue，各方面是不是有变化，我们的服务的策略是不是有变化。我们要不断地去适应这种变化，如果你觉得昨天赢的东西你今天还要希望这样赢，很难了。一定要创新，变化中才能出创新，所以要学会在变化中求生存。第二，永远不要把赚钱作为公司的第一目标。赚钱，它是个Result，不要把赚钱作为我们的目标，否则我们都会很累。我们真正要做的是帮客户创造价值，创造独特的价值，与其他所有网站其他企业都不一样，我们做的要比别人做的好。第三个，我们讲‘三个代表’，第一必须代表客户利益，第二必须代表员工利益，第三才是代表最广大的股东利益。所以请记住，阿里巴巴公司就是把客户利益放在第一位，因为我们要走80年。80年中，谁支持我们钱？谁支撑我们往前走？就是客户，就是社会。但是员工的利益也要记住，高度保证。接下来才是股东的利益，我们不希望把股东利益放在第一位。这个次序不能变。第四条，阿里巴巴永不追求超额的利润，不追求暴利。我们追求公平合理的利润和收入。公司要追求公平合理，我们每个员工对自己的收入也要公平合理。因为人好了总是还想再好，但是我觉得公平合理才能有利于长远。这就是我们的‘四项基本原则’和‘三个代表’，我希望大家能够高度重视这些，这是我们公司最近订下的能够看到、站得住脚的东西。”

“很多人问我，马云你在搞什么？我说我们正在‘延安整风’，我们还要搞价值观，使命感。他说怎么那么虚？我说你们呢？赚钱、赚钱还是赚钱。但是我相信在中国的企业里面，如果没有共同的目标、共同的使命感、共同的价值观不行，明确你的目标以后，你必须让每一个员工，甚至门口的保安、甚至打扫卫生的阿姨都明白你的使命感才行。前面的方向都不一样，怎么弄？生意人一切以钱为主，什么赚钱做什么怎么行？商人是有所为，而有所不为，企业家是去改变社会，赚钱是他的一个结果，不是他的目的，很多生意人就是想把赚钱作为目的，怎么做也做不大。我们讲使命感、价值观和共同目标，我们的客户非常认同。我问客户，你们有目标吗？他说，有，我们要赚100万。我又问，你的员工知道这个目标吗？他说，不知道。你去问问我们任何一个员工阿里巴巴的目标是什么，每一个人都知道。大家统一目标，力量才会朝一个地方用。我们的企业不是为赚钱而成立的。赚钱是商人最基本的技能，但不是唯一技能。”

22 潜心修炼终成六脉神剑

2001年10月在中央电视台“对话”中见面的GE新任CEO杰夫·伊梅尔特，听完关明生介绍的阿里巴巴价值观，笑着说：“中国市场很有潜力。”GE的价值观是GE保持109年不断成长的力量之源，同样，阿里巴巴的价值观是阿里巴巴成功的根本原因。

阿里巴巴的企业文化在固化为文字的过程中学习和借鉴了GE，但学习和借鉴的主要是表述方式，阿里巴巴企业文化的核心内容都是自己的。阿里巴巴文化的建设一开始也许并不是自觉的有意识的，从形成到固化，从口头到文字用了整整两年的时间，独孤九剑的提出已是2001年2月的事了。从固化到充实，从复杂到简单，从九条到六条，又用去了两年时间，六脉神剑的确定已是2004年8月的事了。

从1998年底创业到2004年8月六脉神剑出台，时间跨度是5年零8个月。

阿里巴巴文化主要来自一人，但并非全部来自一人；主要形成于18个创始人，但并非全部形成于创始人。阿里巴巴文化有一个产生、形成、汲取、丰富的过程。

我们再仔细琢磨一下阿里巴巴文化形成过程：开始是一个激情四溢、雄心勃勃、有梦想有目标也有价值观的灵魂人物，然后是物以类聚，人以群分，在这个灵魂人物的周围聚集了18个思想行为相同或相似的创始人，然后是灵魂人物的价值观慢慢渗透到18人的团队中，然后是18个人的价值观影响和丰富了团队的价值观。也可以这样说，是马云塑造了一个有共同价值观的18人的团队，然后，马云和创始人团队又用其价值观共同影响塑造了一个一二百人的老员工团队，目前这支以老员工为基础的团队正在用其价值观影响和塑造一支有2500人的庞大团队，未来这支几千人的团队将要影响和塑造一支几万人的阿里巴巴团队。

阿里巴巴把自己的文化命名为独孤九剑，后来又改为六脉神剑。阿里巴巴的文化是独孤的吗？当我们拿它和GE的价值观和蒙牛的企业文化相对比之后就会发现，三家著名企业的文化有许多相似之处，但又各有鲜明特点。阿里巴巴企业文化的独孤之处，不仅在于它的表述方式，而且在于它的内涵和外延，在于它的灌输和传承方式，还在于它的运用和发挥方式。

如果问阿里巴巴的企业文化的效应如何？回答肯定是多方面的。

没有阿里巴巴文化，很难想象阿里巴巴的成功；没有文化，阿里巴巴的冬天很难熬过；没有文化，非典危机也很难度过。阿里巴巴文化的作用是全方位渗透的，是潜移默化又是可圈可点的。

文化的作用不仅仅是统一思想，凝聚人心，统一行动，提高效率，减少交流成本，激发员工斗志……文化一旦成为企业的血液、基因和品格，它的作用就会无时无刻、无处无地地显现出来。

马云说："我去美国纽约参加大会，克林顿夫妇讲了一个关于使命的道理，也让我心里一下子豁然开朗。克林顿讲，美国在军事、经济方面在全世界是一流的，美国的总统也是一流的，没有可以模仿的人，美国到底应该怎么走，可以模仿谁？是使命引导美国向前走。中国的很多互联网公司可以模仿雅虎、Aol、亚马逊、eBay，阿里巴巴模仿谁？我们只能跟着使命感走。"

阿里巴巴的商业模式没有模仿任何人，同样，它的文化也没有模仿任何公司。

阿里巴巴的企业文化是独创的。如何评价这种独创的文化？还是让我们在文化比较中寻找它的位置。

形成

如果我们把"可信、亲切、简单"算做阿里巴巴企业文化的雏形，这6字方针的提出是在2000年底的一次员工大会上。当时是作为一个口号提出的，以后也没有将其作为企业文化固化为文字。

阿里巴巴第一次将自己的文化总结、提炼、精简并固化为文字是在2001年4月，这次形成的文字就是阿里巴巴的9大价值观，被命名为独孤九剑。

独孤九剑的出台与新COO关明生有关。GE是以价值观闻名于世的百年老店，在GE供职长达16年的关明生自然会关注阿里巴巴的价值观。

关明生说："2001年1月13日，星期六，是我就任阿里巴巴COO的第5天。在我的办公室里，当时有我、马云、吴炯、金建杭、彭蕾5个人，一起讨论。我说：重要的是文化、目标、使命和价值观，这是吸引我的地方。我问马云：Jack，阿里巴巴有没有价值观？马云说：有啊。我说：你是否写下来？马云说：我们从来没有写下来。我说：我们为什么不把它写下来？办公室里有个玻璃白板，我拿起了笔，5个人讨论，很快，一分钟，目标就出来了：做80年的企业，做世界10大网站之一，只要是商人就用阿里巴巴。后来改为102年，横跨三个世纪。阿里巴巴的与众不同就是因为它有了不起的目标。马云的魅力之一就是很懂得把复杂的东西变得很简单，让每个人都有很大的空间。阿里巴巴的使命：让天下没有难做的生意，是金建杭提出来的。这个使命太好了，让客户觉得阿里巴巴就是不一样。后来成为销售必讲的一句话，许多中小企业老板觉得很特别，他们说，你们讲这个东西，要么你们真相信这个东西，要么你们疯狂。讨论到价值观，金建杭拿出厚厚一叠纸，从1999年马云做黄页开始，所有的感觉、教训、血泪，都写在里面。我说，这样做不行，都抄出来上百万字，不可能成为价值观，太复杂。于是大家一起讨论，谈了几个小时，变成了9条。"

马云说："我们的首席运营官关明生先生曾在通用电气公司工作了16年。我和他探讨这个问题，他说通用电气成功有个很重要的原因是它的价值观和使命感。"

彭蕾说："是关明生把GE的价值观文字化。一个人概括不准确，于是4个人加上我，在马云的办公室里，一起提炼阿里巴巴最核心的东西，最不能丢的东西，写出了20多条，瘦下来瘦到9条，不能再减了。这就是阿里巴巴的独孤九剑。"

李琪说："公司并不是为了赚钱而捞几个口号出来。这些东西如果我们都做不到，下面的人又怎么做？这些价值观是从领导层的行为准则里抽出来的，我们大家都是这样的人。"

金建杭说："阿里巴巴团队的文化很关键。一群来自五湖四海的人，有了共同的信念和价值观，大家一起做事就非常通气。企业文化的建立与马云有关系。马云组建团队时，包括了自己的价值观。例如客户第一，关注客户体验，把客户当做衣食父母，都是马云身体力行的结果。阿里巴巴的价值观，从独孤九剑到六脉神剑，都有一个倡导、认同和遵守的过程。”

独孤九剑形成文字后，就成为阿里巴巴价值观的第一个正式版本。独孤九剑作为价值观在阿里巴巴灌输了三年多，它不但成为阿里巴巴员工的行为准则，而且一出台就进入了员工的绩效考核中。由独孤九剑加上使命和目标构成的阿里巴巴企业文化也是阿里巴巴向世人宣传的重要内容。

2004年8月，为了便于记忆，阿里巴巴决定将独孤九剑进行简化。简化的过程是先由人力资源部门拿出基本方案，然后召开由100多位员工参加的座谈会，再由阿里巴巴高层对座谈会结果再讨论，最后是投票表决。六脉神剑最终诞生。

比较

阿里巴巴文化的独孤九剑独孤之处何在？先让我们把阿里巴巴的文化内容与另外两个著名企业的文化内容做一个比较。

GE是世界著名的百年老店，GE文化更是影响全球。阿里巴巴在总结和固化自己的文化时曾经借鉴过GE文化。

GE价值观

我们所有人，永远坚定地保持正直的品格

满怀激情地促成客户的成功

看重“六西格玛”品质，确保用户是它的第一受益者，并用它加速自己的成长

坚持做到卓越，决不容忍官僚主义

按照无边界的方式行事，时时探索和应用最好的理念，无论它来自何处

珍视全球的智力资本及其提供者，尽可能地建立多元化的团队

明了变化所带来的发展机遇，如数字化

建立一个清晰、简洁、以用户为中心的远景规划，并在实施过程中

加以更新和充实

建立一个舒展、兴奋、随意、信任的环境，奖励改进，取得成果即行庆祝

展示对用户永远具有感染力的热情，领导能力的四个E：欢迎并能应对高速变化的个人能力，创造能激励他人的环境能力，进行困难决定的决断能力，以及坚持不懈进行实施的能力

永远保持坚定的诚信

用质量去推动增长

视变革为可以带来增长的机会

两种文化有何相同相似之处？

激情是两个企业文化中共同强调的东西。马云说：8年来唯一没变的是激情。杰克·韦尔奇说：在我看来，四个E是与一个P（Passion激情）相联系的。阿里巴巴把激情写进独孤九剑，也写进六脉神剑。阿里巴巴价值观文本从独孤九剑演变到六脉神剑时，唯一保留的就是激情。GE的价值观卡上也有激情和热情。虽然两种文化中都有激情，但似乎阿里巴巴文化对激情的强调更厉害，也许是因为阿里巴巴的员工比GE的员工年轻得多。

客户第一也是两种文化共有的。在阿里巴巴文化中，它直接表述为“客户第一”；在GE文化中，它表述为“满怀激情地促成客户的成功”和“确保用户是它的第一受益者”。

反官僚主义也是两种文化都有的。在GE，它直接表述为：决不容忍官僚主义；在阿里巴巴，它表述为：简易。其实反官僚主义只是简易中的一个内容，它更重要的内容是反对办公室政治，反对内斗和内耗。两种企业文化的不同表述反映了其身后的两国大文化的差异。

积极应对变化同样是两种文化共有的。阿里巴巴的表述为：拥抱变化，并在其“四项基本原则”中再次强调：唯一不变的是变化。GE的表述为：欢迎并能应对高速变化的个人能力、视变革为可以带来增长的机会。

看来对应对变化的强调阿里巴巴甚于GE，这也许是因为阿里巴巴所属的互联网行业的变化要远远大于GE所属的传统行业的变化。

诚信也是两种文化共有的。诚信是阿里巴巴六脉神剑中的一条，而永远保

持坚定的诚信也是GE价值观卡上的一条。

以上五条为两种企业文化的相同之处。相似之处有：阿里巴巴强调敬业，GE强调正直的品格；阿里巴巴强调团队合作，GE强调建立多元化团队；阿里巴巴强调开放，GE强调无边界。

两种企业文化的不同之处也是很鲜明的。阿里巴巴企业文化中的“永不把赚钱作为公司的第一目的”，“客户第一、员工第二、股东第三”，“永不谋求暴利”，都是GE企业文化中所没有的。同样，GE企业文化中的“坚持做到卓越”和“珍视全球的智力资本及其提供者”，也都是阿里巴巴文化中所没有的。

蒙牛是中国成长最快的传统企业。蒙牛文化的鲜明特点早已引起业界的关注。

蒙牛文化

使命：

百年蒙牛

强乳兴农

愿景：

愿每一个中国人身心健康

创第一品牌、建中国乳都

做世界乳业领先企业

员工六项修养：

做自我超越的人

做有使命感的人

做品德高尚的人

做争创一流的人

做有团队精神的人

做学习创新的人

文化精髓：

大胜靠德

大智靠学

大牌靠创

文化口号：

与自己较劲

财聚人散、财散人聚

经营人心

阿里巴巴文化与蒙牛文化相比，相同相似之处有强调使命，强调团队，强调学习；不同之处就太多了。简言之，蒙牛文化的重心在“德”，阿里巴巴文化的重心在“情”。

企业文化说到底是企业的基因和灵魂，是企业的核心竞争力。没有文化的企业没有前途，没有优秀文化的企业没有远大前途。企业文化的产生和形成有复杂的背景和原因，企业文化的优劣和高下最终决定着企业的命运。

如何评价阿里巴巴的文化？在文化整体比较中的评价可能更为客观更为中肯。

在甲骨文、微软等跨国公司干过16年的阿里巴巴人力资源部副总裁邓康明，自然会把阿里巴巴的文化同跨国公司的文化做比较，比较的结果是：“阿里巴巴在公司建制与文化建设方面与跨国公司一样。阿里巴巴在企业文化建设方面比微软还先进。微软到了2001年，员工已经有5万人了，才谈企业文化，谈微软的价值观；组织领导层学习，然后沉下去贯彻，固化不容易。这同马云在企业艰难时贯彻企业文化不一样。阿里巴巴幸运的是在很早期就把企业文化明确下来贯穿下来。很多企业是到了20岁、50岁才回过头来相信什么是企业文化，什么是行为准则；这跟3岁时不一样。阿里巴巴在企业文化建设方面领先了许多，围绕核心理念设计产品潜力很大。”

同样在甲骨文和雅虎工作多年的阿里巴巴CTO吴炯把阿里巴巴同硅谷企业做了比较：“硅谷对文化强调少。硅谷的技术公司很随便，强调创新和激情。一开始关明生在阿里巴巴推行价值观，我持怀疑态度。后来发现它有凝聚力，是个法宝。缺少价值观是硅谷的缺陷，所以硅谷公司昙花一现没有第二产品的例子很多。硅谷的弊端是讲价值观不够。现在我相信价值观相信得五体投地，如果把这些东西拿到硅谷去，硅谷会更成功。”

工程技术副总裁王涛，以前是金山的CTO，也在许多大公司工作过，他说：“阿里巴巴在员工考核方面比较重视价值观。价值观实实在在落实在考核上，占了很大比重。阿里巴巴的管理简单有效，整体人员的回报比较明确，考核和业绩结果导向更明确，这是阿里巴巴的一些特点。金山有企业文化，但没有落实到考核上。”

中国供应商副总裁李旭辉，来自台湾公司，他说：“2001年初阿里巴巴把9大价值观文字化。台湾公司有很好的价值观，像华硕，但阿里巴巴的文化和他们有很大区别，形成强烈对比。最能表现价值观的是一线销售人员。要想他们很快有业绩，主要是靠价值观。在阿里巴巴，销售人员愿意分享交流，团队合作，百年培训具体在实践上，不只是口号。无私交给下面分享，这跟以前的公司有很大的区别。以往的公司的销售人员有好东西，但老人想维护自己的既得利益，不愿分享，怕下面人竞争。老人保既得利益的观念跟公司利益背道而驰。老人手上有好客户，霸占太多资源，可轻松做好业绩，但不见得能把客户照顾得很好。有时公司制度要求资源开放，老销售人员抵触，有时会串联起来把总经理搞倒，是严重的价值观问题。在阿里巴巴不可能发生这种事情。阿里巴巴的价值观有很大优势，这是非常关键的。”

23 内功是强大的基石

马云靠什么打天下？阿里巴巴凭什么创造神话？难道真的就凭梦想和激情吗？“我们的Vision ,Mission和Value，我们会有一天是靠Value去打遍世界。Value 一定是我们的治身之本，是我们的内功。”

正如马云所说，阿里巴巴其实是靠文化打天下。梦想和激情只是阿里巴巴文化的组成部分。

阿里巴巴的文化不是几句蛊惑人心的口号，不是写在纸上的几行文字，也不是绩效考核中50%的分数，它是阿里巴巴人的行为准则，道德底线，是做人的原则和做事的基准，是阿里巴巴的信仰、理想和精神支柱，是阿里巴巴的动力源泉，是阿里巴巴的核心竞争力。

马云说：“我们公司所有的策略、战略都基于价值观。”

这句话是对阿里巴巴的真实描述。文化对于阿里巴巴从来就不是“虚”的而是“实”的。

每个企业核心竞争力的表现并不相同。有的企业的核心竞争力是核心技术，例如微软和Google；有的企业的核心竞争力是人才，有的企业的核心竞争力是资源，但阿里巴巴的核心竞争力的确是文化。过创业初期的阿里巴巴一无资金二无技术，它的18个创始人当时还算不上人才也算不上梦幻团队，连它的模式也是后来慢慢摸索逐渐清晰的。创业时的阿里巴巴唯一拥有的是文化，一种非常独孤也非常优秀非常宝贵的文化。当然这个文化的全部要素并非一开始就全部具备，也不是在短期内形成的。

那么阿里巴巴文化究竟独孤在何处？他们为什么敢于把自己的价值观命名为独孤九剑？

如果你身处其中，如果你仔细观察，如果你认真体味，阿里巴巴的企业文化的确很独孤，不仅在中国独孤，在世界也独孤。

团队文化

阿里巴巴文化的本质是一种团队文化。团队合作在阿里巴巴其实有更深的内涵，它不仅仅是对团队配合、团队凝聚和团队精神的简单强调。

阿里巴巴是靠团队打天下的，而不是靠个人英雄主义。没有马云，没有马云的感觉、胸怀和眼光，没有马云的执著、专注和坚韧，没有马云的个人魅力，阿里巴巴的诞生和发展都是难以想象的。然而没有团队，没有这支人才济济、优势互补、共患难共成长的团队，没有这支堪称梦幻组合的团队，阿里巴巴的成功也是不可能的。马云固然是灵魂是核心是领袖，但马云不懂技术，也不很懂财务和法律，也不精通管理，离开他手下的那些独当一面的大将，他又如何成事呢？对此马云从来都有清醒的认识："互联网必须结束个人英雄时代，必须进入团队发展。"

阿里巴巴公司的体制是合伙人股份制。公司50万启动资金是18个创始人凑起来的，因而每人的原始股份也是大体依照出资额度确定的（我们推想作为发起人和出资较多者的马云的股份会比其他人稍高些）。这18个共同出资、共同持股、共同创业的人形成了阿里巴巴的基始团队，马云就是靠着这支团队打天下的。

我们说过，马云创建阿里巴巴时的理念很先进。他摒弃了个人出资（当时非常容易）、个人控股、个人当老板大伙为他打工的体制（中国95%以上的民企，江浙99%以上的民企都是这种体制），采用了共同出资、共同持股、共同创业的体制。这种体制的先进性在于它把每个人都变成了真正的主人公，真正的所有者。为自己干活和为别人干活的动力和效率是不一样的。

阿里巴巴实行的全员持股制，创始人有股权，老员工有股权，空降的高管有股权，加入阿里巴巴满4年的员工都可以拥有股权。阿里巴巴每年都要举行"五年陈"颁奖仪式，五年陈的员工得到的不仅是一枚白金戒指，还可以得到公司赠送的宝贵的股权。

阿里巴巴的股权值多少钱？根据阿里巴巴的招股说明书，阿里巴巴每股最少也在11元以上。

作为阿里巴巴董事局主席和创始人的马云只持有阿里巴巴B2B子公司5%

的股份（1.89亿股），以招股价上限计算，上市后马云的身价为22.7亿港元，但阿里巴巴的上市却造就了千名百万富翁，并使4000多名持股员工受益。

蒙牛董事长牛根生的捐股轰动业界和媒体，他被称作“世界捐股第一人”，他的“财聚人散，财散人聚”的名言已远播四海。其实马云在创业之时就捐了股，散了财，虽然时常妙语连珠的他从未说过财散人聚之类的话。

合伙人股份制是世界上广泛采用的企业制度，并不新鲜。为什么要合伙？原因众多，但离不开资金互补、资源互补、人才互补。由此联想到上海复星实业股份有限公司的复旦“五剑客”。郭广昌和梁信军等五个复旦同学共同集资18万创建了上海复星合伙人股份公司。当时的股权结构是作为发起人的郭广昌稍多一点，其他四人平分。如今上海复星已经成了拥有多家上市公司的巨无霸，郭广昌和梁信军都进入了福布斯中国富豪榜。上海五剑客背景相同地位相同，一起合伙办公司顺理成章。上海复星发家靠的是生物制药，如果没有五剑客中的两位学生物的创始人，这个项目是无从谈起的。

马云创办阿里巴巴的情况与上海复星不一样。当时的马云已是网络江湖闯荡了五年的先驱，是担任过两个网络公司总经理的企业家，而18个创始人团队中除了几个中国黄页的老人算得上网络老兵之外，其他多数人都是刚毕业不久的年轻人。其中马云的几个学生还都是“小孩”。这些人既无资金也无技术，既不是海归也不是MBA，甚至连学过经济和管理的人都没有。马云创建阿里巴巴时，如果让这些人做员工，他们也不会计较。其实其中几个人在中国黄页时就是普通员工。但马云还是把18个人变成了合伙人和持股人，还是把股份全部分掉了。请注意这是18个人，不是几个人。如果当时不这样做，马云现在的股权会大得多。

马云的行为本质上还是一种捐股，一种散财。这样做符合马云的理念和价值观，更符合马云的性格。马云的天性就是喜欢呼朋唤友，热热闹闹，带领一拨哥们儿去闯天下。

如果当时马云是和蔡崇庆、吴炯、关明生四人组成一个合伙人股份公司，一切都顺理成章。马云有眼光有感觉有魄力，蔡崇庆有资本、懂财务懂法律，吴炯有技术，关明生懂管理。但实际上只有蔡崇庆一人成了创始人。这是因为蔡崇庆加盟时，阿里巴巴公司还没有成立。吴炯晚了一步，没有成为创始人，也设有拿到宝贵的原始股份，至今吴炯还为此遗憾。关明生来得更晚，结果跟吴炯一样。当然吴炯和关明生在加盟时都拿到了股份，但这些股份和18个创始人手中原始股份是不能相提并论的。

对于马云的举动，吴炯至今仍觉得难以理解。他对我说："马云的胸怀，我很佩服。马云完全没必要给他们股份，但马云给了他们相当多。"

蔡崇庆也对我说："马云把他自己的很多股份慷慨地分发给18个创始人，注重团队，注重朋友义气。其他的互联网创办人都是自己占30～70%，大股东永远是大老板，这样的公司能否持续发展是个问题。马云提出公司是永远的，人是会换的。这是个健康的理念。"

今天来看，马云是用股份，用制度，用胸怀，用真心，换来了一个精诚团结同舟共济的团队。这支平凡的团队后来变得十分不平凡。18个创始人的成长速度令人震惊，他们当中不但涌现出四个副总裁，而且涌现一批出色的总监和经理。创业团队成了开创阿里巴巴大业的功臣，至今仍是阿里巴巴大厦最坚固的基石。由创业团队扩展而成的百多名五年陈团队，成了阿里巴巴的中坚和骨干。

马云说过："中国企业都是这样，可以同苦不可以同甘。"但是阿里巴巴的创业团队真正做到了同甘共苦同舟共济。这支团队一起走过了创业初期的艰难岁月，一起走过了危机四伏的严冬，一起走过了突如其来的非典，一起走过了一天100万收入、一天100万利润、一天100万纳税的辉煌时期，而且这支团队仍然携手并肩同心同德不离不弃地往前走，没有分裂的迹象没有套现走人的迹象也没有另立山头拉出去单干的迹象。

18个创始人携手走过8年风雨本身就是个奇迹，就是在中国企业界难得一见的奇迹。况且8年之后的18个创始人已经分化了。这种分化体现在职务和财富两方面。他们之中有人做了副总裁，有人做了总监，有人还是经理，甚至有人还是无官无职的基层专家；他们之中，有人住别墅坐宝马，有人开奥迪住洋房，有人仍然无房无车。但大家觉得这一切都很正常，没人计较甚至没人提起。没人对马云成为IT首富榜第8位有任何非议。18个创始人中至今没有利益冲突。他们仍然每年聚一次，在一起吃顿饭聊聊天，仍然是亲如兄弟姐妹的一家人。更重要的是这坚如磐石的18个创始人团队仍然是阿里巴巴核心骨干和基石！

这是阿里巴巴独孤的团队文化造就的神话。

所以马云说："8年下来，我们没有利益之间的冲突，感谢他们这6年以来相信我，可能是因为最早1999年我们2月份在长城发誓，我们就想创办一个全世界最好的电子商务公司。这些话天天讲、月月讲，现在我们团队差不多讲话都是这些东西。"

李琪说："阿里巴巴文化蛮独特。是自然而然的东西，是我们大家做人的现实写照。开放、简单，这些东西高层一直都是这样做的。阿里巴巴团队中不存在小团队和钩心斗角，哪怕是马云不对，彭蕾也会说，憋不住的。把价值观摆出来，写下来，让公司执行，这么做使得我们非常团结。一切都在台面上，做事很简单。"

邓康明说："阿里巴巴非常简明。没有小的利益集团，没有利益集团的相互斗争，没有政治斗争，这与使命感和价值观有相当大关系。大家为了一个目标奋斗，不太计较个人利益和一时利益。"

其实合伙文化从来都不是中国企业文化的主流。中国企业中的主流文化是家族文化，东亚企业的主流文化也是家族文化。这种家族文化是有基因的，它源于数千年的宗法社会，源于两千年的儒家文化。因而中国最成功的模式是江浙的家族企业，因而多数成功的民企都是家族企业。中国改革开放20多年来活下来的合伙人企业并不多，创业合伙人3年不散已不多见，5年还在一起并肩战斗的已属罕见。当年四通的4位合伙人今在何方？当年爱多的几位合伙人又在何处？还有新东方，还有创维……"可共患难而不可共享乐"，许多合伙人企业是因为分利而散伙的，"宁做鸡头不做凤尾"，许多合伙人企业是因为争位而分道扬镳的。更可悲的是还有一些合伙人制的知名企业是合伙人把合伙人送进了监狱。

18个创始人共同出资共同持股共同创业，3年走5个，很正常，8年走一半，也很正常。3年没散，8年也没散，实属奇迹！18个创始人开始同甘共苦不分彼此，后来职务不同了，薪酬不同了，但依然没人计较职位，也没人计较利益，这也是奇迹。奇迹的产生源于阿里巴巴独孤的团队文化。

阿里巴巴的六脉神剑中有拥抱变化。其实没有团队的配合，员工的配合，拥抱变化是做不到的。

马云说:“这么多年我觉得他们教了我很多的东西，我们阿里巴巴很多优秀的员工，这六七年所有的工作全部换过，我感谢我们团队的配合，在最困难的时候大家都是很团结的，因为困难的时候大家不团结死得更快，我也感谢团队在公司最好的时候他们还是一样。”

邓康明说:“阿里巴巴的整个机制非常高效和快速，管理人员的执行力和速度不可想象。两个事业部合并的大变动，会影响很多人的上上下下，只用一个月就完成了。其他公司没有6个月很难完成。”

马云所说的“这六七年所有的工作全部换过”的员工，在阿里巴巴司空见惯。在公司的老员工中，很难找到没有换过工作换过部门的人。邓康明所说的“两个事业部合并的大变动”，在阿里巴巴也不止一次了。每次调动，都会涉及个人利益，每次大变动，都会涉及许多人的利益。有时变动意味着有些人惨淡经营的阵地和成果顷刻间化为乌有，一切都得从头开始，例如当年的系统集成项目的撤销;有时变动意味相关人员专业方向发展方向的彻底改变，例如从技术到管理，从前台到后台。在阿里巴巴，尽管变化频繁换岗换位犹如走马灯，但没有震动没有阻碍。以使命和目标为重，以公司大局为重的员工表现出来的牺牲精神和配合精神令人动容，所有这些没有团队文化的支撑是做不到的。

阿里巴巴团队文化中还有简单、简易、开放和直言有讳。所有这些都是为了营造一个理想的团队氛围，一个没有利益集团、没有政治斗争、没有抱怨、充满关心理解尊重的小环境。

有时细想起来，阿里巴巴的团队文化，阿里巴巴想要建立的小氛围和小环境，有点乌托邦的味道。地上是建不起天国来的，可是阿里巴巴的团队理想居然变成了现实!

阿里巴巴的团队文化是一种共有、共享、共生、共死的侠客文化，是一种建立在最先进的企业理念上的制度文化，是一种“主人”文化和“为自己干”文化，是一种散财文化和共赢共富文化，也是一种简单开放和谐的氛围文化，一种杜绝政治斗争杜绝利益集团的环境文化，这种文化很独孤也很优秀。

理想文化

阿里巴巴文化的本质是也理想文化。阿里巴巴文化是理想加利益，理想第一，利益第二。理想不仅体现在阿里巴巴的使命和目标中，也体现在阿里巴巴的价值观中。理想源于梦想。在阿里巴巴的辞典中，理想和梦想是一回事。马云是一个充满梦想的人，也是一个理想主义者。他说过："这个世界只要有梦想，只要你不断努力不断学习，不管你长得如何，不管你是不是有钱，不管是这样还是那样，你都是有机会的。"1995 年，马云白手起家创办中国黄页时，他的口号是"做中国的雅虎！"1999 年马云二次创业创建阿里巴巴时，他的口号是："做一家中国人创办的全世界最伟大的公司！"这两个口号，当时被世人当作疯话，被同伙当作遥不可及的梦。但这就是马云心中的梦想，是马云愿意为之奋斗为之献身的伟大理想。当这个理想慢慢演化为团队的理想，演化为公司的使命和目标时，奇迹和神话就出现了。理想的作用有多大？文化的作用精神的作用有多大？看看阿里巴巴的发展史就知道了。当一个团队不仅仅是为了利益，为了薪酬，为了股份，而是为了伟大的使命和共同的目标而玩命时，这个团队所爆发出来的能量会让人难以置信！

不能否认，理想、使命和价值观已经成为阿里巴巴的动力源泉，成为升华团队境界、净化团队灵魂、开拓团队视野的武器，成为动员团队、激励团队、推动团队的手段。正是理想，使阿里巴巴逐渐走向伟大、崇高，走向不同凡响和超凡脱俗。

虽然阿里巴巴几乎是白天晚上讲使命，大会小会讲价值观，但是阿里巴巴不是全靠理想打天下的，如果是那样，那真是玩"虚"的了。阿里巴巴讲使命讲价值观的同时，也讲制度、管理、业绩；也讲薪酬、奖金、股份。

关于钱，马云说过许多精彩的话。他说过："我们真的不是为了钱才干公司的"、"永不把赚钱作为第一目的"、"把钱看淡"、"我从来没有想过做杭州首富和中国首富"，但他也说过："赚钱是商人的本能。""我比谁都爱钱，君子爱财，取之有道。"在创业最艰苦的时候，马云对张英说："我们会有钱的！"

马云为什么练公司？为了干一番事业，也为了挣一笔钱。只有这样理解他才合乎情理。事业与金钱，孰轻孰重？金钱第一事业第二的人，有时反而挣不到大钱；事业第一金钱第二的人，有时反而挣大钱。事业与金钱，其实是正相关。“第一我想创建一个伟大的公司，而不是让马云成为中国的首富。当然我看得出来，我知道网络将来一定赚钱。”

成就一番伟业，创建一个伟大的公司，怎么会赚不到钱？当然，在今天的中国，赚钱的途径和门道很多，许多赚了大钱的人并没有事业。理想第一事业第一的马云，用6年时间打造了一个世界知名网站，打造了一个伟大公司的雏形，造就了一个很独孤很优秀的企业文化，也造就了一个团队和一批人才，与此同时，马云也收获了丰厚的利益。

今天阿里巴巴拥有的20个亿的年收入，在马云的眼里只是“花生米”和“零花钱”。他知道eBay的年收入是40多亿美元，Google的年收入是60多亿美元。“我去年在日本被当众敲一闷棍，忽然对钱一点兴趣都没有了。我去日本参观了一家企业叫拓板公司，我和他们老板交流：去年赚了多少啊？他们说：220亿。我说：噢，220亿日元。他们说：不，是美元。这才叫做钱，我们只做了一两亿人民币就牛起来了，距离太远了。拓板公司是百年企业，我们公司员工平均年龄是27岁，再给我们20年时间，我们也可以了。世界500强企业哪家营业收入不是70亿、80亿美金？我们闭嘴！慢慢来。中国今天的企业要有远大的理想，也会有这一天，如果没有理想那就很难了。今天我们说赚了1000万、2000万，我觉得丢脸。”

志存高远的马云怎么会满足眼前的这20个亿？他的目标是世界500强，是年收入70、80亿美元。但这时他关心的是公司的规模公司的收入，而不是自己的股份自己的身价。这就是事业第一与金钱第一的区别！

阿里巴巴的团队，无论是18个创始人团队，还是稍后的100多人的五年陈团队和八年陈团队，都是和马云一样的理想第一的人。他们首先是或者主要是被那个伟大的理想和目标所感动所激励，然后才是股份，才是薪酬。如果说创始人的加入只因马云的理想、模式和激情而没想到股份，那不符合实际；如果说“五年陈”、“八年陈”的元老们只期盼那个荣誉称呼和那枚白金戒指，而没有期盼股份，那也不符合情理。

马云在用理想、使命和价值观激励团队时，也没忘了用金钱、股份和利益来激励团队。在EDI，马云用宝马车库的钥匙，在湖畔，马云用花园洋房、用股份。“困难的时候永远讲一些美好的事情，要做好左手温暖右手。记得那时候我们在湖畔花园困难的时候经常讲，如果现在有500万你准备怎么花？好，开心了，你准备去挣500万吧。”

由此可知，理想与利益，事业与金钱，在阿里巴巴是怎样共生共存的。

阿里巴巴的理想文化是一种理想第一、使命第一、目标第一的文化，也是一种理想与现实相结合，理想与利益相结合的文化，是一种讲理想也讲股份，讲使命也讲薪酬的文化。这种文化很独孤也很优秀。

客户文化

阿里巴巴文化的本质还是客户文化。阿里巴巴的六脉神剑中的第一剑就是：客户第一。诠释客户第一的第一句话是：客户是衣食父母。这句话不新鲜，因为几乎所有的企业都会把客户当作衣食父母。但阿里巴巴在它的“三个代表”中提出：第一代表客户利益。这句话很新鲜也很独孤。阿里巴巴在它的“四项基本原则”中提出：客户第一、员工第二、股东第三。永不把赚钱作为第一目的。永不谋求暴利。这三句话更新鲜更独孤。

欧美多数企业信奉股东利益最大化，东亚企业多数企业信奉家族利益最大化。公司就是盈利的组织。公司追求利益最大化天经地义。在今天的中国，没有几家企业会拒绝暴利。多数企业想的是如何争取更多的客户，如何从客户赚到更多的钱；很少有企业想的是帮客户成长，帮客户赚钱。

阿里巴巴客户文化的实质是帮客户赚钱，帮客户成长，然后才是赚取合理利润。

马云说：“我们成立了阿里巴巴学院，我们对客户进行培训，客户不成长，阿里巴巴不会成长，客户都完了，穷了，阿里巴巴也就完了。帮助客户成功是销售人员的使命。以前我们有的客户不懂贸易，对方来的信也不回，我们就对这些用户进行强制性培训。所以客户用我们的服务，就要接受我们的培训，我、关总、我们的副总再忙也要给客户进行免费的培训。否则，就算你帮客户赚了钱，他有钱了，但也不会成长。

“我们鼓励中小软件企业在我们网上开发各种商务应用，我们把我们的客户贡献出来。我们发现很多中小软件企业没有客户、没有品牌、没有资金、没有人帮他们卖产品。我们要在身边培养出一条生态圈。我上次遇到一个在上海有机构的日本人，他们现在公司有专业的人员在阿里巴巴网上做采购，现在好多公司都是这样，这些人都是自学使用阿里巴巴，现在他们请我们帮他培训电子商务人才，发的毕业证都要马云签字。阿里巴巴两年前还做了两个铁规定：第一，阿里巴巴永远不给客户回扣，谁给回扣一经查出立即开除。否则会让客户对阿里巴巴失去信任。中小企业经理的钱拿来并不容易，你再培养下边的员工拿回扣，你不是在害他吗，培训他企业内部的腐败现象。第二，不许说竞争对手坏话。现在看来取得的效果不错。把我们的客户服务得好好的，最后赢一定是赢在客户上面。

“作为阿里巴巴来讲，我们看到了170万家企业的成长，看到了很多企业由于用了阿里巴巴效益好了，雇用了很多下岗工人，特别让我感动。作为企业家的社会责任，不是捐了款就完了，你还得关心别人，这不是钱能解决的问题。

“我们提出的使命是‘让天下没有难做的生意’，这让我们彻底地改变。以前我们生产产品‘既然这个5年以后收钱，那就今天搞得复杂一点，以后再简单一些就可以收钱了’，这种想法很多企业都有。有一次在公司会上有人提出：各位，我们的使命是让天下没有难做的生意，现在这样是让生意越做越难。我们马上改！客户越用越舒服，使用客户也越来越多。”

邓康明说：“阿里巴巴充分利用使命感。对让天下没有难做的生意的追求，对让中小企业成长的追求，超过对利润的追求。用使命和价值观决定产品的设计，是非常可贵的。”

金建杭讲过一个例子：“马云和我去全国各地考察企业，在沈阳看到一家生产胸章的企业，它是通过阿里巴巴找到了买家拿到了订单。我们看到的是废弃的厂房，是下岗工人。一位老大姐，每月工资只有350元，我们问怎么会做？她说已经很好了，可以让女儿上学，夫妻俩都下岗了。我们感触很深。阿里巴巴不仅是帮企业拿到了几张订单，而是为社会创造了就业机会，帮助了产业工人。到基层看，电子商务改变了企业，直观地验证了我们当初的理想。选择电子商务这个产业是发展大势。”

阿里巴巴网站不是生产企业而是服务企业，阿里巴巴的价值是通过客户体现的。只有客户在网上做成了买卖，赚到了钱，只有客户通过网上贸易成长了壮大了，阿里巴巴才能赚到钱。客户与阿里巴巴相互依存共同成长，直至形成一个生态圈。这个理论看似简单，其实很深刻。阿里巴巴的客户文化就是建立在这个理论上。

阿里巴巴的客户主要是江南六省的中小企业，他们几乎都是民企。他们是中国经济最具活力的元素，是中国经济的希望和未来。阿里巴巴帮助客户培训客户的一个结果是阿里巴巴实现了盈利并迅速壮大，但另一个更重要的结果是中国的中小企业找到了一条低成本出口和交易的通道，是中小企业的迅速崛起，是中国经济的腾飞。

阿里巴巴的客户文化是其实现“让天下没有难做的生意”伟大使命的重要保证。阿里巴巴客户文化是其使命感和责任感的具体体现。正是这种客户文化使阿里巴巴在实现盈利的同时实现了伟大的理想，完成了对国家对社会的伟大贡献。这种文化很独孤也很优秀。

什么是阿里巴巴文化的独孤本质？简言之就是在家族企业文化成为主流的中国，在个人控股个人当老板成为时尚的今天，阿里巴巴却我行我素，坚定不移地推行真正的合伙人股份制企业文化，靠一支共有、共享、共患难共发展的激情团队打天下。在诚信缺失道德危机，内斗盛行内耗严重的大环境下，阿里巴巴却逆风而上，坚持不懈地推行自己的团队文化，创建一个团结乐观、充满关心、理解和尊重的团队，创建一个伟大、高尚、简单、透明的公司，创建一个没有抱怨、没有政治斗争、没有利益集团的小环境，小氛围。在理想主义消亡实用主义盛行的今天，在利益至上金钱至上的今天，阿里巴巴却反其道而行之，矢志不渝地高扬理想大旗，推行理想第一，利益第二，使命引导，价值观先行的企业文化，把企业文化当作核心竞争力，靠使命打天下，靠价值观打天下。在股东利益最大化、公司利润最大化理念盛行的今天，在追逐暴利成为潮流的今天，阿里巴巴却独辟蹊径，自始自终推行客户第一文化，坚持客户第一、员工第二、股东第三的原则，坚持永不谋求暴利的原则，坚持坚持帮助客户赚钱，帮助客户成长的原则。

阿里巴巴文化之独孤全在于此！

24 影响的焦虑以及稀释的焦虑

我们说过，阿里巴巴企业文化的形成有一个过程和路线：中国黄页——EDI——湖畔时代——华星时代早期——创业大厦，时间跨度将近6年。当然这个过程还没有完结，还在继续。同样阿里巴巴企业文化的倡导、认同、渗透和扩散也有一个过程和路线：马云——18个创始人——老员工——新员工。这种渗透和扩散的力度是递减的。阿里巴巴的企业文化在长期的渗透和扩散中稀释是事实，它在长期的渗透和扩散中得到丰富、修订和完善也是事实。

阿里巴巴文化的稀释是公司潜在危机之一。不解决文化的传承，阿里巴巴就不可能成为102年的伟大企业。同时，阿里巴巴文化的异化似乎也难以避免。异化有两个方向：要么庸俗实用化，要么丰富升华。如果是后者，阿里巴巴文化的长久传承大有希望！

稀释

在采访中，当我问及阿里巴巴的潜在危机时，几乎80%的人都认为是文化的稀释。采访对象中有高层、创始人、老员工和新员工。这种对文化稀释的忧虑和担心主要来自前三者，新员工眼里的潜在危机很少涉及文化稀释。

在企业从小到大的发展过程中，企业文化的衰减和稀释是无法规避的问题。在那些高速扩张高速成长和超常规发展的企业中，这个问题尤为突出。

阿里巴巴高速成长、高速膨胀在中国企业界网络界都是非常典型的。阿里巴巴从18人扩张到200人只用了一年多的时间，从200人扩张到2000人，只用了3年时间，3年员工人数翻了10倍。不要忘记，阿里巴巴不是劳动力密集型的制造业企业，而是技术密集型资本密集型的互联网企业。世界网络公司有如此扩张速度的并不多。以至于人力资源部副总裁邓康明（加盟之前是微软的人力资源总监）感叹道："哪有一个公司一年招一二千人的？"

企业文化的稀释和衰减的问题，早在2000～2001年的互联网冬天时马云就察觉到了。那时公司的规模是120人。“公司最黄金的时候是二三十个人的时候，大家有充分的沟通，在一个房间里面，你是谁我是谁大家讨论交流，所有问题很快解决掉。最痛苦的时候可能是在80到120个人之间，确实我们在80到120人的时候公司经历了最大的痛苦，那是在2000年到2001年之间，我们非常痛苦。全世界各地的员工进来了，各种各样的Vision，各种各样的Target，各种各样的目标，各种各样不同的思想，弄得我们最难受，但是后来我们渡过了。”

第一次企业文化的稀释，主要来自外来文化的冲击，来自东西方文化的冲突和不兼容。虽然那时阿里巴巴的价值观还没有总结、归纳、提炼出来，还没有形成明确文字，独孤九剑还没有出笼，但那时的阿里巴巴的使命和目标业已提出，那时诸如客户第一、团队精神、激情、简易等价值观业已成为高层和创始人的行为准则。当多数外来高管和员工离开之后，工号120以前的新员工(正是现在的老员工“五年陈”)在阿里巴巴高层和18个创始人潜移默化的影响和感染下，很快被同化了。他们不但很快认同了阿里巴巴的企业文化，而且日后成为这种文化的忠实实践者和坚定捍卫者。

到了2003年9月，马云再次感觉到文化稀释问题。当时阿里巴巴的员工已扩张到1100人。

“现在我觉得公司又进入了另外一个非常艰难的时期。我看过很多公司的发展历程，1200名到2000名之间是衡量一个公司是否能够真正成长为一个伟大公司的一个很大的门槛。公司高度的成长，我们创造的文化是不是能够延续下去，我们是不是能够完善我们的服务，完善我们的管理，是不是能够迎接真正未来世界的挑战。大致在这个时候，公司会出现管理的混乱，理念的混乱，各种各样的事情都会发生，而这个高危期已经快接近了。在业绩很好的情况下，这个危机请大家注意，在未来，也就是一年以内，我们内部要保持高度的团结，我们能否把我们地value不断的传下去，不断地把Value Enrich起来，把它丰富起来，这是让我最近很担心的事。还有些人说公司是不是扩张快了，我觉得不快，这个节奏是要的。因为明年后年，中国的互联网发展会更加迅速，我们不能等到机会来了，我们再去挑人。必须把人挑进来，培养好以后，等待机会的到来或是创造机会，所以我们才会增加我们的人手。但是在增加人手的过程中一定会有这样那样的问题，这很难免。我们说林子大了，什么样的鸟都有。尽管我们获得了关键的几年，但也会可能出现这样那样的情况。大家记住，加入阿里巴巴的第一天的时候，如果我们参加了会我们都会讲过，Don't complain，that's help，不要抱怨，我们共同把它处理好，就像针对非典一样。非典来的时候，我给大家发的信是：在这个时候，高度团结，我们才能扛过那次。所以1200个员工到1800个员工，是面临我们管理危机上最大的挑战。我希望老员工用我们的价值观，用我们的使命感去感染他们，去帮助他们，要他们身上的一些最伟大的品质能够发展起来，能够帮我们阿里巴巴的价值观更加rich，更加丰富，更加能够持续得长一点。"

这是马云第一次担心阿里巴巴的文化能否传下去，能否持续得长久，有同样担心和忧虑的还有阿里巴巴的高层。

到了2005年，阿里巴巴的员工超过2000人时，文化的稀释变得很明显，老员工与新员工的冲突和反差也出现了。这时担心和忧虑阿里巴巴文化稀释和衰减的人，不仅有马云、高层和创始人，还有几乎所有的老员工。

在阿里巴巴，满3年的员工被称为阿里人，满5年的员工被称为"五年陈"，在阿里巴巴这样一个8年的企业，老员工至少得是阿里人。

2005年5月，阿里巴巴出现了所谓内网事件。

为了便于企业员工相互沟通，阿里巴巴建立了一个内网。内网开通后，员工上网很踊跃，有时高层也在上面发表东西，而且是实名发表。马云说："我们反对在内网上实行匿名制。我们倡导的是Open的文化。匿名制只会使人与人之间互相怀疑、猜测。他可以很不负责地说一些很不负责的话，或者他说的话是负责任的，但他又不愿意说他是谁或别人是谁，而使公司的员工都在猜测。阿里巴巴是所有员工的，是股东也是我们会员的。我们没有什么话不可以说。现在我们开设了一个open@alibaba-inc.com的信箱，大家可以不落名。我们很欢迎大家来信，并且保证一定有答复。"

也就是说，阿里巴巴建立了两个沟通渠道：一个是实名制的内网，一个是匿名制的开放信箱。

2005年5月29日，有员工在BBS上发帖子，抱怨公司的小卖部，抱怨保安，有不少员工跟进。起因是员工在公司自己开的小卖部买可乐，中奖后小卖部的阿姨不给兑奖；再有就是保安迟到了几分钟，公司大门无法打开。刚从美国回到香港的马云，从内网上看见这些帖子，半夜写了一篇："认真做事，大度做人"的文章，5月30日一大早贴在网上，随后有多人跟进。这就是内网小卖部事件。

以下是马云的帖子：

认真做事，大度做人！

看了，想了，也本着畅所欲言的原则和大家一起探讨最近的一些问题，我觉得我们阿里在很多事上真的应该认真地反思一下了。

每个阿里人都应该记得：阿里还很年轻，阿里在高速发展，阿里有很多的问题需要大家一起去解决。阿里需要的不是抱怨，阿里需要的是理解，支持，建议和帮助！阿里更需要的是每一个人的点滴努力去完善我们的大家庭！

如果很多事都需要公司去办理的话（比如这件事），我们公司将会成为机构最臃肿的公司！小卖部不是公司的生意，它只是公司为了大家的方便而做的，肯定不完善，但你的理解最重要！

也许是大家的工作压力，我发现近来有些同事的脾气大了很多：对我们的清洁阿姨，对我们的行政部门，对我们的保安，对给我们养花送水送饭的，对很多很多也许你不认识但兢兢业业地在为阿里的成长做点点滴滴的人们！我们和他们说过感谢的话了吗？当他们做得好的时候，我们用阿里的笑脸Logo对他们为你我所做的事感谢过吗？当我们在举手之劳就可以帮助别人的时候，我们做了啥了吗？

每个人做事都很难！真的，但我们每个人都应学会认真做事，大度做人！

我想我们是否可以把批评抱怨的口气改成幽默的建议甚至是自己的真诚的行动！多少年来，我看到无数中国公司里充斥着抱怨，矛盾，斗争……

从我创建阿里巴巴这个团队的第一天起，我就有个梦想：把阿里的团队变成不是抱怨而是行动、不是悲观而是乐观、充满关心理解尊重的团队！所以我们提出了价值观！我们坚信做事先做人的原则！

我们取消了给员工安排的宿舍，让大家自己去找，自己去学会生存，学会理解生活的艰难。我们大家一起学会创业，一起解决我们的问题，一起创造公司每一个进步和每一个进步给我们带来的快乐和成果！

我理解我们年轻人多，脾气容易大！很多时候情绪难以控制自己！

但我们必须学会尊重和理解别人！很多时候我发现我们缺的不是钙，而是爱！阿里巴巴人，我们有个伟大的目标和使命！我们只有改变自己才能改变我们的未来！我们必须在别人改变之前先改变自己！

我们团队精神的真正含义是我们一起去学习去成长！我们尊重理解支持爱护我们的队友！我们做好自己工作的同时尽自己最大的努力去帮助我们的队友！

我们一起创建的是团队的文化而不是抱怨的文化(当然我们阿里的畅所欲言倡导的是积极正面的思想交流的论坛)！

各位阿里巴巴人，我们的路很长！我们一起犯错误，一起渡过难关，我们一起创建阿里一个又一个的5年10年的生日！

阿里人今后要面对的困难会更大，挑战会更残酷。我们从今天起就要学会欣赏帮助和支持我们身边的人！因为总有一天我们会一起面对世界上最大的挑战的！

很快人事部将和一家第三方的公司一起做一个阿里人的文化和发展的调查研究。我们未来几年第二项目标就是要把公司发展成为员工最满意的公司！希望所有的阿里人一起积极认真地参与！对昨天和今天的认真总结就是对阿里明天最认真的贡献！谢谢大家！

我刚从美国出差回到香港，时差没有倒好，睡不着，以上是我在香港酒店写的随笔，也许很多地方说的不对，也许表达不太好，也许脾气也很大……哈哈哈，但全是心里话，希望大家理解！

马云

2005年5月30日香港

表面上大家争论的是抱怨问题，实质上还是价值观的问题，还是对价值观的理解和认同的程度问题，还是价值观稀释异化的问题。

马云发出帖子的第二天，31日晚上，内网BBS又发出了一个主题为“晚餐发卡不如给我们发泡面吧”的帖子，矛头直指公司食堂，随即有更多的人跟进。6月1日晚上，邓康明也为此发了一篇长帖。老邓虽是人力资源部的副总裁，但他也是新员工，发帖时到公司只有10个月，工号为2459。这就是内网食堂事件。

以下是内网BBS有关“食堂事件”讨论帖子的节选：

晚餐发卡不如给我们发泡面吧

我想想晚餐券变卡后，不能点菜了，这么难吃的东东大家都说了N多次了，食不知味，尽量公司是给我们增加福利，还不如让我们去小买部买泡面或饼干算了！

寿文静

2005年5月31日

看了大家的意见和建议，我也很想和大家说说这个事儿。本来是件好事，却造成这么多人的意见和情绪，是没有想到的，我想这是我们在制定政策和改变政策时与大家的沟通不够，让大家在不了解的情况下“拥抱变化”才会这样的。这方面，我们一定改进。先说说晚餐的事。其实，提供晚餐券也好还是发晚餐卡也好，公司最主要是为了创造一种环境，提供一种便利给大家，让那些在正常工作时间之外，或者为了尽快掌握相关的工作知识和技能，或者为了取得更好的工作业绩，或者为了继续学习新的知识，结交新朋友，还愿意继续留在公司的同事们以及那些因为家不在杭州愿意待在公司上网学习或结交新同事的人，不要有太多后顾之忧，多一个可以解决晚饭的选择，省得跑来跑去为肚子发愁。这是公司做出安排晚餐的初衷和考虑。对大家来说，这或许只是7块钱的一顿饭，但对公司来说，这可是一笔一年两百来万的支出。晚餐券改为晚餐卡，是公司在运营了一段时间的餐券后，看到了挺多使用晚餐券不当的方式和行为之后做出的调整。比如有的同事用晚餐券领了餐后放在第二天中午吃，而拿自己的午餐卡去兑现金；比如用不完的晚餐券大家一起去聚餐……这些行为都与公司提供晚餐的初衷有极大的悖离，某种程度上也影响了我们的文化，尤其是对价值观基石的冲击。我想其实大家的主要期望还是在如何改善餐厅的饭菜质量上。这一点我们会再花些气力看看还有什么更好的办法和选择，再汇报给大家，也分享点自己的体验。我来公司10个月了，说长也长，说短也短，但总还是觉得公司还有很多特别的东西需要学习和体会，才能做好我的工作，才能真正对公司有帮助。过去这段时间里，我大部分时间都会待在公司到很晚，一方面家不在这里自由些，另一方面更是因为学习和了解公司的时间不够。很多东西是需要时间积累和亲身体验的。说个官话，这些是在今天这个竞争激烈、不进则退的环境里，自己的选择。我自己在来公司之前，也工作过几家不同的公司，大部分的同事都会经常工作到很晚而且没有任何的补偿包括调休，却没有一家公司会像阿里巴巴这样考虑（我自己觉得公司挺人性的），不管多晚多累，我们几乎全都是要自己跑上跑下找饭辙自己付钱解决晚上的温饱。因为公司认为这是自己的选择和自己的事情。与我过去工作过的几家公司相比，我们的行政部的同事也是我看到过的最友善、最愿意帮助人的同事。在日常的工作中，在我们组织过的公司的大大小小的活动中，我都有这样的体验。行政和后台的工作很繁琐，很劳心，即便万虑千思，总难免有一时疏漏的时候，大家的体谅宽容鼓励就很重要。后台的人是很少享受灯光的，做好是应该的，所以有时候一句“没关系”、“不要紧”、“谢谢了”，都会让我们感动得忘掉所有的辛劳和委屈继续努力。阿里巴巴是我们的阿里巴巴，是自己的阿里巴巴。阿里巴巴的同事是我们自己的朋友和兄弟姐妹。阿里巴巴的问题，是我们自己共同的问题，我们一起来积极地面对和解决。今天是6月1日，公司还有些活动，就先说到这里吧。祝儿童节快乐！

邓康明

2005年6月1日

一些老员工很痛心，言辞近于激愤：

“给加班的同事解决晚餐居然惊起如此大的波澜，哪里错了？如果我是马云，我的心会感到一阵凉，可我不是马云，我的心也感到非常地凉！”

“最近老看到措辞比较激烈的帖子，大家都是同事，每个部门都在努力做好自己的事情。不可能什么都很好的，有问题提出来，找个大家都接受的方式嘛，直言有讳现在不讲了吗？”

“……我看后真的难受，这绝对不是我们阿里巴巴人血液里所流淌的价值观和文化。阿里巴巴人能创造出如今的阿里巴巴，核心就是我们血液里所流淌的价值观。阿里巴巴的企业文化要靠我们每一个人去建设和维护，否则阿里巴巴走不了102年，我们也不可能有美好的未来。我们是所有的年轻人羡慕和向往的公司的一员，每一个破坏这种形象的人都会被所有的阿里人所唾弃！”

但不同的观点也十分鲜明：

“MM倒是蛮忧国忧民的嘛。话说回来，员工在无私地用自己的时间为公司创造价值时候想吃好点也不算错吧？”

“对食堂的不满，在正常的给食堂本身的反馈渠道无用的情况下，自然会反弹一定的力量到公司政策上来。”

“真的是加班，公司支付加班工资，好像现在公司很多部门都尽量避免这个问题，为什么？公司应该明确劳动用工关系。”

“在内网上发了不同意见的人，我至少是很佩服其勇气的；如果这里都是一种声音那才可怕呢！通过大家的讨论，每个人不是更明白了应该怎么做了吗？为什么要打压呢？”

“大家不要因为最近的帖子就对新员工有什么成见，不要老觉得还是老员工好，这样的想法不好，因为光靠老员工是不可能走完102年的！”

“如果全是正面的灌输，有时未必是件好事情，人人都有叛逆之心；人类文明的进程肯定是往民主的方向前行的。”

就算你不是阿里巴巴人，看了这些帖子，你会很感动，也会很感慨，也会若有所思。就算你不认识发表者，但仅从文章的语气和观点就能分出新老员工。

为什么在阿里巴巴这样一个只有8年历史的年轻企业里，老员工和新员工这样泾渭分明？为什么对于同一件事情，老员工和新员工的看法和态度会如此不一样？当然我们这里所指的新员工是相对意义的新员工，是新员工里的一部分，并非指“五年陈”和阿里巴巴人之外的所有人。就像员工朱亮所说：“不仅仅是时间，更主要的是观念文化的接受、看问题的角度和行为准则；有人可能一年就行，有人五年还不行。”

对于小卖部和食堂存在的问题，也许根本就没有进入多数老员工的视野；也许一些老员工对食堂也有意见，也不满意，但他们绝不会抱怨，他们要关注就会提建设性的意见；他们绝不会使用激烈的言辞，也不会伤害相关同事。这就是直言有讳。

涉及小卖部和食堂的所谓内网事件，看起来很小，但意味深长。从中可以看见阿里巴巴这个年轻而庞大的团队的思想激荡。其中有新老员工的观念冲突，也有阿里巴巴价值观所面临的稀释和挑战。

要想让上千名新员工一下子就接受认同阿里巴巴的价值观是不现实的，要想让思想活跃的年轻人完全认同老员工的价值观也是不现实的。

内网事件平息之后的一个月，马云有事找一名基层员工，偶然谈及阿里巴巴的价值观，员工的反应是：你们高层现在还重视价值观问题吗？马云听完十分震惊。

在2005年7月的半年总结会上，马云指出：阿里巴巴价值观已经有被稀释的倾向，并且说HR半年工作没做好，但主要责任在自己。马云将不惜一切代价进一步贯彻阿里巴巴价值观的重任压在人力资源部的头上。

异化

让我们看看阿里巴巴的新老员工是怎样看待阿里巴巴文化的稀释危机：

彭蕾说：“最大的危机是团队文化方面。要消化大量的新员工，文化如何传承？新员工本来年轻，认为阿里巴巴是一家了不起的很牛的公司，那样的观点让人浮躁，如何化解、疏导到正确的轨道？”

谢世煌说：“阿里巴巴的非典经历生动地体现了一家企业为什么需要价值观。很多企业成功在文化。人不是机器，总有累的时候，要靠文化。很多IT企业的生命周期是五年左右。危险不是来自外部环境，而是来自自身，很重要的是创业文化不能传承。许多公司文化传承多则二年，最多四年。文化如果能传承，企业会永远保持青春活力。阿里巴巴最大的危机是企业文化能否发扬光大，能否保持团队的生命力。”

马振亮说："一起进阿里巴巴的老员工，血液里流的是一样的东西。很多后来人口头上说得很好，行为完全不一样。阿里巴巴价值观稀释得很厉害。招进来的很多高层、中层和员工，追求的目标是业绩和更多的钱。公司招进很多人，我们都影响不到他们，唯一能做的是保持好自己，但他们还要反击。内网事件老员工很心痛。"

陆兆禧说："阿里巴巴发展快，团队能否保持文化？今天阿里巴巴成功是因为文化强，但文化的保持和延续很难，外来人对文化的稀释难以避免。阿里巴巴的制度比别的公司少，文化比别的公司强。因为有文化，制度不完善可以弥补。未来如何让更多的员工认同价值观是最重要的。培养中层干部很重要，他们今天的价值观就代表明天他们手下人的价值观。"

王建勋说："'五年陈'没那么简单。如果不喜欢这种文化，很难融入阿里巴巴公司，没办法接受这种文化。文化很重要。想一样的事，效率会很高。在同一个文化层面上的共识很重要。阿里人身上的味道很明显。碰到对文化理解不深的人，要说很多。危机在于现在文化变得很模糊，文化淡了。以前走进电梯就能看出谁是阿里人，从做事的方式就能感觉到，就是一种感觉，现在有点感觉不到了。"

彭翼捷说："危机在于新人进来太快，文化传递没有那么细腻到位。新人期望值太高，有差距很难平衡。现在的阿里巴巴员工缺少感恩的心，太强调所得和付出，奔大公司，奔名气，在钱上物质上期望值太高。阿里巴巴就是神话，传说中是声控门，现在是感应门。文化危机也不可怕。老员工传递下来非常重要。这是老员工的责任，言传身教是对阿里巴巴最大的贡献。"

王婉湘说："公司大了，员工有骄娇二气。公司内部新老员工各一半，新员工怎样融入？怎样认同阿里巴巴的文化？老员工在平凡的基础上做事，空降兵来了，他们怎么发展？"

朱亮说："马云的两句话：认真做事，大度做人，醍醐灌顶。食堂饭不好吃，老员工不会抱怨，会提建议。

王磊说："危机在于速度快，进人迅速，高管的空降，文化不一样，压力大。组织上基础上的东西不特别牢。"

程小咚说："我热爱阿里巴巴，是因为热爱阿里巴巴的文化，也担忧这个文化，希望为它创造一些东西，而不是混迹这个文化中。能让阿里巴巴成为一流，一定有很强的文化和支持团队，世界上没有简单的的东西一下子成为最棒。未必是最好的想法能成功，GE就是因为有特殊的文化。只有保持这样的文化，阿里巴巴才能一直强盛下来，如果毁就毁在文化上，但现在还看不出。”

韩怿说：“阿里巴巴平均年龄25岁，管理层平均年龄不超过26岁，新人数量现在远远超过老人。老员工和新员工有区别，新员工和老员工比，文化比较淡。以前是1传2，现在是1传10，浓度降低，文化淡薄，现在要解决文化的传播问题。”

文化的稀释的确是阿里巴巴的潜在危机。从某种意义上说，文化传承关乎阿里巴巴的兴亡。几乎所有的高层和老员工，包括部分新员工，都意识到了这一点。

阿里巴巴的高速扩张，大量新员工潮水般涌入，造成了文化的稀释。与此同时，从2004年底，阿里巴巴开始再次通过猎头公司大规模引进高管人才。这些来自微软、金山等大公司的高管人才被称作空降高管。他们是带着不同的强势企业文化来的，随着他们的陆续到来，不同文化的碰撞和不兼容再次出现，不同文化的融合和交汇再次成为一个问题。

有时企业文化就像酒，酿造它需要很多时日，稀释它只需很短时间。这碗文化之酒，随着时间的推移，可以变得愈来愈醇愈来愈香，也可以变得愈来愈稀愈来愈淡。岁月可以稀释这碗酒，外来文化可以稀释这碗酒，大量新员工也可以稀释这碗酒。

阿里巴巴的独孤文化是它的核心竞争力，是它8年成功的法宝，也是中国互联网企业乃至中国企业的宝贵财富。

阿里巴巴向世人贡献了一个中国式的B2B模式，贡献了一个世界级的网站，贡献了一大笔财富，但阿里巴巴对世界最大的贡献恐怕还是创造了一个很独孤很优秀的文化，培养一批很出色很厉害的人才。

马云说：“不希望把你们留在阿里巴巴一辈子，希望将来你们走出阿里巴巴，传播阿里巴巴的文化，让更多的人能这样做。”向中国和世界传播阿里巴巴文化也许是马云最大的梦想。GE是靠着一个优秀文化的传承成就了107年的辉煌，一旦同样优秀的阿里巴巴文化成为企业的基因和血液，成就一个102

年辉煌的阿里巴巴就不再是个梦。但是如果任凭阿里巴巴文化稀释下去，任凭它变得愈来愈稀愈来愈淡，直至似有似无，直至察觉不到，那么阿里巴巴的前景就很难预料。

没有文化、没有使命、没有价值观的阿里巴巴会变成什么？也许会变得很平庸很普通，也许会变成一架赚钱机器，也许会变成什么都不是。

正因为如此，作为核心人物的马云，作为创始人的18个元老，作为打天下的上百个老员工，都把阿里巴巴的文化视为命根子，他们不会坐视阿里巴巴文化的稀释而不管。

当下阿里巴巴主要是通过员工培训和老员工传帮带来灌输和强化企业文化的。但起决定性作用的是公司高层的行为。

人力资源部副总裁邓康明的观察非常重要："阿里巴巴的管理层，尤其是高层，大会小会谈的都是使命和价值观，对于这些思想高度统一，发自内心的认可，企业基本层面凝聚起来的财富，是企业持续腾飞的健康基础。阿里巴巴的文化，它的使命感和价值观已经融入了管理者的血液和日常生活，这是阿里巴巴最大的财富，也是阿里巴巴最大的潜力。"

对于阿里巴巴来说，企业文化的稀释是问题的一个方面，企业文化的异化则是问题的另一方面。

企业文化是逐渐形成的。成型的文化也会变化和发展。从六字方针到独孤九剑到六脉神剑，阿里巴巴的文化一直在变化和发展。

这里使用"异化"这个词也许并不合适。异化在这里只取其变化之意。

变化肯定有两个方向：一向下变得愈来愈庸俗和实用，二向上变得愈来愈丰富和精彩。其实马云一直在强调阿里巴巴文化的丰富。

在阿里巴巴，对于文化的稀释也有不同角度的思考：

戴珊（18个创始人之一，诚信通部资深总监，工号11）说："阿里巴巴的文化很特别。外来者在阿里巴巴是很孤独的。他们的加入对公司一定有好处有价值。"

马晓明（创作部经理，工号35）说："阿里巴巴是有血液，有血清的。"

邓康明说："阿里巴巴文化太强了，产生了相当大的排他性。高速发展的企业，能不能完全符合原有文化？唯才是取，还是唯文化是取？在两个平衡上，更多考虑的是接受不接受阿里巴巴的文化，而对于这个人能力贡献考虑轻。”

“核心文化的加强和传承是绝对的。核心文化没有变，文化稀释我不觉得。对绝大多数员工来说，是要一碗饭，是打工养家糊口，不能期望他们的思想和打天下的人一样。应宽容地对待他们。在内网发发牢骚有什么？不能用一把尺子量所有的人。马云也说没关系，正常的。真正的危机是文化的排他性太强，老人心胸不能宽容。人才从广州、上海到杭州来，最现实的是收入，不能只谈理想。文化要传承，又要避免强大的排他性。碰撞后会产生更美丽的东西。到一定时候，文化一定要异化。如何在保留文化精髓的同时保留文化的延展性和包容性，如何保留阿里巴巴文化的精华，又吸收微软、GE文化的精华，是阿里巴巴往上发展的关键。”

当成百上千的新员工潮水般涌入时，阿里巴巴文化的稀释很自然也很正常。以我的观察，这种稀释现在还只是初露端倪而且并不严重。阿里巴巴至今还是一个文化很强很突出的公司。但文化的传承是一个巨大的挑战。也许阿里巴巴的未来面临两个挑战：一是如何将如此独孤和优秀的阿里巴巴文化传承下去，不仅传承8年，而且传承16年，传承100年，这关乎阿里巴巴的成败兴衰和百年大计。二是如何让阿里巴巴的文化不断丰富升华，成为既具有独孤本色又具有包容性和普适性的世界优秀企业文化，这关乎阿里巴巴能否成为世界500强和“未来企业发展的黄埔军校，未来企业家的摇篮”。

Alibaba.com®
Global trade starts here.™

第七章

梦幻十八

其实我一直最喜欢的是风清扬。因为风清扬的武功叫做出手无招，就是没有招数。这是我一直向往的一种境界。

——马云

25 出手无招风清扬

马云虽然瘦小，但却自幼习武，自称练过七八年武术。没人见识过马云的武功，只见过他打太极拳。

不管武功如何，马云确实喜欢武侠。他是个地地道道的金庸迷，自称在5年的时间里，不看任何书，只看金庸的武侠小说。小说中所有主要人物他都烂熟于胸，但他最喜欢的还是风清扬。

1998年在北京EDI时，马云在酒馆里碰见刚拍完《水浒传》的导演张纪中，听说张纪中要拍金庸的《笑傲江湖》，马云毛遂自荐要演片中的风清扬。结果当然是没用他。

马云把武侠情结带入了互联网。在他的眼里网络也是江湖。他搞的第一届西湖论剑还真把金庸请了过来。

马云就是网络江湖里的风清扬，出手无招而又武功高强。就是这个出自西湖的当代风清扬，居然把中国网络江湖搅得天翻地覆。

普通人的马云

当我们要讲述阿里巴巴的梦幻团队时，第一个要讲的肯定是这个团队的灵魂人物——马云。虽然书中马云的身影和声音到处都是，但马云的故事仍然有很多很多。

1964年马云出生在西子湖畔的一个普通家庭。父亲是个艺术家，爷爷解放前当过保长，在以后10年“文革”岁月中，马云的出身被归于“黑五类”，马云的童年充满了屈辱和辛酸。

通常人们总以为成功人士身上有些与众不同的东西，有些常人所不及的特质和禀赋。其实马云是个很简单的人。

小时候爱打架，仗义行侠，为朋友两肋插刀，别看他单薄瘦小，打起架来却算得上一条汉子。

小学五年级时，一个家伙又没来由地骂他的爷爷，他立刻窜上去，用书刊劈头盖脸狠扫过去。相比马云的小个头，那家伙可高大强壮得多。他反身用双臂绞住马云。虽已透不过气来，但愤怒早已赶跑了惧怕与畏缩，马云在下面一阵乱抓乱扭，反与那家伙缠在一起，摔起跤来。结果，马云的头被狠狠地推到水泥地上，撞开一个洞，里面的骨头都看得见，在医院缝了三针。

马云小时候的功课并不好，数学曾考过一分，但英语特别好。为了学好英语，马云吃了不少苦，从13岁起，就骑着自行车带着老外满杭州跑。“从小我的英文就很好。小时候学英文，也是蛮艰苦的，大概有8年时间，每天骑自行车到西湖边去，背单词，背课文，不管刮风下雨下雪。每天在杭州饭店，就是现在的香格里拉饭店门口，逮到老外就跟他练口语。”

没考上大学之前，马云真正处于社会的底层。他当过临时工，为印刷厂蹬过板车，是路遥的小说《人生》改变了马云的人生。

马云大学考了三年，最终才以差本科线6分的成绩，考入杭州师院的专科，仅仅因为那年的英语专业男生学员招不齐，所以才把他升为本科。

大学毕业后，马云在杭州电子工业学院教英语。谁也说不清英语对马云的一生产生了多大的影响，英语使他了解了世界，结缘互联网。如果没有英语，马云的人生会是另一种模样，没有英语，就不会有阿里巴巴。

顽强，坚韧，抗击打能力强，小时候打架如此，长大后做事业依然如此。马云侠肝义胆，交游甚广，朋友众多。朋友的帮助是他成功的重要原因。当马云在大学三年级当院学生会主席的时候，班上有一个同学因一点小错而被取消了研究生考试的资格。这个同学和马云并没有特别深的关系，但是马云深为他痛惜，因为这个同学的专业成绩相当不错。如果他不能参加研究生考试，就意味着要被分回远在农村的家乡，再也不会有专业发展的机会。马云对他说：“OK，我去给你说说。”然后马云就去找班主任，找系领导，找院领导，足足花了两天半时间，终于说服了他们。结果这个同学非常优秀，一下就考上了研究生。但是，从那以后的四五年里，马云再也没有听到他的音信，马云自己也把这件事忘记了。1995年，马云在深圳，突然跑来一个人，激动地握住他的手说：“我听朋友说你到了深圳，所以我专门从广州赶来看你。”马云一看，原来就是那位考上研究生的同学，现在已是一家著名的外资公司在广州的总经理。

每当想起这些无心交上的真心朋友，马云更觉得一颗善良真诚的心的可贵。他无不宽慰地说："虽然也有被出卖的伤痛，但一颗善良宽容的心，总能交上一大把真诚的朋友。现在不定什么时间，突然没来由地会有一个朋友打电话过来：喂，马云，现在怎么样？没什么大不了的，有事我们给你扛着！

"我现在有很多国际上的朋友，就是当年交的。比如我有一个澳大利亚朋友，现在我把他当义父看待，他把我当他的孩子。1979年他们一家到杭州来，那时我是十五六岁，早上在香格里拉门口念英文，他们就出来了。然后就跟他们认识，跟他儿子认识。他儿子比我小两岁。他们回去以后，我跟他们至少每个礼拜通一次信，成了笔友。

"1985年他们邀请我到澳大利亚玩，到他们家里去访问。正是这个第一次到国外的机会，真正改变了我的观念。

"1985年之后，他们几乎每一年都要到杭州来玩，在我家里住上一到两个月。今年这老头已78岁了，我跟他好像是忘年交一样，这是个一辈子的朋友。我念大学最苦的时候，他资助过我，现在他也挺为我感到骄傲的。前几天他刚走，他到杭州来的时候，每天到公司来，坐在我的对面，看着我……"

马云是性情中人。他喜欢热闹，喜欢朋友们一天到晚泡在一起。每到周末，都有一大帮人聚在他家里，吃饭，下棋，吹牛。其中有司机、普通员工，也有白领。

公司的高管虽然都比他年轻，但都怕跟他出差。白天工作了一天，晚饭吃到10点，刚回酒店，马云又拉他们去足浴，然后继续聊工作。马云似乎不知疲倦，似乎永远精力充沛，一天到晚除了睡觉就是工作，而且脑子转得飞快。跟上马云的节奏谈何容易。

严冬时期，阿里巴巴被迫裁人。裁完了马云感情上又受不了，于是打电话给COO："你说我是个坏人吗？那些人是因为我的决策失误离开的。"

马云是个理想主义者，但更是一个实干家，他懂得任何奇迹都是干出来的，行动比主意更重要。马云带出来的团队，执行能力非常强。

马云自己就是个拼命三郎，是典型的能吃苦能实干又充满智慧充满创新的浙江人。在他的身上，你可以看见胡雪岩的影子，也可以看见当年呼风唤雨的江浙财团精英们的影子。

马云本身是透明的，他与员工是零距离。一位部门经理说："阿里巴巴是个不穿衣服的公司，没有别的公司一层层的框架外套，剥开一层还有一层，我们这儿一眼看到底。"

马云不仅会告诉员工他小时候数学补考过几次，也会告诉员工："男人需要胸怀，女人也需要胸怀，男人的胸怀是气出来的，是冤枉出来的。"

"你来了，你看到了他，你就被他征服了。"那些与马云打过交道的人如是说。

张英曾透露过一个秘密：马云连说梦话都是用英文在演讲。几年来马云一直像他年轻时梦想的那样在世界各地飞来飞去，有时一个星期去7个国家。

他不停地旅行，不停地演讲，用他那令人叹服的口才，不停地宣讲阿里巴巴的神话，不停制造着各种版本的马云语录。很快西方几乎所有重要媒体都盯上了他，很快世界风险投资的大鳄们也盯上了他。

马云就是这样用魅力征服世界的。

马云的魅力从何而来？隐藏在魅力身后的是智慧与激情、顽强与执著、胸怀与境界。

马云是个智慧与激情的复合体。

他的脑袋很小，呈倒三角型，体积只有常人的2/3，但谁也不知道里面装了多少主意。马云有着江浙人特有的那种精明，这样的江浙人很多；但有时你得承认他还有能洞察商海风云的大智慧，这样的中国人并不多。

马云的思维常常是逆向的。他盛产奇谈怪论："如果你去计划，你肯定要失败。"他在哈佛大学用英文表述的这个奇谈怪论，被哈佛学者连续两年当作MBA的经典案例。

马云从来没有计划。他说："网络就是高速度，如果停下来做这计划那计划，机遇就错过了。计划做得越细致栽得越快。"马云也不研究对手。曾有助手拿出一个专门研究竞争对手的方案，立刻就被马云毙了。他说："发令枪一响，你是没时间看你的对手是怎么跑的。"

马云是那种全身上下充斥着创新细胞的人，时时刻刻都蓄积着创新的冲动的人："三天没有新主意就睡不着觉"。马云把创新当作阿里巴巴的灵魂。他的名言是："要么创新，要么灭亡"。

马云是网络江湖上的独行侠，是网络赛场上的领头羊，天马行空，随心所欲，无暇旁顾。马云的秘密武器是：无招胜有招，无功胜有功。

马云是个聪明人更是一个激情四溢的人。中国黄页是他激情的产物，阿里巴巴同样是他激情的产物。杭州为什么有这么多电子商务？“天堂硅谷”为什么势头凶猛？除了天时地利，还有马云的激情之火。

马云奉行激情人生。他激情创业，激情创新，激情冒险。他说：“因为危险，才有机会。”同时。他还用激情感染团队，感染事业。在外人看来，阿里巴巴的几百名员工就像一锅沸水，就像一个疯狂的陀螺。

马云不是那种贪天之功，据为已有的人。他能聚人、容人、留人。马云深知团队的作用，在团队和朋友面前保持着一份难得的清醒：“一个人怎么能干，也强不过一帮很能干的人。少林派很成功，不是因为某一个人很利害，而是因为整个门派很利害。”

“我自己从来就不承认是什么知识英雄，因为阿里巴巴今天的成就是很多朋友的功劳，不是我一个人的；我只做了5%的工作，朋友们做了许多艰辛和默默无闻的工作，他们把我推上前台，我只是他们的代言人，我只是出来练练。”

“我成功背后有一帮很棒的人。其实任何人成功都离不开有一大批人的支持，如果离开朋友的支持、家人的支持是不可思议的事情。”

“永远怀着感激之心对待同事的工作。”

马云知道自己的长处和短处，也知道自己的正确位置。

虽然在商界闯荡了许多年，但马云知道技术他不懂，于是，千方百计从雅虎挖来吴炯来做CTO，知道财务他不懂，于是把它交给国际专家蔡崇庆，知道管理不是他的强项，于是，诚心诚意请来关明生做COO。

当你问起马云为什么会成功，他的回答是：善待同事。西湖论剑时，金庸写给马云一个条幅：“善用人才惟大领袖之要旨，使刘邦刘备之所以创大业也。愿马云兄常勉之。”

马云说：“做事不能功利性太强，我没什么功利性，我只是想证明，我们这代人通过努力，可以做一件伟大杰出的事情。说归说，做还得脚踏实地，最后证明你不是狂人。七八年前都觉得你狂，做出来了就没人说了。我不过比别人早做了三年而已。”

“一个人一辈子就是为了一个失败和成功，所以失败和成功都不是偶然，而是点点滴滴积累而来，是在合适的时间，做合适的事，用合适的人。我运气好，用到许多合适且很优秀的人。”

马云有时喜欢赌，“我这个人比较喜欢赌，但我不好赌，不喜欢赌的人不能当领导者，领导者一定要赌，因为你不知道未来到底是对还是错。所以你必须要做决定。一个人好赌是不行的。因为我喜欢打牌，但我不喜欢搓麻将，这是很破坏风水的。”

马云真的相信风水。他认为阿里巴巴美国办事处的不顺利跟办公室里的柱子有关，他也认为阿里巴巴上海分公司所在地的风水不好，并真让他们换地方。他还相信北京的风水不适合他这匹“天马”。

下海练公司之后，马云每年都要到他老家嵊县的一个小庙去烧香。至于他拜的什么佛，许的什么愿就没人知道了。

马云是个创造了奇迹和神话的普通人。

阿里巴巴人眼里的马云

其实最了解马云的是他身边的阿里人。

他的妻子张英说：“马云毅力特强，乐观，倒没觉得他特别聪明。他不会算计，特别没心眼。他是很乐观的人，从我认识他到现在，他从不说今天很郁闷、很气愤，不会这样；他能以平常心对待碰到的事，总是给我希望。马云喜欢群居。事业是他心爱的玩具，是他的生命，他乐在其中。”

蔡崇庆说：“马云有作为领导人的领导能力和吸引力。从开始到现在观察他，他的管理水平有很大提高，在领导和管理上达到相当高的境界。马云还是个很注重家庭的人，虽然一天到晚在公司，但他非常关心张英和儿子。”

李琪说：“马云是个性情中人，是个很会创新的人。互联网就是变化快，马云看到形势变化，他会把昨天彻底忘掉。”

孙彤宇说：“马云对人很敏感，很容易看出你现在的状态。煽动性很强。他能够有战略的眼光，能够指导公司接下来的发展方向；另外他也能够影响别人，影响一个团队围绕这个目标去下走。他爆发力比较强，但是耐力不如我们几个做执行的。”

名人马云

随着阿里巴巴的成功，马云也成了名人。

他不仅与比尔·盖茨、巴菲特、杨致远等世界顶级企业家成了朋友，而且还结识了世界各国许多政要。

英国首相布莱尔来华访问，专门约见马云，见面就说：“阿里巴巴很有名！”

8年前，阿里巴巴还在草创时期，马云就登上了《福布斯》的封面，2004年马云当选了CCTV年度经济人物，至于其他各种各样的头衔和荣誉称号，已经多到连马云自己都数不清了。

马云的上镜率高得出奇，其风头不但盖过许多明星大腕，也盖过了许多比他名气更大的企业家。

他频频出现在CCTV的“经济半小时”、“对话”、“人物”、“财富故事”等栏目，出现在达沃斯论坛、世界企业峰会、上海财富论坛、北京财富论坛。收购雅虎中国之后，马云的名声响彻全球，香港上市之后，马云的声誉更是如日中天。

他再不是西湖边上小平房里的被人骗的小老板了，再不是北京街头被人当骗子的落魄书生了。12年前，到处碰壁的马云在北京的公共汽车上说：“再过几年，北京就不会这么对我，再过几年，你们都得知道我是干什么的，我在北京也不会这么落魄！”

12年之后重回北京的马云，鲜花如海掌声如雷。

今天的马云，已经成为中国互联网界的英雄，成为海内外闻名的企业家，成为无数青年的楷模。

26 十八元老的完全脸谱

1999年初阿里巴巴创业时，有18个人，其中一半是原来中国黄页的老人。18个人中加入最晚的是蔡崇庆，他也是其中唯一一个海外精英。

这18个人就是阿里巴巴的原始团队，也是阿里巴巴的创始人。马云就是靠着这个原始团队打天下的。这使人联想起当年红军长征时飞夺泸定桥的18勇士，18勇士之一的陈再道后来成了武汉军区的司令员。

有人把阿里巴巴18个创始人称作18勇士，当然这只是一种比喻。阿里巴巴18个创始人创业时是需要一点勇气的，但不会有生命危险，最多是倾家荡产。战争时期与和平时期的环境毕竟不一样。

当时的金建杭辞了《国际商报》的公职，蔡崇庆辞了瑞典AB投资集团的高位，马云和其他人则是破釜沉舟、背水一战。

在近似蛮荒的互联网原野上开垦出一块处女地，在险象环生、九死一生的网络江湖打下一片天地，也是不容易的。其中的艰难困苦泪水辛酸，不是过来人难以体味。

阿里巴巴的18个创始人创造了神话，其实他们本身也是神话。我们不可能一一描述他们，而只能描述几个代表人物。其实他们的身影随时都能在书中找到。

张英

张英是马云的妻子，也是马云的大学同学和杭州电子工业学院的同事。张英和马云一样都是学英语教英语的。

前面提到马云创办中国黄页时，24个朋友中只有一个支持者。其实第一个出来支持马云的是张英。1995年中国黄页创办时，只有三个人，马云、张英、何一冰。张英不但参与了中国黄页的全部筹备过程和全部创办过程，而且在黄页的艰苦创业时期，发挥了重要作用。黄页非朋友公司的第一单业务就是张英拿到的。

1995年9月，马云正式辞职下海，张英也办了停薪留职。1999年7月，张英也正式辞职与马云同舟共济一起打天下。1999年底，张英跟随马云北上创业，是当时8人团队中唯一的女性。

为了跟随马云创业，张英吃了不少苦。1995年创办黄页时，儿子只有3岁，她一边带孩子，一边练公司，其难可以想见。1997年底上北京，5岁的孩子就托给了婆婆。多年动荡不安的生活必然连累孩子，儿子上的幼儿园换过6家，小学换过3个。

表面看上去，张英是夫唱妇随，是帮助丈夫创业，其实张英也是一员有创意有能力有个性的企业家。

在中国黄页时，虽然张英只是普通员工，但她一直是公司骨干。阿里巴巴搬进华星大厦时，张英、孙彤宇、彭蕾是第一拨提起来的部门负责人，从此张英走上公司管理层。

2001年到2002年，张英是负责后台的资深副总裁。2002年3月，张英成为诚信通总经理，2003年诚信通改为中国事业部，张英又成为中国事业部总经理。

阿里巴巴是靠销售起家的。李琪统帅的中国供应商和张英统帅的诚信通是阿里巴巴的两大战场和两大盈利点。

2002年3月，张英开创诚信通时，会员数是零，销售收入也是零。2003年，诚信通的销售收入达到8000万，2004年突破1.6亿。诚信通正是在张英主管的三年里，从无到有从小到大成为阿里巴巴的半壁江山。数年网络江湖的闯荡，张英已经成长为可以统领千军万马可以独当一面的企业高管和军中大将。张英自己也说："我不觉得我们比洋高管差。"

2004年年底，张英退出阿里巴巴。至于退出的原因，张英说有两个：一是2004年年底之前，张英和李琪作为中国供应商和诚信通的老总一起向公司的COO关明生报告工作。年底关明生做了顾问，马云成为CEO兼COO，这时的张英必须向马云报告，妻子向丈夫报告太别扭。加之邓康明、王涛等新一拨外来高管空降，为了公司的形象，张英决定退出。二是从1995年创业以来，张英和大家一直是平起平坐，大家都叫她张英，没人叫别的。到了2004年，公司迅速壮大起来，作为资深副总裁的张英也有了一个豪华的大办公室，人们不再叫她张英而改叫张总；当她跟员工讲话时，员工都站起来……这一切使张英感觉很不舒服。

其实无论是中国黄页还是阿里巴巴，从来就不是夫妻店也不是家族企业。阿里巴巴更是从一开始就是一个规范的国际化现代企业。张英举过一个例子：即便是马云的人，也是由张英介绍给HR，然后一视同仁。马云说：公司是为使命服务，不是为创立者成立的。

张英在公司里是一个历史事实。因为张英是公司除马云之外最老的元老。张英的升迁是因为她的能力和本事。在公司里，马云从来没有把张英当老婆看，而是当作一个独立的个体，张英就是张英。

离开阿里巴巴对于张英是件很痛苦的事。从1995年5月到2004年12月，张英为了阿里巴巴奋斗了整整9年7个月。阿里巴巴就像她的亲生儿子，离开自己一手养大的儿子，又怎能不百感交集。说到这儿，张英对我说："看看我的白头发。我比马云忙多了，因为我得管很细的工作，真是心力交瘁。"

但是为了阿里巴巴的长远未来，为了公司的大局，张英还是主动选择了退出。

回首往事，张英还是很自豪。

张英说："我不赞同男人创业，太太在家里抱怨。两人共同做共同的事业，很好。这样成功的机会更大。这样女人就不是包袱而是动力。"

不能想象没有张英的介入，马云独自创业的情景。如果是那样，马云一定很难过。

"我们叫革命夫妻战斗夫妻。马云是非常好的老公，有情有义。工作成了我们生活的一部分，不知人家是怎样生活的，我们是乐在其中。就像养一个孩子——阿里巴巴，有成就感。不觉得有了工作就没有生活，我们有共同的爱好志趣，很开心，比平常家庭生活更有意义。"

"马云你挺厉害，把我培养成这样一个人！"

退下来的张英，做一点自己的事，更多的时间是照顾家里。她从不把自己当成有成就的人，自视还是当年的平凡人。

张英永远忘不了当年马云用自行车推着她一起上夜校的情景。

“在公司的时候，虽然工作有张有弛，但小日子没有了，再也没精力两人一起买菜了。有一天，马云轻松下来，一起去买菜，再过小日子，像从前一样。”这是张英的梦想。

李琪

李琪也是浙江人。中山大学计算机系毕业，学软件的。中国黄页经过1995年大半年的折腾，加之媒体的推波助澜，在杭州已经小有名气。1996年1月，黄页招人，李琪去应聘，面试李琪的是何一冰。当时黄页的技术人员由何一冰负责。李琪加入黄页时，公司里已经有十来个人了。

李琪第一次见到马云是在上海的培训班上。他看见一个小个子的人，很怪，站在机器旁，人们告诉他这就是马云。马云见到李琪问了句：“你就是新来的员工？”似乎也没在意他。

不久马云带李琪去了趟美国，因为当时黄页的服务器在美国。两人在美国参观了他们租用的服务器，参观了硅谷，也参观了微软、网景等大公司，学到不少东西。

当时国内的网络技术与美国有不小差距，但很多东西其实就是一层窗户纸。美国之行让李琪捅破了这层窗户纸。

回到杭州之后，李琪担起了黄页的技术重任。从此黄页实现了自己编程自己制作网页的愿望。黄页的第一个自制网页是李琪做的，当时李琪的职位是总工。但这只是马云和李琪合作的开始。

李琪很快就成为了中国黄页的一员大将。他很喜欢黄页的氛围，也很喜欢黄页的团队。

李琪在黄页待了将近三年。马云率队北上，李琪没有去（因为爱人生小孩），而是去了杭州的另一家公司。2000年1月，阿里巴巴再现杭州，李琪再次加盟。李琪一来就是主管技术的副总裁。2000年10月，他又临危受命成为主管销售的副总裁，四年后成为阿里巴巴的COO。

李琪是中国黄页的骨干，也是阿里巴巴的骨干。李琪是马云本土团队中成长起来的大将，也是至今除马云之外位置最高的一位“土鳖”。阿里巴巴有四个“O”，其中两个“海龟”：蔡崇庆和吴炯；两个“土鳖”：马云和李琪。

在前文中，我们讲述了李琪在阿里巴巴生死存亡之际出任销售领军人并把中国供应商变成阿里巴巴盈利主渠道的故事。这一仗对阿里巴巴生死攸关，对李琪也至关重要。这是对他领导能力和实施能力的综合考验。中国供应商之役的胜利奠定了阿里巴巴的胜局，也奠定了李琪在阿里巴巴的重要地位。平心而论，李琪的这个“O”得之不易。在众多海外高管折戟沉沙的阿里巴巴，李琪这个没有海外学历，没有跨国公司背景的本土将领能跻身公司最高决策层，凭的是实力和业绩，他这个“O”是拼出来干出来的。阿里巴巴草创之时马云说：师长军长统统从外面请！蔡崇庆和吴炯的确是马云从外面请的，但李琪是从本土成长起来的，是从残酷的网络战争中拼杀出来的。自古英雄不问出处！

马云曾组织公司高层看《历史的天空》。这部电视剧讲述了一个农民如何逐步成长为将军的故事。主人公姜大牙一开始几乎是个土匪，但是通过不断学习、实践，不仅学会了游击战、大规模作战、机械化作战，而且还融入了自己的创新，最终成为一个百战百胜的将军。马云说：“与众多的中小企业一样，阿里巴巴也希望员工像姜大牙一样，不断改造，不断学习，还要不断创新，这样企业才能持续成长。”

其实李琪就是一个姜大牙。当然阿里巴巴里的姜大牙还有很多。

技术出身的李琪，精明、严谨、务实，执行力很强。他经常跟不上马云的跳跃式思维，但李琪说“我总是被说服”。2003年马云提出一天100万收入时，李琪不信；2004年马云提出一天100万利润时，李琪也不信；但结果都是李琪被说服。作为副总裁，作为COO，李琪跟不上马云思维时，依然坚定执行。马云的天马行空加李琪的务实执行，阿里巴巴的两个O就是这样互补的。所以马云曾对我感慨地说：“感谢李琪他们接受我这样一个CEO！”

李琪认为阿里巴巴成功的原因之一是团队的凝聚力非常强。他说：“马云不是故意凝聚，而是会用人。”

在我看来，李琪就是马云用对了的人。李琪还很年轻，还有很大的发展空间。

孙彤宇

孙彤宇无疑是马云的另一员大将。在阿里巴巴，也许只有李琪和孙彤宇才能称得上是马云的左膀右臂。

孙彤宇是1996年4月加入中国黄页的。1995年的下半年，孙彤宇在杭州的一家广告公司工作。他在报上看见了有关马云和中国黄页的报道后，就去拜访中国黄页。孙去黄页的本意是想为黄页做广告宣传。当时的黄页还很小。孙彤宇和何一冰聊，马云就坐在对面听，马云和孙彤宇就这样认识了。不久孙彤宇就接到马云邀他加入黄页的电话。几个月后，孙彤宇加入黄页，很快就成了黄页的干将之一。

孙彤宇是第一批跟随马云北上的8人之一。在外经贸部的EDI，孙彤宇负责"中国商品交易市场"的建设和推广。EDI时的孙彤宇已经成为团队中的骨干了。

孙彤宇是阿里巴巴18个创始人之一。湖畔花园时代，孙彤宇除了工程师之外什么都干过。湖畔时代留给孙彤宇的回忆是:"做得很开心，不感觉很苦，脑子里没有苦的印象留下来。"

华星大厦时代，阿里巴巴第一次提干的三人中有孙彤宇，为此还引发了一场风波。那场风波主要是孙彤宇引发的。

在阿里巴巴原始团队中，表面上看起来大大咧咧的孙彤宇，其实是个性最强的人。孙彤宇说:"有人说阿里巴巴有个人很难打交道，很难沟通，那个人就是我。"

个性强烈的孙彤宇和张英吵过，也盛一飞和程小咚吵过。人们都说江山易改本性难移，但是为了工作，为了公司，孙彤宇也改变了自己的个性。"变化是从2000年开始的。参加关于交流的培训后，意识到自己的问题所在，开始变化。一个人改变长期形成的习惯很困难，但拿我做例子，我个性这么强的人都改变了。"孙彤宇说这些话时很轻松。

孙彤宇最大的变化还是在做淘宝以后，这时的孙彤宇已是阿里巴巴的封疆大吏。作为淘宝的统帅，他的一言一行都举足轻重，改变自己是为了淘宝和阿里巴巴。

孙彤宇和李琪一样，也是阿里巴巴本土团队中成长起来的大将。他是团队中成长速度最快的几人之一。

孙彤宇说："华星时代能力和现在比相差很大，那是个需要成长和充电的时刻，大家都很用心。"孙彤宇承认那时的能力只够当连排长。

2000年过年时，马云把创始人叫到一起喝茶。马云对大家说："我们原来的人只能当连排长，公司需要师长，需要跨国公司的高层进入，相信许多人心里会有想法，付出了这么多，因为现在能力不够……"孙彤宇说："也许现在是连排长，我们有信心将来变成军师长。我们需要自己变成军师长，每个人都需要成长。"

两年之后，孙彤宇成为阿里巴巴副总裁。2003年，孙彤宇出任淘宝总经理，成为阿里巴巴第一个封疆大吏。当年的小连长成长为今天独当一面的将军。

马云说过一个著名的段子："孙正义跟我有同一个观点，我们俩人在东京讲过，一个方案是'一流的Idea加三流的实施'；另外一个方案，'一流的实施，三流的Idea'，哪个好？我们俩同时选择'一流的实施，三流的Idea'。"应该说阿里巴巴是有一流Idea又有一流实施的团队，否则不会有今天。阿里巴巴团队的确是一支执行力非常强的团队，之所以能这样是因为李琪、孙彤宇等这几员大将的执行力非常强。

孙彤宇说："每年有几次战略会议，探讨战略方向。大家都发表观点。和马云一样不一样的观点都发表。最后马云一个人拍板，定了，全力往前走，目标是把这个东西做出来，而不是证明这个想法是错的。"

孙彤宇说的是阿里巴巴高层的决策过程。定战略时，孙彤宇的意见可能不是最关键的，但执行时，李琪、孙彤宇的作用非常关键，因为他们是真正带兵打仗攻城掠地的人。

"没碰到大家向A，马云向B的情况。只有阿里巴巴刚做时，那个类似BBS的东西，马云坚持要检查过再贴上去，大家认为不需要检查，最后发现还是他的想法对。模式出自马云的脑子，大家碰撞。淘宝的决策是在2002年底和2003年初形成的，马云和高层交流过，大部分人认同。"

至于为什么点将让孙彤宇做淘宝，并非仅仅是因为孙彤宇当时比较空，而是因为他已成为一个成熟的执行力非常强的将领。

做淘宝的总经理，创办阿里巴巴第一个子公司，在C2C这个完全陌生的领域开疆扩土，向世界网络巨人eBay叫板，这可是非同小可的事，马云点将时一定经过反复思考。

事实证明这次马云又用对了人。孙彤宇提前一年完成了超越eBay易趣的目标。淘宝的两年多是孙彤宇压力最大锻炼最大的时期，也是孙彤宇最辉煌的时期，但这个时期还没有结束，初战告捷的淘宝未来的三五年更为关键。

淘宝使孙彤宇成熟，孙彤宇形象和性格也悄悄地发生了变化。在淘宝网社区他的ID叫做“财神”，但员工更喜欢亲热地叫他“财叔”。在年轻的淘宝员工中，没人把孙彤宇当做“老板”：午休时，孙彤宇会和员工抢一辆自行车兜风；下班后，他也会挽起袖子与员工杀上几局CS游戏。

淘宝证明了孙彤宇强大的执行力，也证明了他独当一面开疆扩土的能力。这个能力很重要。阿里巴巴要想做大，要想成为世界500强，必须造就一大批孙彤宇这样的封疆大吏。

对自己执行能力，孙彤宇充满自信：“我和马云共同点其实也很多，比如两个人都是内心火热，对企业未来有比较坚定的信心。不过你也别以为我没有比他强的地方，要说公司运营、执行力，他肯定不如我。”

采访即将结束时，我即兴问了一句：“想没想过做CEO？”孙彤宇听完觉得这个问题很奇怪。我这个不准确的问题，引出了不善言辞的孙彤宇一大段话：“许多公司创始人可共患难不能共富贵。分开是因为利益，是因为大家的目标不一样，对利益的判断不一样。利益不仅仅是钱，也有名。你创办这个公司，没我什么事；你拿了那么多，我拿的少，不匹配，于是大家目标发生变化。在阿里巴巴我们大家目标一致。公司是大家一手创办出来的，对它的任何伤害都是不能接受的。我认为这有我的一部分，很爱阿里巴巴，愿意为它做点什么事。考虑自己利益可以说是叛徒，是对目标失去信心。

“钱是重要的，但不是一切。可能碰巧，这帮都没把钱放在第一位的人走到了一起。诱惑是有的，猎头打过电话，很好的位置，但做这些事是犯罪，也没有必要。在其他公司做什么，说不定就死掉了。我越来越认可阿里巴巴，不可想象对它有哪怕一点点伤害。离开为之奋斗的事业和团队，是想都想不到的事！

“不同的人用不同的车和房是正常的，是不能比的。更重要的是大家在做共同的事。阿里巴巴的Founder从第一天起就知道，马云在，我们永远做不了CEO，我们不会想这个问题。做什么工作头上的帽子并不重要。大家都没野心，更乐意看到公司的发展。对它倾注了太多的情感，公司又那么好，大家在一起，爱这个公司，爱这个团队。”

我无意中引出的孙彤宇的这番话发人深省。从中不仅可以看到孙彤宇的境界和情感，也能感受到阿里巴巴公司制度的先进。团队的凝聚力从何而来？阿里巴巴为什么会成功？孙彤宇的话里就有答案。

金建杭

金建杭，一听名字人们就能猜到他是杭州人。金建杭现任阿里巴巴的副总裁。

在阿里巴巴的历史中，金建杭一直是公司的新闻发言人。在阿里巴巴，对外露面最多讲话最多的第一是马云，第二是金建杭。作为负责新闻发布和公共关系的副总裁，金建杭担负着塑造阿里巴巴形象阐释阿里巴巴战略方针的重任。可以说外界对阿里巴巴的了解主要是通过两张嘴：马云的嘴和金建杭的嘴。

有记者问马云：“金建杭对你有什么影响？”马云回答：“影响大着呢。我所有的时间都是他安排，他通过控制我的时间而控制我的思想。”

金建杭对马云的影响是显而易见的。作为成功的企业领袖，马云对互联网市场的感觉是极其出色的；作为前外经贸部机关报《国际商报》的资深记者，金建杭对中小企业出口困境的感觉很深刻。马云最终选择为中国中小企业构建网上出口通道这条路，与金建杭对他的影响分不开。

金建杭对马云的影响并不局限在公司的战略决策上，而是渗透在方方面面。

有媒体这样评价金建杭：“在阿里巴巴的早期创业团队里，有一个人一直格外引人注目，他就是阿里巴巴副总裁兼新闻发言人金建杭。金建杭在阿里巴巴的权力很大，甚至对许多马云同意了的事情仍拥有否决权。金建杭也一度是媒体追逐的明星，只要有阿里巴巴或者淘宝网的新闻，必然要由他作为官方发言人来亲自回应和解说。可以说金建杭为马云的阿里帝国之崛起立下了汗马功劳。”

当然作为阿里巴巴的灵魂人物，马云对金建杭的影响更大。金建杭1993年到《国际商报》当记者，1998年加盟马云的EDI团队。“如果没有互联网，如果没有遇见马云，我现在或许还是一个记者。”金建杭遭遇马云是缘分。正是这个怪异的杭州老乡改变了金建杭的命运。

1996年春节，金建杭回杭州老家，在当地的一份报纸上看到一篇文章，讲互联网和网上交易，讲在杭州也有个帮企业做网上交易的人叫马云，在搞什么中国黄页。他打电话给编辑，说这个事情很有意思，告诉人家自己想认识那个搞黄页的哥们儿，然后把自己的电话留下。

1996年春夏马云来了，从杭州跑到北京，到金建杭所在的《国际商报》，给大家讲互联网，讲电子商务。“我回家跟我老婆说，我做记者采访的人也不少，马云这人很特别。”金建杭回忆说。

1997年年底，马云到北京来了，受聘于当时的外经贸部中国国际电子商务中心信息部，后出任国富通公司总经理。同在一个系统，交往自然更多。

马云着手做外经贸部政府站点，建成后，金建杭受马云鼓动，过去做了第一任主编。从《国际商报》调离的时间，金建杭记得是1998年8月。

从做记者到做企业，金建杭如今看起来是平滑过渡，顺利转型。

“我到企业完全是没准备、没储备。”加入阿里巴巴的创业团队的金建杭最初的一段时间一直在找感觉。

“做成一件事情，增加一份信心”。金建杭如今总会记起2000年第一次“西湖论剑”的那段经历。马云只给金建杭留了18天的时间。从租场地到接飞机，大大小小几百件事情，太多的事情要安排，“我当时跟大家讲三句话——态度决定一切；阵型是关键；身体是本钱。”这件事情操持下来，金建杭瘦了一圈，但事情干得很漂亮。如今每年一届的西湖论剑，金建杭再操持起来轻松多了。

做企业其实就是找“从胜利走向新的胜利的感觉”，和阿里巴巴一起成长的这几年，金建杭对做企业颇有一番心得。“做公司与做人是一样的，看的是一个人的胸怀。”金建杭说，“和马云，我们常说起胡雪岩的一句话，看得到一省，就做一省的生意；看得到全国，就做全国的生意；看得到天下，就做天下的生意。所以我们阿里巴巴的口号是让天下没有难做的生意。”

“做记者是把问题提出来，让别人给你答案；做企业是你不仅要找出问题，还要能找出答案。”金建杭如今也总是会不由自主地去比较两个角色，“做记者有时候只关注问题的第一个层面，只管问为什么，很轻松；但找答案很累！”

“记者有记者的优点，记者培养人的大局观。还有就是思路活、点子多。”金建杭说，这对去做企业很有帮助。

但也不全是优点，“做企业不像写稿，每一个事情都去总结、去反思，企业要做正确的事，而不全是正确地做事，在做正确的事的过程中你可能会犯错误，但你明天改正用来弥补就是了，不是在一件事情上纠缠对错。有时候就是你去做了一件事，然后把这件事情丢给媒体去分析、去思考，你已经在做下一件事情了。”“做正确的事的人可以招一些正确地做事的人来做。”

还有点子。在企业，执行总是比点子更重要。金建杭说，做记者可能会有许多好方法，但具体执行起来可能会差很多。

1998年8月，“起了大早赶了晚集”的马云正四顾茫然，促使金建杭毅然下海加入马云团队的重要原因是他与马云在用电子商务帮助中小企业这个战略大方向上达成了共识。马云的中国黄页是面对大企业的，金建杭不是中国黄页的老人，他一开始就是从战略高度认识马云的事业的。他和马云的江浙出身使他们很早就认识到民营中小企业才是中国经济的生力军和发动机。他和马云的外经贸部工作经历（金建杭5年，马云1年），又使他们共同认识到，只有电子商务能够救中小企业。金建杭说：“生产力的发展取决于先进的生产工具。今天的先进生产工具就是电子商务。谁先用到了，谁就可能领先。中国已成全球制造业中心，但是中国只占整个产业价值链的3.5%，80%在营销环节。中国越勤奋越辛苦，别人赚的钱就越多。面对西方国家用上百年建立起来的营销优势，只有采用新方式，只有电子商务这个工具才能帮助中国改变经济结构，才能帮助中小企业走出困境。”

马云和金建杭正是在这个战略层面上达成了共识。因为有了这个共识，所以阿里巴巴一创建就面向中小企业。

金建杭太了解中小企业出口难了，所以他提出了“让天下没有难做的生意”这个口号，如今这个口号已经成为阿里巴巴的使命。

我很早就认识金建杭。在我的印象里他似乎一开始就进入了阿里巴巴高层。这次采访，金建杭纠正了我的错误印象：“马云让我加入，我说不能一开始就做头，要给我找个头。我也是从公关经理一步步做起来的。”

但金建杭的确很快就成了阿里巴巴的副总裁。金建杭从记者到新闻官的这个转变很顺利，过去他采访别人，如今他主持新闻发布，被别人采访，这个角色的转变很快，但是从记者到企业家的转变就艰难得多。

金建杭加盟阿里巴巴后，一直常驻北京。一面负责公司新闻和公关业务，一面负责阿里巴巴北京分公司，但北京分公司一直没有开展中国供应商和诚信通的销售业务。

阿里巴巴所有新闻发布和对外公关，都是金建杭的事。西湖论剑和网商大会之类重大活动都是金建杭指挥的。当遇到阿里巴巴被国际反伪联盟推荐上榜特别“301”黑名单这类突发事件，出来处理危机的自然也是金建杭。最近两年，金建杭还不时出现在大学讲坛和经济峰会的讲坛上。

2004年金建杭离开北京，接替张英出任阿里巴巴中国网站总经理。这是金建杭第一次主管网站实业。金建杭突然消失在媒体视野之外，还曾引起媒体的一阵猜测。

金建杭接受中国网站业务之后，先进行市场调查，然后着手调整，把原来按企业在线时间排序的规则改为按企业发布实效排序。

2005年8月，在阿里巴巴收购雅虎中国的新闻发布会上，人们又看到了金建杭的身影。2005年底，金建杭奉调回京，重新掌管阿里巴巴的新闻公关和市场部，同时兼任雅虎中国门户掌门。

阿里巴巴成长的8年，也是金建杭成长的8年。他已由一个财经记者变成一家声名显赫的网络公司的副总裁，变成一个真正的企业家。

彭蕾

在张英离开后，彭蕾就是阿里巴巴高层中的唯一的女性了。1996年中国黄页时，彭蕾就认识了马云。她第一次见到马云时就印象深刻：“在黄页办公室，突然走进一个瘦小的人，张牙舞爪地喊：我们也要保钓！简直匪夷所思。后来，人们告诉我，这就是马总。”

1997年彭蕾毅然辞职并放弃了新分的房子，跟随马云北上。在北京EDI

时，彭蕾负责后勤工作。有一天，马云对他们说："你们要提高自己，否则会被淘汰。"这句话对彭蕾触动很大，从此学习和提高变成了她生活的一部分。

当马云决定回杭州二次创业时，彭蕾并没有像其他人那样郁闷："几乎没有考虑，一起来的当然一起回去。我对北京没有留恋，对北京的生活不适应，期待回杭州。虽然在北京拿上万，回杭州拿500，心理上没什么。"

湖畔花园时代，彭蕾的工作是做客服。"做客服做到痴迷的程度。"这是她对那时的描述。2000年3月公司迁入华星大厦。不久，彭蕾和张英、孙彤宇一起被马云提升为总监。这是彭蕾进入阿里巴巴管理层的开始。

公司开始正规化后，马云派彭蕾去做人事经理。从此在人力资源这个岗位上，彭蕾一干就是5年。

交接时，彭蕾有难舍难分的情绪："做客服已经做得非常喜欢了。客户的想法和脾气我都很熟悉，这些都无法移交，他们只认我。"但马云说："不行，公司越来越大，HR就是招人，你一定要去！眼睛一闭就交出去了。"

彭蕾接手人事经理后，她做客服时的信箱还开放着，一直到2003年还有客户给她发邮件。

彭蕾开始做招聘时压力很大，尤其面对那些大公司的高级人才。她从他们的眼神中可以看出不屑：你这个年轻人有什么资格面试我们？

彭蕾掌管阿里巴巴人事大权长达5年。5年中她不知面试过多少人，面试过多少显赫人物——500强的高管、世界顶尖网络高手——也不知决定了多少人的去留。

彭蕾在做HR之前，完全是个外行。5年之后，她已把自己锻炼成HR专家。她的严谨、认真、敏锐，一切以公司利益为取向，已经成为阿里巴巴HR的风格。阿里巴巴持续快速扩张使招人成为常态，5年来无数次招聘，两次大规模外部高管招聘，阿里巴巴团队从几十人疯狂扩张到2500人，肩负阿里巴巴HR重任的彭蕾为此倾注了无数心血和智慧。阿里巴巴人才济济，阿里巴巴梦幻团队的形成，彭蕾功不可没。

2002年11月，彭蕾成为阿里巴巴副总裁，从此进入公司决策层。

2005年，彭蕾一度调离HR成为主管市场部的副总裁。2005年底，彭蕾重回HR。

作为阿里巴巴的HR副总裁，彭蕾的工作不仅仅是招人开人，公司文化建设，人员培训，都是彭蕾的工作。

2001年初，关明生出任阿里巴巴的COO做的第一件大事就是和公司高层一起总结、提炼、固化阿里巴巴的文化，彭蕾参加了这个过程。在公司高层，彭蕾的文笔是最好的，因此独孤九剑的文字提炼，彭蕾的作用可以想见。事后关明生说："彭蕾出了很大力。"

贯彻阿里巴巴的价值观，防止公司文化稀释，一直都是彭蕾领导的HR的重要工作。在彭蕾看来，阿里巴巴的成功得益于行业的大背景：互联网上网基数的增加，中国经济的快速增长。当然还有马云的作用："马云是一个不放过任何机会的人。只要有1%的机会，他都会100%的去争取。不是所有人都有勇气忍受100%的拒绝。我非常佩服他的意志力、坚持和激情。"

在阿里巴巴高层，彭蕾的直率很突出。李琪曾说："就是马云不对，彭蕾也会说，憋不住的。"

面对阿里巴巴的辉煌，彭蕾的头脑很清醒："越是太早成功的企业越是要警惕，最可怕的是自我膨胀，要每日三省吾身。"

回首往事，彭蕾说："以前也不觉得苦，现在也不觉得好。印象最深的是创业的一年和转型的一年，2002年10月以后，年年好于预期，就没有回忆激情了。"

彭蕾是阿里巴巴本土团队成长起来的女将军。她在团队中作用很重要，她的成长经历也很典型。

蔡崇庆

蔡崇庆从一加入就是阿里巴巴的CFO，现在还是CFO。阿里巴巴收购雅虎中国后，董事会有4名董事。除了孙正义和杨致远外，阿里巴巴的两个董事就是马云和蔡崇庆。也就是说，在阿里巴巴蔡崇庆是位置仅次于马云的2号人物。

蔡崇庆是阿里巴巴的18个创始人之一。他生长在台湾，13岁到美国读书，一读就是18年，蔡崇庆是耶鲁的法学博士，哈佛的MBA。后来做了3年律师，再后来加盟一家投资公司，做了4年。1995年蔡崇庆把家搬到香港，出任瑞典

AB风险投资集团的亚洲部总裁，负责集团亚洲投资业务。

阿里巴巴创业初期，马云凭借个人魅力和三寸不烂之舌，的确挖到不少包括吴炯这样的海外精英。但影响阿里巴巴命运的第一个海外精英和关键人物——蔡崇庆却不是马云有意挖到的，而是他自投罗网的。“马云没有请我，是我毛遂自荐的。”

与马云同龄的蔡崇信本来没打算自己创业，他是带队到阿里巴巴来考察投资意向的。蔡崇庆在和马云彻夜长谈之后，出人意料地说：“马云，那边我不干了，我一定要到你的阿里巴巴来。”马云大吃一惊：“你到我这儿来，我养得起你吗？我这每月可就500块人民币的工资呀，你还是再考虑考虑吧。”蔡崇信回去对妻子说：“马云的阿里巴巴前途很大，我一定要去。”

蔡崇庆的妻子是香港一家公司的副总裁，当时正在怀孕，听完蔡的话马上说：“你疯了！”她很快让蔡崇庆陪她到杭州来见马云，谈过之后，也感觉公司有前景。事后蔡崇庆的妻子说：“当时我要是不让他去，他会一辈子不安的！”

马云见蔡崇庆十分坚定，就说：“那你就过来管钱吧！”于是蔡崇庆就成了阿里巴巴的CFO。

蔡崇庆对我说：“组成团队是很大的艺术。当时我在瑞典公司做投资，做得不错，没想到创业。为什么来，阿里巴巴特别吸引我的第一是马云的个人魅力，第二是阿里巴巴有一个很强的团队。1995年5月第一次见面在湖畔花园，当时他们有16个人。第一感觉是马云领导能力很强，团队相当凝固。开始做公司，一个人做不起来，有了团队成功的概率会更高。把这个团队和其他团队比较，这个团队简直是个梦之队。我们团队高层背景不一样，各有短长，可以互补。马云能认识到别人的长处，了解自己的不足和需要帮助的地方。互相弥补的心态很重要，否则会有怨气和冲突，这是组建团队的关键。”

辞掉国际大公司的高管职务，加盟前途未卜的阿里巴巴，无疑是蔡崇庆一生中最重大的决定，也是他一生中最大的一次赌博。

蔡崇庆说：“当时并没有那么大把握，做这个人生重大抉择时，没有理智的依据，全凭冲动感觉。没有多想，只是想阿里巴巴是个很好的概念，可以跟这个团队合作，和有激情的人和团队一起，闭着眼睛干，干成功更好。很多国外留学生不愿承担风险，加入阿里巴巴和我个性有关，我喜欢冒风险。

"能否相处合作是最重要的因素。自己积了一点钱，500元工资肯定是亏的，是倒贴的，等于是投资。我在国外公司做事，看的人和事很多，并不觉得只有国外留学的人才有能力。在美国学MBA的人，大部分都失败。国外的人和国内的人各有所长，我从未把马云他们看成'土鳖'。我和马云有缘分，心态也一样，看长远目标，愿意冒风险。但马云的风险更大。他失败了，个人就失败了；我失败了，一年以后还可以到别的公司去。"

当我问起如今如何看这个抉择，蔡崇庆微笑着回答："抉择是对的！在阿里巴巴学到很多东西，让我的专业水平提高很多，学到了为人处事的哲学。本来律师和财务都是对人的，在这么大的公司更要对人。"

作为CFO的蔡崇庆除了参与高层决策，在阿里巴巴主要负责财务和法务两大块。目前阿里巴巴在杭州的财务有40多人，律师有5人。

蔡崇庆一年中有1/3时间在杭州，其他时间在香港和美国。

蔡崇庆说："阿里巴巴高层相互信任。马、吴、李、彭等相互了解，大家信任度高，很默契。"

除了"冬天"那次大裁员，是蔡崇庆和关明生一起操刀，其他几次阿里巴巴的重大战役，例如整风培训、销售大战，抗击非典，似乎很少见到蔡崇庆的身影，但蔡崇庆在阿里巴巴的位置和作用是难以替代的。

蔡崇庆在阿里巴巴做了三件事：

第一，建立公司。蔡崇庆5月加盟，6月阿里巴巴要成立公司。马云对蔡崇庆说："就等着像你这样的人来帮我们成立公司。"接下来就是我们前面提到的那一幕："我做了参股合同，他们能看懂的是有多少股份。在一间小屋里，夏天出了很多汗，在白板上，我给大家解释股票和期权，解释新人来了占多少百分比，其他人的股权如何被稀释掉，并做深入的解释。"

阿里巴巴成功原因之一就在于公司一开始就是一个建立在先进企业制度之上的国际化的公司。能做到这一点有两个原因：一是马云公司理念的先进。蔡崇庆说："马云把他自己的很多股份慷慨地分发给18个创始人，注重团队，注重朋友义气。马云提出公司是永远的，人是会换的。这是个健康的理念，是接受了西方的理念。"二是蔡崇庆对国际法律和财务的精通，是蔡崇庆的出色操作。

蔡崇庆说："我参加了公司组织结构建立。第一天就决定阿里巴巴将来要到国外上市，要在国外成立控股公司。因为国内除了国企，很少能上市。”

“跟高盛签合同时，500万美金，他们要主要创办人对财务资产做保证，要马云和张英保证公司的财务状况，这是正常的。张英问我，公司财务不是像他们想象的那样。我说，即便是财务没有任何问题，这个保证也要做，不然他们会告你。我的角色是协调双方，有些可以谈。我向马云、张英解释：搞得严谨一点对创办人好一点。”

当时的阿里巴巴太需要一个像蔡崇庆这样的既精通法律又精通财务且熟知国际惯例的“自己人”了。阿里巴巴成立公司时，蔡崇庆搞的一系列合同文本，不但创始人们看不懂，就连马云也不能完全看懂。公司能够一成立就是一个国际化规范化并完全与国际国际惯例接轨的公司，没有蔡崇庆是难以想象的。

第二，引进资金。阿里巴巴的第一笔资金正是蔡崇庆通过他在高盛的朋友搭桥引进的。引进第二笔孙正义的2000万时，开始蔡崇庆不太积极，主要是担心股权被稀释得太多。后来还是跟马云上了东京。引进第三笔孙正义的8200万时，参加谈判的还是马云和蔡崇庆。

蔡崇庆说：“在谈判细节上，我有经验。马云相信我。最后要拍板做决定，多少钱进来，占多少股份时，马云参与进来。马云自称对数字不敏感，对财务不了解，如果真是这样，马云不会成功。在做生意上马云相当灵。”

第三，建立财务制度。蔡崇庆为阿里巴巴建立了一套透明的规范的国际化的财务制度，这对阿里巴巴的稳定和发展十分重要。当然，蔡崇庆是CFO，搞财务是他的本行。但蔡崇庆是个国际化的CFO，是他为阿里巴巴财务的国际化奠定了基础。

正是以上三件事奠定了蔡崇庆在阿里巴巴的地位。

蔡崇庆是第一个加盟阿里巴巴的海外精英，也是18个创始人中唯一一个海外高管。

正如蔡崇庆所说，他与马云是有缘分的。“认识马云6年多，在公司层面上，是合伙人。他是我的老板和CEO，在私人层面是朋友，相互信任度很大。在投资上、财务上，他问我的意见，我以朋友身份给他意见，关系密切。如果有一天我不做CFO了，还是马云的朋友，马云讲义气。”

毋庸置疑，蔡崇庆与马云的缘分、合作和友谊，对阿里巴巴影响深远。

阿里巴巴香港上市之后，蔡崇庆手中的股份仅次于马云，届时他的身价是9.22亿港元。

蔡崇庆当年的抉择真的没有错。

楼文胜和谢世煌

楼文胜是马云的同学，比马云低两级，小4岁，是团队中的老大哥。楼文胜毕业后做了6年教师，3年期货。辞职重新择业时，看见电视里播《书生马云》，楼到黄页应聘，面试他的是孙彤宇。楼文胜是学政治的，到黄页后分到策划部负责写文案。3个月平静如水的办公室生活与从前大起大落的期货生涯反差太大，于是楼文盛提出辞职。马云很惋惜，临别送他一句话：你走我也留不住，什么时候想回来，上午打电话下午来上班。

1998年2月5日，楼文胜和马云相逢于西湖畔，于是进茶楼吹了一天。三天后，楼文胜和马云一起飞到北京。

楼自称团队中的保守派，与马云形成两极：变与不变。并坦言马云的浪漫和前瞻高于自己一个层次。

湖畔花园时代，楼文胜干得很苦，常常深夜回家。但因是成家之人，没有像那些单身年轻人那样24小时盯在公司，所以时常感到愧疚。湖畔时代开始花马云的钱，马云的钱花完了，是楼文胜第一个拿出自己的钱。上午把钱交出去，下午领回自己的500元工资。樊馨蔓听说后惊讶地问：马云，你怎么能拿员工自己的钱给员工发工资啊！

华星风波时，楼文胜算得上是个主角。那封给马云的信就是他执笔的。会后他说：经历了一场洗礼，天空内心都纯净。宁波做销售主管时期是楼文胜最艰辛最辉煌的时期，用他的话说是痛并快乐着。

谢世煌在阿里巴巴人称小谢。虽然这个小谢不是李白诗中的“小谢”，也没听说谢世煌会写诗，但他仍是阿里巴巴创始人中个性张扬的代表人物。小谢北京街头号啕大哭，早已成为阿里巴巴的经典段子，小谢要在上海南京路上裸奔也已成为阿里巴巴的典故。

谢世煌是阿里巴巴为数不多的出身国企的人。1996年谢世煌在杭州电信一家公司做投资。一天，谢世煌一边打牌一边用杭州电信的专线看网上的图片，突然发现杭州居然有一家叫做中国黄页的网站。当小谢认识马云后，发现这个人的眼神、语气、步伐都和国企的人不一样。于是当马云率队进入EDI时，小谢投奔了马云。

似乎小谢走到哪都会有故事。在EDI，他留下了马路大哭的故事；在湖畔花园，他留下了买电脑的故事；在华星大厦，他留下了装修的故事；在上海销售，他留下了裸奔的故事……小谢说："创业时反而心情很宁静，以后的体会就是忙、忙、忙！"

小谢直言："没想过一定会成功。团队的归属感很重要。如果钱花完了失败怎么办？大不了回到黄页时代，照样赚钱。阿里巴巴的幸运，来自团队多年的磨炼的特质。如果我过去，拿到钱，请洋人大手笔运作，也可能死在沙滩上。网络是特殊行业，变化快，不能按理论来，也不能按国际MBA的方式运作。"

提起非典时期，小谢说："警察用大锁把我们隔离了。他们不知道我们在里面很开心，后来都不想出来了。一出来，社区老百姓指着我说，那个穿T恤的小伙子是被隔离的。于是一个小女孩用歪歪扭扭的字写了个纸条，上面是祝福的话，她把我当非典病人了。"

回顾过去，小谢感慨道："这个行业吃青春饭。累了，歇口气就不行。"

说起马云，小谢这样说："在逆境时，你能感觉到他超乎寻常的领导能力，在顺境时他反而提不起精神。逆境时，马云拿根棍子到处走，亢奋的眼神，随时准备接受任何挑战，国企老总危机关头挺身而出的不多。"

在国企混过的小谢总爱拿马云和国企老总比。

"有些东西是从书本上学不到的。马云的人格魅力不知从哪来的？他说：管理是什么？就是走、谈、闻。我们都是他的学生，从他那儿学到很多东西。每人都能听到他的话，能感悟多少要看个人。"

谢世煌现在官居中国网站部交易中心资深总监。

蒋芳和吴泳铭

蒋芳是马云的学生。她也是中国黄页的老人之一。

在蒋芳的记忆里，马云是个出色的老师。“他跟其他老师不一样，不仅是外表。马云讲课生动有趣，开口就有蛊惑力，没人逃他的课。马云能够巧妙调动大家学英文的兴趣，所以大一全班就通过了四级。马云当初答应请客，后来就逃之夭夭了。”蒋芳也清楚地记得她是如何来到黄页的。“1996年大学毕业，父亲的朋友开外贸公司，打电话让我去。第二天，马云到学校找我，那天下着雨，马老师就在女生宿舍楼下等。在楼道里，马老师问我：愿不愿意到黄页来？就在楼道里，决定了我的后半生。”蒋芳是1996年5月加入中国黄页的，是加入黄页的第一个马云的学生。后来又跟随马云到了北京，成为阿里巴巴18个创始人之一。

蒋芳的个性与其他创始人都不一样。她淡泊名利，追求内心感受，喜欢哲学思辨，价值趋向也与其他人有点不同。她自己也说：“我的思想不主流。”

在湖畔时代，蒋芳的工作是客服。那一段岁月她很快乐。到了华星时代，蒋芳一度心绪不好。她自学日语，想去翻译作家的书，突然迷恋上海一所全寄宿学校，想离开阿里巴巴。她跟张英提出辞职，张英挽留她说：再干一年。一年以后诚信通销售起来了，紧张得脱不开身，她也忘了那一时的翻译热情。

在华星时代，蒋芳管理过中英文网的客服团队，职务相当于总监。现在是专家，相当于资深经理。蒋芳现在是18个创始人中唯一一个不在管理层的人。

蒋芳说：“我有很多机会，但个性散漫，对管理不太感兴趣，做不来。当经理时，最怕过季度末，写报告，搞总结，几天就没了，成就感差。”

蒋芳很喜欢现在的位置和工作：“我从来没感到这是个问题。戴珊是我的上司，决策有争议，按她的做。决策时我会说出来。位置靠下，可以把客户和底层的问题带出来，在这点上我的贡献不小，有成就感，远比我当经理时开心。在平行部门，缺我这样一个专家。”对于马云，蒋芳的看法也很独特：“马云是精神领袖，个人魅力非常强。从学生时期就崇拜他。但马云毕竟是人，我不认为他是神，他也有弱点，有平衡不好的东西。几千号人，需要一个团队管理，靠他一人巡视不行。现在个人崇拜，没人向他挑战，决策时没有另外信息，决策出来没人反对，只有叫好。”

作为创始人中唯一的专家，蒋芳不仅给戴珊提建议，也要给马云提建议：“我蛮幸运，比其他同事有机会约马总谈公司的问题。可能有两个结果，但我不怕被误解。”

回首走过的路，蒋芳也很感慨：“当时还是小孩，跟阿里巴巴一起成熟。运气好，有机会，不管成败得到了磨炼。现在的年轻人没有这样的运气。”

蒋芳是创始人中唯一没有买车的人。她说：“要买车得卖股票，靠工资不够。股票在我心中是一个遥远的安慰。真的不上市，抱头痛哭的一定不是我。我不需要靠它抚慰。”

吴泳铭毕业于浙江工业大学计算机系。白面书生，网络高手。吴泳铭毕业时看见报上黄页的广告，应聘时李琪面试，1996年底进入黄页。他庆幸自己一工作就接触了互联网。1997年底跟随马云进京，和周越红一起负责网站技术开发。

吴泳铭是典型的网络技术迷。谈话一旦进入他的领域，就话如泉涌。吴泳铭是江浙人中难见的高个，且面目清秀，堪称帅哥，但绰号却是“吴妈”，据说因为脚大，典出鲁迅小说，绰号是蒋芳起的。

吴泳铭跟随马云到外经贸部搞官方网站时，开始技术上只有他一人，着实挑了一回大梁。

湖畔花园时代吴泳铭做工程师写程序。因为年轻，虽昼夜苦战但精力充沛，半夜看鬼片搞恶作剧都少不了他。如今回首，吴泳铭说：湖畔时代比较快乐。

2003年启动淘宝，吴泳铭是马云点的7员大将之一，那时他刚结婚。后来他又成为支付宝的工程师。这时的吴泳铭早已是阿里巴巴里非常出色的工程师了。自称年轻贪玩的吴泳铭在阿里巴巴的土壤上成长得很快，在支付宝他从技术转向管理，现在已是支付宝的总监了。

韩敏和戴珊

韩敏也是马云的学生，她比蒋芳低一级。1997年毕业，她在人才招聘市场上见到了自己喜欢的马老师，于是就投了简历。韩敏一到公司就遇见了师姐蒋芳。

在韩敏的记忆里，马云讲课从来不按书本，而是海阔天空地侃海外见闻。当时大一考英语四级，大家都是为了马云考四级的，觉得考不过四级没脸见马老师。

能在马老师手下工作，韩敏很高兴。

1998年4月，韩敏作为第二批成员到达北京。在外经贸部的日子，韩敏感觉生活挺美好。她忘不了楼文胜的吉他，忘不了周末去逛大栅栏，也忘不了孔乙己餐厅的会餐……

当马云带队转到国富通把她一人留在EDI时，她感受到孤独的滋味。湖畔时代留给韩敏最深的记忆就是：每天早上打开门，看到的横七竖八一地……

2001年韩敏遭受到一次大挫折。当时她任内容编辑主管，带一个团队。当时她的目标想法和马云的不一致，跟下面的人一致。后来矛盾尖锐，马云只好直接和她部门下面的人沟通。这是个失误，也是她成长中的转折点。2002年底，韩敏带6个人创建诚信通，3个月后，戴珊接替韩敏成为诚信通主管。韩敏现在是中国网站部拍卖合作总监。

韩敏说："Founder每年碰一次。不一定都担当重任，只要在本职上发挥影响力就好。大家留心公司现象，发现事情，影响力和别人不一样。看到公司不好的地方都会说。这是从湖畔时代保留下来的风格，关系像兄弟姐妹一样。有事最早帮忙的准是Founder！"

戴珊也是马云的学生。1998年7月，戴珊在海南，韩敏打电话给她："你来吗？"戴珊就这样到了北京。

回忆在外经贸部的日子，戴珊说："那时住集体宿舍，就数我们的笑声多。"

湖畔时代留给她的印象是：清贫、和谐、开心。她忘不了1999年7月，大家给她过生日，也忘不了不断地换部门。

华星时代的风波戴珊记忆犹新。"我们都是打江山的，凭什么他们当领导？"后来明白了："他们什么也没变，变的是我们的眼光和角度。不能当师团长，这就是证明。"

戴珊又想起一件事："马云很注意细节。有一天他突然把我、韩敏、金媛影叫到办公室问：你们三人的状态蛮微妙，有没有矛盾？我们说：我们是故意疏远一下，为了不让人们说。"

回想当初一起创业，戴珊说："当时并没相信事业，只相信马云，相信马云说的话。我们这帮人都没有太多阅历，没有被社会污染，家庭背景类似，容易塑造。”

戴珊接替韩敏任诚信通主管后一直做到诚信通资深总监。她说：“工作开心，有奔头，能成长。这是因为阿里巴巴给了我机会。有机会就有挑战。”

阿里巴巴的Founder，除了几个副总裁外，有两个资深总监：戴珊和谢世煌，其他都是总监和经理。

戴珊的确成长很快。当年那个单纯，阅历浅的女学生，如今已经变成统管百人大军的女将。在诚信通带队时，就是她开除了好几个人，就是她当面撕了业绩不好的销售经理的请辞书，就是她说：对客户不好，即使带来一个亿业务，也得离开！

当然戴珊也换过许多岗位。从销售主管调到后台，薪水少1/3，但戴珊说：“我去吧。公司给了我机会，没资格问薪水。”

回顾走过的这么多部门，戴珊很有感触：不同岗位对人能力的提升不一样，不是花钱能买到的。提起马云，戴珊说：“见马云很容易。我们比马云重要。名人想见我们，我们在一线。”

金媛影和师昱峰

金媛影和师昱峰是夫妻，又都是创始人。金媛影外号小孩，也是马云的学生，是被蒋芳和韩敏拉进来的。当时金媛影在北京五道口听研究生课，经常到潘家园去看同学和老师，马云问她有什么感觉？她说：不像个公司，像一个家庭。金媛影的父亲是民营企业家，听说女儿要到阿里巴巴，担心受骗亲自跑来查看，知道马云是女儿的老师后就放心了。

湖畔时代金媛影感到很快乐。张英亲手教她写英文邮件。后来做客服做得很投入，无论多晚都要回复客户。由于邮件回复得非常快，以至于客户怀疑他们的真实存在。

以后金媛影差不多9个月换一个岗位，几乎阿里巴巴的所有部门都干过。现在金媛影是市场部阿里学院的经理。

师昱峰外号狮子，当时在中央气象局任职，是自学成才的网络高手，狮子和吴妈是网友，经常一起在网上切磋技艺。要离开北京时，吴妈拉狮子入伙，狮子有点犹豫，在吴妈的安排下，狮子在孔乙己餐厅见到了马云，立刻被马云的激情打动。但他的父母坚决反对：为什么要离开国家机关到私营企业去？听说浙江骗子很多！春节后，狮子去了趟杭州，看到了那个年轻的团队，也看到了他唯一信赖的吴妈，于是放心了。回京之后说服了父母，辞职赴杭。

湖畔时代的师昱峰和宝宝、吴妈一起写程序。夜奔西湖中的失踪工程师中有他。师昱峰对千载难逢的互联网大机遇很敏感。他说："互联网是绝对的机会。年轻人碰到这个机会不能错过，不管做什么，以后很难碰到这个机会了。"

师昱峰是主动抓住这个机会的。在阿里巴巴他成为了真正的网络高手。他认为自己的技术工作很有挑战性，成千上万的人在应用你的软件，不能出纰漏，否则丢脸丢在全世界。

师昱峰是打造淘宝的三个工程师中的一个。开发面对个人消费的淘宝网对他是个新挑战。淘宝的成功，师昱峰等三个开发人员功不可没。

2005年3月，一直做技术的师昱峰调任淘宝HR总监。师昱峰说："不管是平级还是降级我都会去。人力资源工作也是挑战。创始人的职务不重要，我追求的是工作经历，是一段人生难得的回忆。"采访时我问师昱峰：你们这些工程师的水平到底如何？师昱峰说：在国内看肯定是顶尖高手。

让一个顶尖技术高手去做HR似乎不可思议，但在阿里巴巴这很正常。师昱峰说：相信阿里巴巴还会有很多机会。

对于阿里巴巴的Founder，师昱峰一往情深："那5年一定是生活中最宝贵的经历。Founder之间的关系超过家人。我们一起经历了太多的事，感动、挫折、苦难、强烈的争论、掉眼泪，都是为了一个目的把网站做好。这个感情不是一般公司同事可以比的。"

27 能上能下和能进能出

伴随第一轮海外扩张，阿里巴巴引进了不少海外精英。这些人中的大多数都在公司大收缩时离开了。但是仍然有少数精英留了下来，并成为阿里巴巴的功臣、核心和高管。

2005年初，伴随着第二轮扩张，阿里巴巴又开始大规模引进海内外精英。来自微软的邓康明，来自金山的王涛等都是这一轮引进的精英高管。仍然处于急速发展中的阿里巴巴，最大的瓶颈是人才的匮乏。不断引进海内外精英将是阿里巴巴的常态。

海外精英，包括技术精英、管理精英、财务精英，在阿里巴巴的巨大作用是毋庸置疑的。这些海外精英在阿里巴巴团队中的重要位置也是毋庸置疑的。

本土精英很重要，但是没有这些海外精英，阿里巴巴的梦幻团队将失色不少。

有一天，当阿里巴巴真的成为世界互联网企业的巨无霸时，它的团队中一定会有一个庞大的海外精英方阵。

吴炯

吴炯被人称作雅虎搜索引擎之王。不管这个称号是否准确，吴炯肯定是美国乃至世界搜索引擎的先驱之一。

吴炯是上海人，考上上海交大后只读了一年就跑到了美国，那一年是1987年。吴炯在美国学的是计算机软件专业，毕业后进入甲骨文公司。当时公司开发全文检索软件（也就是后来的搜索引擎）的部门缺人，吴炯就去了。当时，软件行业的热门是数据库，是CAD，搜索引擎则是冷门。那时网络还没热起来，用搜索引擎的多是图书馆。吴炯在甲骨文的检索部门干了3年，一直干到开发部经理。互联网兴起之后，搜索引擎一夜之间从冷门变成热门，网景等搜索引擎公司也上市了。吴炯向甲骨文的总裁建议搞互联网搜索引擎，这位总裁却说：公司以盈利为中心，搞搜索引擎怎么收钱？那时所有的搜索引擎公司都没有盈利模式。

雅虎起来后，通过猎头寻找搜索引擎专家，找来找去找到吴炯。吴炯见雅虎势头很好而且很快上市，就毅然跳槽到雅虎。吴炯到雅虎之前，雅虎有一个第一版搜索引擎。这个搜索软件是在一个开放免费软件的基础上改造的。吴炯去了之后，把这个软件中心程序重新写了一遍，成为雅虎搜索引擎的第二版。现在雅虎搜索引擎的第三版是买来的，跟Google的差不多。这就是吴炯被称作雅虎搜索引擎之王的缘由。

早在1997年夏天，吴炯就在北京认识了马云。第一次交谈马云留给吴炯的印象是说话很有味道。以后，马云经常到美国，常到旧金山找吴炯。1998年冬天，吴炯教马云滑雪，一路上马云讲了许多段子。1999年11月，马云再次到美国见到吴炯时，手里拎着一个笔记本，打开页面是外经贸部的网站，上面有中小企业的信息。这时的马云已经有了一个思路：中小企业没有进出口渠道，只能靠国有进出口公司，靠香港转口，巨大利益落在中间人手中。而互联网对他们来说是个非常好的渠道。吴炯对马云的思路很认同，也觉得互联网是中小企业的福音。马云听完吴炯的话说：你觉得好我更有信心了。

当马云从外经贸部辞职回杭州重新创业时，吴炯正好回国探亲。马云把吴炯拉到杭州，请他当参谋。马云对阿里巴巴的技术人员说，你们有什么问题赶紧问。然后回头对吴炯说，我们技术上还很弱，你来做我们的CTO吧？吴炯刚把父母移民到美国，还没有回国的打算，所以就没接马云的话茬。

吴炯没有参与阿里巴巴的创业，否则他也会像蔡崇庆一样成为阿里巴巴的创始人。几年以后，吴炯仍为此事感到遗憾。但几乎阿里巴巴创业初期的每一步，吴炯都以不同方式参与了。从某种意义上说，吴炯是阿里巴巴创业期不在编制的元老。

直到2000年4月，孙正义的2000万美金到账，马云再次邀请吴炯加盟，并提出要在美国硅谷建立研发中心，吴炯这次真的动心了。第一，吴炯看到马云总有一天会成大事，和他一起共事有出息，第二，自己不能回国，有了硅谷的研发中心，可以在美国为阿里巴巴工作。“我觉得阿里巴巴最吸引我的就是阿里巴巴的全新模式。这种模式是根据中国的经济状态而创新的，当时无论在美国，还是在中国，都是没有这样的模式的。阿里巴巴最吸引人的地方就是没有拷贝国外的模式，而是自己创造的一种全新模式，是为中小型企业服务的。”

2000年5月8日，吴炯正式加盟阿里巴巴并出任CTO。“吴炯是硅谷最受尊敬的技术专家之一。他加盟我们是为了迎接在B2B领域所遇到的挑战，也就是建立全世界最大的B2B网站。我想他也认识到他应加入一个有崇高企业文化的强大团队。他本来可在硅谷得到任何职位，但他加入了我们，这使我们很激动。”从1997年到2000年，历时三载，来往数次，马云终于如愿以偿地将吴炯拉进了阿里巴巴。求贤若渴的马云还真有点当年刘备的味道。

吴炯来到阿里巴巴的前半年做得很辛苦。他把阿里巴巴的平台重写了一遍。当时公司的内外压力很大，中外员工的文化冲突也很尖锐。到了2000年底网络泡沫破灭时，吴炯领导的硅谷研发中心的处境十分艰难。2001年初阿里巴巴裁员时，吴炯麾下几十人的硅谷中心被裁到只剩几个人。就在这时，马云和蔡崇庆异口同声地说：吴炯不能走！即便硅谷中心只剩一个人，即便吴炯在美国什么都不做，也不能走！

面对遥遥无期的网络冬天，吴炯的信心没有马云足。硅谷中心剩下的几个人，有两个调到杭州工作，其他人也都走了，只剩下吴炯一个光杆司令。实施三个“B TO C”战略的阿里巴巴自然希望吴炯回杭工作。吴炯就同太太商量，当时太太正在休产假，同意回国试试。于是吴炯夫妇双双回到国内。吴炯在杭州工作了一个半月，太太表示不喜欢在国内工作，要带着孩子回美国。吴炯太太在美国一家大公司做财务，工资比他高。无奈吴炯只好和太太一起回到美国。途中他给马云发了一个E-mail，信中说：“我可能在阿里巴巴待不长了。”马云回复说：“你可以每季度回来两次，在中美各一半。”吴炯答应了，当时觉得是权宜之计，没想到一“权宜”就是4年。

吴炯在严冬之时没有离开阿里巴巴有两个原因：一是马云的诚心挽留。他知道吴炯是有用之才，也深知吴炯对阿里巴巴的重要。二是吴炯也是个讲义气的人。他虽然预感阿里巴巴要死，但不肯在危难之时舍弃朋友。用他的话说就是：留在阿里巴巴就是尽道义。

后来阿里巴巴的发展证明，吴炯的预感不准，马云的信心和乐观有道理。

到了2002年，包括吴炯在内的绝大多数人都已看出阿里巴巴不会死了，剩下的问题只是能否做大。

对于阿里巴巴来说，吴炯是继蔡崇庆之后的第二个关键人物。吴炯的作用是使阿里巴巴拥有一个世界先进水平的技术平台，这对于一个网络公司的意义非同小可。

2000年下半年，利用网络冬天的喘息时间，吴炯率队为阿里巴巴的技术平台打下基础。在这之前因为图快，因为匆忙，公司的技术平台质量不扎实也不稳定，经过冬天补课，吴炯他们把技术平台搞稳定了。

与此同时，作为CTO的吴炯开始以价值观为指导，建设阿里巴巴的技术团队。开始，硅谷出身的吴炯对阿里巴巴的价值观持怀疑态度，但很快他就对阿里巴巴的价值观五体投地。当时，阿里巴巴的工程师的工资比编辑高，但他们的服务意识不强，对内部客户服务态度不好。吴炯正是靠灌输价值观解决这些问题的。

在以后的3年多里，吴炯说是时间中美各一半，但待在杭州的时间更长。他组织技术骨干进行技术架构的升级。他先解决了工程师的客户第一的观念问题，然后又着手解决做技术在公司没前途的问题。他同马云、彭蕾商议后，在公司推行P1、P2、P3的技术专家级别。高级技术专家等同于总监，最高技术专家等同于副总裁。在吴炯的领导下，阿里巴巴的工程师解决了观念树立了信心，顺利完成了第二次升级。吴炯说："升级最大的受益者是淘宝。淘宝的用户增加非常快。淘宝的技术平台比阿里巴巴做得更好，弯路也走得少。开发淘宝的技术骨干，都是当时提上来的技术专家。淘宝的技术要求比阿里巴巴高。当时从外面招人出不起这个钱，有经验的工程师不愿到杭州工作，于是就从美国挑了两个硅谷的留学生到杭州，他们对于淘宝技术平台的稳定起了关键作用。淘宝的技术没出大问题，技术团队是比较值得骄傲的。"

吴炯作为阿里巴巴的4个"O"之一，其作用不仅表现为对公司技术的领导，而且表现为对公司重大决策的影响力。

吴炯作为朋友很早就认同马云用网络为中小企业构筑进出口渠道的模式，促使马云下决心再次辞职二次创业；是吴炯敦促马云尽快用3000美金买下阿里巴巴域名，是吴炯建议马云把1000万美金的推广预算削减一半，是吴炯主动配合公司的战略调整，把阿里巴巴硅谷研发中心砍成光杆司令，是吴炯在阿里巴巴危难之时，够朋友尽道义与公司同舟共济。

阿里巴巴与雅虎的合作无疑是公司最重大的战略抉择。合作的意向虽然是在马云和杨致远打高尔夫时产生的，但当马云打电话给吴炯时，吴炯与马云很快形成了共识。

吴炯毕竟是搜索引擎的元老。他看到后起之秀Google的市值已经是雅虎和eBay的两倍，意识到搜索引擎具有巨大的盈利潜力。

马云第一次跟吴炯谈收购时说："做搜索引擎不符合我的风格。我是做冷门，搜索引擎刚好是最热的时候，跟以前背道而驰。第二北京的风水不对（雅虎中国在北京）。"

但是马云和吴炯也都看到：在中国发展没有搜索引擎的纯电子商务有潜在的危机。Google的关键词先进技术，已经对eBay形成潜在威胁。如果阿里巴巴自己做搜索引擎，从头做，要二三年时间，花很多钱，还不一定能做好，微软就是先例，跟雅虎联手是相当好的机会。

至于风水，马云是真信的。当时阿里巴巴在美国的办公室里有两根柱子，马云说这个办公室风水太差，但吴炯的命硬，跟柱子抵消了。马云一直说吴炯的命好，做了三家公司都是最好的公司。离开雅虎时，是雅虎股票最高的时候。马云一直认为北京不适合他，在北京天子脚下天马行空要出问题。所以马云对吴炯说："我去北京你得跟我去，你会带来运气。"

其实即便不需吴炯的运气来冲北京的风水，吴炯也理所当然地要去北京。阿里巴巴收购雅虎中国的战略目的是要开发搜索引擎，作为世界搜索引擎的元老之一，作为雅虎的搜索引擎之王，作为阿里巴巴的CTO，吴炯不上谁上？

吴炯与马云有缘，和雅虎也有缘。吴炯与马云相识于1997年，患难于2000年，相聚北京共创大业于2005年。

吴炯重操旧业再玩搜索引擎，还有个有利因素。现在雅虎搜索引擎的开发者正是他的好友陆奇。这位来自复旦在硅谷修炼多年的搜索器高手，最近两年已经使雅虎的搜索引擎有了长足的进步，在技术上已经与Google非常接近。如今两位好友联手共谋大业，叫板Google，天时地利人和，网络江湖要有好戏看了。

我采访吴炯时，他非常兴奋："互联网是非常特殊的产业，文化的影响很大。在中国做得好的互联网企业都是本土企业。在文化上，阿里巴巴比Google有优势，在技术上，阿里巴巴比百度有优势，我和陆奇私交很好，我们要和百度、Google拼一下！"

虽然吴炯也说对手很强，也说成事在天，也说运气很重要，但是今天的吴炯信心十足。

如今吴炯全家已经搬到北京，他的太太也在国内就业了，没有了后顾之忧的吴炯，已经跃跃欲试了。

在阿里巴巴的几个关键时刻，吴炯的作用都是不能忽视的。在阿里巴巴与雅虎联手打造搜索引擎的历史时刻，吴炯的作用更是举足轻重。一场改变世界互联网格局的大战已经拉开序幕，作为这场战役的两个主角——马云和吴炯，将格外引人注目。

关明生

关明生是阿里巴巴的前任COO，现在退任顾问。关明生比马云大16岁，他2001年1月8日加盟阿里巴巴时52岁，自称是传统经济的老战士。

关明生出生于香港，剑桥工业学院学士，伦敦商学院工程学硕士。他曾在GE工作了16年并历任要职，也曾在两家世界500强企业BTR Plc和Ivensys Plc担任中国区总裁，有25年跨国公司企业管理经验。

本来可以退休了的关明生，却被猎头盯上了。当时的阿里巴巴急需一位有管理经验的COO。2000年10月，关明生第一次与马云在北京见面，当时在场的还有蔡崇庆和吴炯。四人在一起大谈阿里巴巴的价值观和使命，根本不像面试。谈完关明生问马云：想得到这个位子的人很多，怎么想到我？马云说，我看你会面不迟到，大衣叠成方块，办事井井有条，和我天马行空的个性正相反，可以互补，阿里巴巴现在需要条理和系统。当然马云这里说的只是理由之一，他需要关明生16年在GE积累的管理经验。

关明生加盟阿里巴巴不是为钱和回报，当时他是自己带钱来上班的。吸引他的是阿里巴巴的理念和马云的个性，这种个性使人要么恨他要么爱他。

关明生2001年元月到阿里巴巴上班时，正是阿里巴巴的艰难时刻。钱快花完了，只能撑五六个月。关明生说：那时的阿里巴巴很穷很危险。

关明生就任COO后，马云把自己的大办公室一分为二，秘书也是两人共用。马云说这是CEO和COO并肩作战。

关明生是阿里巴巴发展史上第三个关键人物。他受命于危难之时，挽狂澜于即倒，虽非他一人之功，但他起了关键作用。关键之时能用关键之人，这是马云的高明之处。

2003年，一位搞投资的朋友到阿里巴巴来参观，看见五十多岁的关明生，满面红光，上窜下跳（当时阿里巴巴分布在7个楼层办公），十分诧异："这跟你的年纪不相符，你要么吃了兴奋剂，要么包了二奶？"关明生回答："整天和年轻人在一起，气氛影响你，我到阿里巴巴变年轻了。"

关明生在阿里巴巴也做了三件事：

一，促使阿里巴巴的文化固化为文字。其细节我们已经在前面讲过了。关明生不来，阿里巴巴文化最终也会形成文字，但那也许要延迟许久。而2001年"整风"培训中的阿里巴巴太需要一个准确概括为正式文字的文化符号——独孤九剑了。关明生说："阿里巴巴的文化本来存在，我只是帮助把它写下来了。"关明生能促成此事，是因为他曾被GE的文化熏陶了16年，是因为靠企业文化百年不衰的GE有价值观卡。阿里巴巴的独孤九剑借鉴了GE的价值观卡，虽然是"洋瓶装土酒"，但这个借鉴和学习很重要。阿里巴巴的神话是独特的阿里巴巴文化创造的，而这个文化的第一版是一位来自GE的老将催生的。

二，撤站裁员救阿里巴巴于水火。关明生是阿里巴巴大裁员的主要执行者。当时阿里巴巴的症结在于海外扩张失控，公司成本失控。不裁人削减成本，阿里巴巴难逃一死。虽然三个"B TO C"是阿里巴巴的"遵义会议"定下来的，但没有关明生，三个"B TO C"的执行不会彻底，撤站裁员不会彻底，大收缩也不会如此干净利索。关明生忆及当年时说："这个外科手术只能让我这个没有包袱的人去做。"

关明生这时的角色是COO，也是救火队员，也是冷面杀手，正是他把阿里巴巴的成本降了下来，使其得到宝贵的喘息时间。

三，使游击队变为正规军。2001年初，草创一年的阿里巴巴，虽然激情四射，豪气干云，但还缺乏经验，缺乏系统，缺乏管理，还是一支游击队。当时阿里巴巴高层里真正具有现代企业管理经验的只有关明生。虽然关明生不懂IT也不懂网络，但传统企业的管理和网络企业的管理是相通的。

关明生在阿里巴巴建立了绩效考核制度，建立了规范的现代企业管理体系，把一支游击队改造成了正规军。阿里巴巴这个崭新的网络企业正是通过关明生这个传统企业的“老兵”之手完成了管理制度的建设。马云可以说把关明生25年积累的管理经验用了个淋漓尽致。

关明生对阿里巴巴的贡献有目共睹。因而在阿里巴巴5周年庆典上，马云把唯一一个“5周年杰出成就奖”颁给了关明生。

在阿里巴巴，有人把马云比喻为阿里爸爸，把关明生比喻为阿里妈妈。但关明生说：阿里爸爸只有一个，阿里妈妈有好多个，蔡、李、孙、彭都是阿里妈妈。

2004年，关明生辞去了COO，成为不全职的顾问。做了顾问的关明生把主要精力投到了阿里学院，投到培训讲课之中。

关于关明生不做COO，外界有许多传言。有的说是马云和关明生打起来了，有的说是马云待关明生不公平。但关明生自己说：选举COO时，是我投了马云最信任的一票。这是公司发展的需要，是很正常的过程。”

关明生在阿里巴巴发展史上留下了浓重的一笔。“我很高兴我起到的作用。”关明生回首往事时这样对我说。

李博达

Porter Erisman 的中文名字叫李博达。在阿里巴巴人们都叫他Porter。他现任公司国际关公发展部副总裁，工号834。之所以工号排在800多是因为Porter加入公司的时间是2003年1月6日。其实，Porter可是公司的老人，他2000年就进入了阿里巴巴。

2000年时，Porter在北京奥美公关公司工作。由于他能说中文，所以工作重心是中国客户的海外推广。2000年时阿里巴巴已经成为知名的B2B国际网站。Porter一直想在一个国际化的中国公司工作，这样既能在中国工作，又能到国外推广；加之对互联网兴趣日浓，于是阿里巴巴就成了他的目标。

Porter决定到阿里巴巴面试之后，先给马云发了一个E-mail，但面试他的是蔡崇庆。Porter来到阿里巴巴后发现：这个团队很年轻，比较疯狂，但不专业；原来都是老师和学生，没做过生意。

Porter加入阿里巴巴时，正赶上公司向全球扩张。当时的香港办事处就有10个老外，在美国有30多个。他很快就发现在这个年轻公司里，文化的冲突很厉害。当时的阿里巴巴有很好的理想和文化，但没有规范的组织结构。那些来自正规大公司的老外很不习惯，但Porter早已习惯在不太正规的公司工作。

Porter把在阿里巴巴工作的老外分成两类：一类是懂专业，但不懂汉语不懂中国历史文化，也不懂本地市场。这类老外一进公司就拿比创始人还高的工资，他们认为阿里巴巴的创始人应该把公司交给他们管理，这些中国同事应该变成他们的员工。事实证明这类老外都不成功。他们在阿里巴巴的角色有点像当年红军中的外国军事顾问，红军是摆脱了他们才取得了胜利的，同样阿里巴巴也是开掉了这类老外才取得了成功。另一类是懂汉语懂中国文化，又懂专业，这类老外多数容易成功。Porter自然把自己归入第二类。他说："我为什么会在阿里巴巴成功，因为我懂汉语懂文化，又懂专业懂市场销售；不能说是百分之百，但两方面都可以。"

Porter一到阿里巴巴就和马云一起工作，负责国际公关。一开始马云把他当成专家，经常向他请教。那时为了推广阿里巴巴品牌，他和马云满世界跑。很快他就发现国外媒体对马云和阿里巴巴非常感兴趣，原因是马云的英语很好，说话有魔力，而且马云愿意和敢于接受国外媒体的采访。不管是现实问题还是政治问题，马云都能侃侃而谈，还能做到不会让什么人不高兴。马云在国外很受欢迎，并成为了一个中国窗口。结果阿里巴巴的品牌在国外比国内响。

Porter到阿里巴巴不久，就负责接待《福布斯》的记者。Porter从南到北陪这位记者，并和他住一个房间，当时真怕他发现阿里巴巴有什么大问题。结果这位记者回去之后不但写了一篇长文，而且把马云推上了封面。

马云的善于学习给Porter留下了深刻印象。马云不但善于向国外的精英学习，而且善于向书本学习。

Porter加入阿里巴巴几个月后，就赶上了互联网的冬天。在那些艰难的日子里，他一直同马云同甘苦共患难。面对媒体和业界对马云的攻击，他一直想方设法保护马云。

在大裁员和零预算的日子里，Porter的表现很出色。阿里巴巴的创始人开始时就一无所有，他们很容易回到原来的生活，但那些大公司来的人就很难适应了。但Porter适应得很好。他虽然家里很有钱，但非常愿意吃苦，非常向往去延安住窑洞。在阿里巴巴的艰难时期，他和大家一起住10元的饭店，到小饭馆就餐，同甘共苦。在他的眼里，那段日子就像红军的长征岁月。

在网络的冬天，Porter是阿里巴巴剩下的两个老外之一，寂寞和迷茫都没能让他离开阿里巴巴。Porter回忆："虽然我心里有点放弃，感觉公司要关门，但我的工作没有放弃。"

到了2001年底，阿里巴巴已经度过了危机，几乎所有员工都已经看出公司不会死。但这时网络的冬天还没有过去，几乎所有的国内外媒体都对互联网失去了兴趣和信心，而负责公关负责媒体的Porter也无事可做了。这时他想起了自己多年的夙愿，想起了心中的梦，这就是走遍中国环游世界。他想，反正现在也无事可做，不如先去实现这个梦，一年以后再回阿里巴巴。

于是Porter离别了阿里巴巴，开始了他在中国的"长征"。他走遍了广东、湖南、江西、贵州、云南，并骑自行车去了瑞金和延安，完成了在中国的长征；接着他又开始环游世界，到欧洲、到非洲……

Porter离开3个月时，就开始想念阿里巴巴了。一年以后的2002年底，人在非洲的他已经决定重回阿里巴巴工作。于是Porter于2003年1月重回阿里巴巴，因此这位阿里巴巴元老的工号就变成了834。

重新回到阿里巴巴的Porter感到公司已经进入了一个崭新的阶段，感到公司的价值观、结构和系统都已成熟，已经开始起飞了。回来之后Porter感到每一天都很精彩，都很乐观。

然而到了5月，突如其来的非典再次考验阿里巴巴。Porter也是第一批被隔离的人，因为他也去了广交会。在隔离的日子里，他忘不了内网上的卡拉OK。他知道马总牵挂的是怎么能帮助客户，是员工的健康。

战胜非典后不久的一天，马云叫Porter过去写一个新闻稿，同时告诉他一个大秘密：阿里巴巴将推出淘宝，要和eBay竞争。Porter听后觉得这个决定有点疯狂，但在战略上是个好决定并坚信百分之百会成功。

重回阿里巴巴的Porter，工资还没有几年前高，他知道到别的公司可以拿更多的钱，但他还是愿意在阿里巴巴，因为这里有很好的事业，当然也有股权和机会。

Porter现在依然负责公司的国际公关事务，他的职务已经是副总裁。他是阿里巴巴高层中唯一一个纯粹的老外。虽然是重操旧业，但现在他见到马云机会不多了，也很少一起去喝茶。他知道马云比较忙，而且已经上升到一个新水平，成为了一个全球CEO。在Porter眼里，马云是朋友也是老板。

Porter两入阿里巴巴，加起来也有5年了。5年来他为阿里巴巴品牌的国际推广做出了不少贡献。

采访即将结束时，我问到Porter未来的打算，他说："以后可能开自己的公司，也可能去当教授。但还是觉得在阿里巴巴有挑战，想不到哪有这么好的公司，可以为帮助社会帮助中小企业工作，而不单是做生意。所以我离开3个月就想回来。将来也可能去开一个美国的淘宝，或者让我到印度做一个办事处，阿里巴巴会支持这样的机会。"

28 成长的人分享成长

正因为关心团队的成长关心下面人的成长已经成为阿里巴巴高层的传统，正因为鼓励超越自己鼓励发现人才已经在阿里巴巴蔚然成风，阿里巴巴才能形成人才成长的良好土壤。

在阿里巴巴这块沃土上，成长的不仅仅是18个创始人，还有许许多多普通员工。

阿里巴巴是一家有竞争力的企业，也是一所大学校，一所培养人才造就人才的大学校。

在阿里巴巴，职务不重要，金钱不重要，成长最重要。

阿里巴巴团队里的成长故事俯拾皆是。

童文红

童文红留给我的印象是干练、爽快，典型的外向型性格。她是阿里巴巴升迁最快的人，从前台一直做到行政总监。年纪大（来时30多岁）、不懂专业、没有背景的童文红完全靠自己的努力在平凡的岗位做出了不平凡的业绩。当好几个Founder还是经理时，这个前台居然成了总监。童文红成长的故事很有代表性。

童文红以前做过7年物资贸易。生小孩在家休了一年半假。2000年4月在网上看到阿里巴巴招聘，就去面试。第一次没有被录用，第二次再试，被安排做前台，童文红应聘的是行政助理。

上班以后她发现阿里巴巴的前台节奏也很快。来人很多，电话很多。童文红很多东西不懂，又在和同事配合时发生摩擦，干了一星期的童文红提出辞职。人事部的头对童文红说：你是到目前为止第一个主动离开阿里巴巴的人，扪心自问是不是遇到困难退缩了？可不可以坚持下来试试？

童文红留了下来。在前台她得到了许多人的帮助，也学到了许多东西。几个月后她转正了。

童文红做前台时，有一件事让她记忆深刻。一天，电视台的人来找马云，童文红让他登记，他不愿意，还耍态度。他说：我和马云是朋友，说完推门就走。童文红吓坏了，不知如何是好。后来马云留住了客人。客人走后，得罪了客人的童文红赶紧向马总道歉，但马总的道歉比她快。马总说：你没有做错，但要更有技巧。童文红感到她和马总的距离一下子拉近了。

前台做了一年多，童文红调到客户支持部。3个月后，诚信通总监找她谈话，问她愿不愿回行政部做行政经理。

30多岁的童文红认真考虑了自己的职业生涯，决定接受这个挑战。

重回行政部当经理对童文红的确是个挑战。"过去和他们是同事，而且自己是前台，职务比他们低；现在要带这个团队，是非常大的挑战。"

童文红经受住了考验。"一是要为职业生涯负责，二是阿里巴巴的管理层工作之外和员工是朋友。面对以前的同事现在的下属没有架子。"

从2001年8月重回行政部到现在，童文红再也没有离开过行政部。以后的6年多里，童文红又得到几次升迁，一直升到总监的位置。每次职务提升，童文红都是又开心又紧张。"从未从职位上设计。公司给这个担子，我得挑起来，对得起公司。每次上升，感到肩上的担子更重责任更大了。"

童文红在行政部的几年里，打过几场硬仗。第一场硬仗是行政支持第一届西湖论剑。整个过程就像操办婚礼，变化多，压力大。当时正值先生调到北京工作，家里有小孩要带，妈妈生病吐血，内外交困，好在团队给了她很大支持，金建杭给了她很大帮助，终于完成了任务。现在，无论是西湖论剑还是网商大会，童文红都可以坦然应对了。第二场硬仗是装修创业大厦。童文红边干边学，学会了控制项目进度和质量。利益的诱惑很大，面对一包一包的礼品和消费卡，童文红和她的团队岿然不动，所有的浑水摸鱼都被揪了出来。最后施工队怕了："这个人太精明！"第三场硬仗是非典。童文红负责和领导沟通，负责和保安联络，负责紧急疏散设备安装，还要负责安慰处理部门里发烧的人……每天睡觉的时间都没有。童文红的体温每天都超标，但她都报正常。就这样坚持了14天。

几场硬仗打下来，童文红成长了也成熟了。

2005年员工大会，童文红终于得到了期待已久的“五年陈”戒指。她在5年感言里说：“在以前的公司工作了7年，印象不深。在阿里巴巴的5年让我学到了很东西：如何面对变化，什么叫敬业——在其他公司说不定到退休也比不上阿里巴巴的5年，心理的成熟，让我终生受益……”

孔维青

25岁的孔维青已经是阿里巴巴工程技术部的主管了。

孔维青2002年5月进入公司。在阿里巴巴的几年，他的成长速度可谓惊人。

阿里巴巴现有工程师500多人（不包括雅虎中国的工程师）。在阿里巴巴做技术，发挥的空间很大，挑战性很大，但竞争也很激烈。当年和孔维青一起进来的30个工程师，有一半走掉了。

孔维青的成长非常顺利。他知道做网络技术这行只能做到30岁，最多到35岁就不能编代码了。孔维青为自己设计的职业生涯是：20～25岁学习，25～30岁做产品，30～35岁做管理。

但阿里巴巴是个高压锅，孔维青就是这口高压锅里快速成熟的产物：不到25岁，孔维青就独立做产品了；刚过25岁，孔维青已经进入技术管理层。

孔维青是幸运的。他一来做B2B，紧接着就是淘宝、支付宝，一个又一个机会和挑战使孔维青兴奋异常。

成长的环境好，同事之间相互帮助，公司的机会多挑战多，这是孔维青飞速成长的原因。

幸运的孔维青被分配做搜索引擎时（不是雅虎中国的搜索引擎），搜索引擎之王CTO吴炯亲自教他并带他入门。

当然入门之后就全靠他自己提高了。为阿里巴巴电子商务服务的搜索引擎有新的要求，需多台机器一起解决问题。搜索引擎项目是6个人做了半年，3人做核心，3人做应用，资金投入不大。最后出来的产品比吴炯当年的产品好多了。

2005年6月，孔维青他们又推出了完全重新来过的新产品。这个产品在国内是领先的，和国外比差距不大。孔维青很自信："差距有一点点。但可以赶上，今年有可能赶上。明年一年应该成熟了。"

孔维青在阿里巴巴的三年里，前两年学习，第三年做产品，成长提高得很快。他们请过中科院的博士、雅虎的专家、百度的专家进行技术交流。三年来经常加班，但进步快成就多。

阿里巴巴良好的成长氛围使孔维青受益良多。"马总的演讲使人兴奋，鼓舞士气。他也和小组吃过饭，和我们随便聊天。阿里巴巴没有国企的官气，比较自由，可以创新，可以快乐工作，可以分享成功的喜悦。感觉是其中的一分子，这个东西是你做的，不是为别人而是为自己做事情。"

孔维青感触最深的是："阿里巴巴是倒金字塔。管理层为员工服务。马总是尖，最上面是员工。"

在阿里巴巴成长起来的孔维青已经是搜索引擎技术的高手了。有公司挖他时孔维青说："薪水只是附加物，事业是第一位的。做产品，往前走。在阿里巴巴两年调了4次薪。高薪挖不走，因为不是钱的问题。"

我采访孔维青时是2005年的6月，年轻气盛的孔维青对我说：搜索引擎只有我一个人懂。他还不知道两个月后阿里巴巴将收购雅虎中国，也不会预料到5个月后的雅虎中国将重归搜索。

如今孔维青的用武之地更为宽广了。

张　璞

张璞30岁进阿里巴巴，是在阿里巴巴成长起来的老青年。张璞学英语出身，在成为阿里人之前做过7年外贸。他直言："阿里巴巴青年里有许多学生，很投缘，崇拜老师。我一开始有点功利。"

张璞是1999年11月5日加入阿里巴巴的，工号38，算得上除创始人之外的老员工。张璞到阿里巴巴开始是奔着股票来的。他一进湖畔花园，感觉不好，觉得这家公司有点怪，像皮包公司。进去之后，发现这地方很有活力，有创业氛围，很喜欢，但仍然有点担心。

头3个月，张璞很迷茫，不知到底能忍受多久。公司的工作节奏和自己以往的习惯差距太大。那时阿里巴巴经常改方向。一件事做得差不多了，又要改过来改过去，很草率。公司在快速变化，但变化要付痛苦的成本。当时张璞决定再熬一年，因为听说阿里巴巴要上市，想拿了钱再走。

半年以后，张璞慢慢适应了公司的变化。一年后，他爱上了这家公司。“赶我走都不想走！”

张璞说：“进来30岁，适应慢一点。”阿里巴巴这个平均26岁的年轻的公司，居然使一个30岁的人感到“老”！

开始上班，6点钟下班没人走，张璞一到6点夹起包就走，不觉得下班就走是怪物。

慢慢张璞发现，在阿里巴巴工作，虽然压力大变化多，但很开心。这里就像大学一样，没有政治斗争。所以张璞建议，刚毕业的学生太单纯，要到社会上混过再来阿里巴巴，否则出去在社会上活不下去。

当张璞自己做HR招人时，愿意招在社会上工作了一二年，吃过苦，有些伤痕的人。“这样的人进来后有比较，很幸福。”

张璞刚到阿里巴巴时做英文网编辑，一月后做HR。华星时代，他成为网站综合部经理。一年后任设计部经理。2001年张璞成为管理培训部副总监，2003年成为中国事业部HR总监。就这样，张璞这个精通英语的外贸老手在阿里巴巴被改造成人力资源的专家。

张璞说：“成功是过程，不是结果，是追求理想的过程。”

曾经功利过的张璞早就对功利和赚钱有了新看法：“进来时拿1000元工资，现在已是多少倍了。成长很重要，氛围很重要。单纯，不用钩心斗角。”

张璞早就是“五年陈”了，他也早就拥有了以前想要的股份。“刚进来，马云讲的美好前景我都不信。因为上市，也因为30岁的人了，不能跳槽太频繁，就留了下来。一个半月转正，工资加得很厉害。如果工作不错，很快就能得到认可。做HR逼我学很多新东西，非常有意思。在阿里巴巴成长快，在这里待3年胜过在其他地方待9年。感觉进步飞快，思想不知成熟了多少。”

张璞后来完全相信了马云，因为马云的疯话都被证实了。

“马云的运气很旺。”张璞说起他和马云到塞班岛上玩，马云坐到哪张桌子，哪张桌子旺。

张璞现在是市场部阿里学院的总监。他如今的心思都在培训上。

也许是因为长期做HR，他对阿里巴巴的企业文化有很深的理解。他认为阿里巴巴的成功第一功劳归于企业文化和价值观。他最担心的也是价值观："阿里巴巴的价值观很独特。它在人的内心里，是共同信仰，不是贴在墙上的。如果价值观被稀释，新员工不能融入，如果有一天阿里巴巴变得和其他公司非常像，就是要赚钱，那么一有风吹草动，就会崩溃掉。"

尾声 续写神话

金建杭说："8年前，阿里巴巴只是一个梦，偶尔会闪现于飞越太平洋上空航班上的那张滑落的毛毯，会定格在商业报刊6号字的分类广告缝里，会趴在10月广州街头匆匆的步履声中。1999年年初的冬天，一群在杭州创业的年轻人，将这个梦变成了使命：让天下没有难做的生意！"

2007年的金秋，阿里巴巴在香港引发了一场上市风暴，被众人追捧的阿里巴巴正大步走在通向巅峰的道路上，正所谓"春风得意马蹄疾"。当年18个人50万资金的网络小作坊，8年之后变成了世界最大的B2B商业网站；当年西湖里随波逐流的小舢板，8年之后变成了太平洋里的一艘中国互联网航空母舰；当年那个普通的英语老师，8年之后变成了世界级的CEO，变成了纵横网络江湖的大侠。

阿里巴巴的神话是如此不可思议又是如此的耐人寻味。当我们追溯了阿里巴巴的8年奋斗史，追溯了马云的12年奋斗史，这个神话的脉络是否已经清晰？

也许解读阿里巴巴的神话还需要更多的时间，因为这是一个没完的神话，一个正在续写的神话。这个神话的结尾更令人神往。

百年伟业

阿里巴巴要做102年的企业！这已是世人皆知的口号。百年的时间太长，世事难以预料。阿里巴巴究竟能做多大？能走多远？是根本无法预测的。

但是做了短短8年的阿里巴巴，已经创造了中国互联网企业的奇迹，已经造就了海内外商界的神话。

马云和他的梦幻团队创造的这个神话还没有完。奇迹还在继续，神话还在续写。

现在人们眼中已经很辉煌的阿里巴巴还不是马云心中设想的阿里巴巴。也许到2009年，阿里巴巴10周年时，阿里巴巴才可能出现马云心中向往的真正模样；也许到了2019年，阿里巴巴20周年时，阿里巴巴才能进入世界500强。

当新的神话再次变为现实时，马云将成为民族英雄，阿里巴巴将成为民族工业的骄傲。

在马云的意识里没有狭隘的民族主义。他从不提为民族做什么，只提为社会做什么。阿里巴巴从一诞生就是一个非常国际化的公司。如今在公司里面，纯种的老外，各种国籍的华人，随处可见。

但是马云又提要做中国人创办的全世界最好的公司。阿里巴巴进军C2C，很重要的原因是为了阻止洋人占领中国的网上个人消费市场。

在收购雅虎中国后的阿里巴巴现有的4个董事中，马云是地道的中国人，蔡崇庆和杨致远是美籍华人，唯一一个日籍的孙正义据说也有华人血统。

当雅虎中国重归搜索后，马云和吴炯为打造超越Google的搜索器而组建的技术开发研究院是由清一色的华人一流科学家组成的。

马云毕竟是中国人。在经济全球化的今天，在没有国界的互联网行业，你仍然能够听见马云那颗中国心的怦怦跳动声。

再创辉煌续写神话只是阿里巴巴的一种可能，还有一种可能是阿里巴巴的失败。也许到了2019年，阿里巴巴已不复存在，曾经那样生动的阿里巴巴神话已被人遗忘。

果真如此也没有什么，因为马云说：“我追求的是过程而不是结果。”

没有理由怀疑创造了神话的马云和他的梦幻团队不能续写神话！

也许阿里巴巴的新神话更精彩！

重操旧业

还是2005年7月18日那个炎热的夏夜，马云在告诉我那个有关并购的重大决定之后，又告诉了我第二个重大决定：重操旧业。

这个决定依然出乎我的意料。

马云的旧业是什么？老师。

马云说："上礼拜在旧金山一人深思默想，无论我的能力、学识、才华，还是我身体状况，都觉得做不了世界一流的CEO，但我可以做一个很好的教官，教官就是老师。"

"小时候讨厌当老师，但后来做了6年的老师，挺想学学扎根当老师。当老师最大的乐趣是学生超越你，因为学生各有所长。"

马云说这番话的背景是：那桩惊世大并购已成定局只差对外公布，收购了雅虎中国的阿里巴巴将成为中国最大的互联网公司，马云将继续出任这个中国最大网站的CEO并将出任雅虎中国的总裁。

既然如此，马云为什么还要这样说？难道他真的想退下来去当老师吗？

还在3年前，马云对我说过："到40岁我就退下来。"

"阿里巴巴要做成一个80年的企业。我只跑第一棒，只跑5年，5年以后一定交给别人。这是一场4 × 100米赛跑，神仙也跑不了两棒。"

"这是我的一份理性。在2003年阿里巴巴已成为很成熟的国际大网站，那时我的管理和经验都会显现不足，我也不能担保自己那时不会发生短视或由于成功而刚愎自用，因此最好的退路就是交棒，让一个更理性的人来领导阿里巴巴。"

"失败了我就到北大去教书，成功了就到哈佛去教书。"

马云还告诉我他心中的化境是："60岁以后坐在太阳底下，听收音机里说阿里巴巴的股票又涨了。然后自言自语：这是当年我做过的企业，现在我还有许多它的股票呢！"

2002年10月，阿里巴巴实现盈利，2003年，阿里巴巴每天收入100万，2004年，每天利润100万，2005年全年收入预计突破10个亿。2004年9月，马云40岁。在2005年7月马云即将41岁时，我旧话重提，马云这样回答："一直想30岁创业40岁退下来再去当老师。一路走下来发现这是个理想。倒不是说公司离不开我，我要是走了，公司还会在。自从创办阿里巴巴以后，感觉到什么错误都能犯，但有一个错误不能犯，这就是因为我的离开致使公司关门或者变得碌碌无为。我在中国黄页时，黄页还不错，我离开黄页，黄页就不行了；我在外经贸部EDI时，EDI红红火火，我一离开，EDI就从此变成特普通的公司。创建一个伟大的公司，需要一个伟大的机制，需要一批平凡但能从事伟大工作的人。”

阿里巴巴的进程和现状让马云修正了40岁退下来的计划，同时也把“做80年企业”的口号修改为“做102年的企业”。为什么是102年，因为正好横跨三个世纪。

3年之后，马云重提要当老师。其概念与3年已完全不同。

马云说：“以前我以为只有在学校才能当老师，后来发现我现在就是个老师。不需要回学校。休假时抽空到哈佛、沃顿、北大给他们上两堂课就行了。”

“未来四五年，最大的理想不是创办一个伟大的企业，而是能培养出所谓的四大天王、八大金刚、十八罗汉、四十太保。”

原来马云是要把他的CEO变成Teacher，把阿里巴巴变成大学校。

李琪、孙彤宇、彭蕾、金建杭……马云在历数他手下的那些独当一面的大将之后，肯定地说：“我马云就是一个普通人，可以管理这么一个国际化的公司，他们为什么不能？他们跟我创业时才20多岁，我请了那么多外国高管，仗打下来他们都死掉了；结果回头一看，倒是这帮土八路还拿着大刀往前冲。每个人都经历了许多磨难，但他们成长了。最大的快乐是看到人的成长。

“我自己也在创业过程中学到了许多，成长了许多。这些大将每人都独当好几面，我基本上大部分时间是在全世界跑，去和第一流高手交流。在美国跟盖茨、巴菲特、克林顿这些伟大的有智慧的人交流，消化理解后再去同公司团队分享。这就是在发挥老师的作用，在外面学习，然后把知识传递给他们。

“我的变化很快，我的想法跟一般的逻辑很难对得上。感谢他们这么多年容纳了这么一个CEO。有一天我退下来不当CEO，李琪他们几个胸怀都不错，完全可以胜任。什么时候需要什么样的人。阿里巴巴要培养上百个CEO。

“在中国的电子商务市场上，阿里巴巴的确是做得最好的。阿里巴巴在中国电子商务领域的地位有点像当年的IBM在美国的地位。因此我们要承担为中国电子商务的未来培养一大批领导人才的责任。随着阿里巴巴越来越强大，这是个很好的平台。这个平台除了能创造财富外，就是能培养人才。

“中国缺这么一批企业领导。我自己的创造能力是有限的，如果能培养出这么一批人才来，每个人都能创办领导管理一个伟大的企业，那我对社会的贡献就更大了。未来几年我就是要做这件事，就是要充当这个老师的角色，这样更能发挥我的作用，也能发挥阿里巴巴的作用。未来能做成这个事，那我这辈子也没白活，阿里巴巴也没白做。”

听了这番宏论，我发现马云的志存高远还不是常人能想象到的。

“你那些四大天王，八大金刚都是些什么概念？”我追问到。

马云解释：“我的四大天王，每人至少能管理1000亿人民币以上的公司，八大金刚，管理500亿，十八罗汉管理300亿，四十太保，至少10个亿。”

“别人提阿里巴巴是黄埔军校，我们就是要做这个事，但不要刻意做这个事。结果是我们为中国互联网产业、新经济产业培养和造就了大量优秀人才。10年之后，我的考核指标是：世界500强中的中国企业的CEO有多少是从阿里巴巴出来的。这帮人培养出来以后，对中国经济的影响就大了。那时就会形成吸收了美国的全球化战略和日本的严谨的管理风格，又融合中国太极的中国流派和中国方阵，那时中国军团在全世界的声音就不会是现在这么点！”

这就是马云！当时他自己的公司才刚到10个亿，也就是说，他自己才刚成为太保，但却能说出如此宏伟蓝图！

我问马云阿里巴巴的未来，马云说：“现在的阿里巴巴不是我想象的阿里巴巴。要到2009年阿里巴巴成立10周年才会成形。阿里巴巴今年不一样，明年不一样，后年还不一样。飞机现在还没起跑，只是按轨道走到跑道上了，还有5年的时间。因此别人看不懂阿里巴巴的模式。我们只是挖了个大坑，打了个地基，这儿堆了一堆木头，那儿堆了一堆钢材，大楼还没拼起来。等到大楼起来以后，人们才会明白，原来是这么个东西。阿里巴巴现在挣的只是零花钱，一个零头而已，怎么能算钱？不到年收入100亿，那算什么？

“阿里巴巴这5年经历了很多事情，资本的冲击、人才的冲击、技术的冲击。我们5年经历的冲击胜过传统企业20年经历的冲击，因而传统企业20年做不到的事也被我们做到了。这就是高压锅效果。阿里巴巴和它的团队是被高压锅压出来的。”

在马云家里的采访结束时，他说了这样一段结束语：“从中国互联网10年历史看，我是最早的一个。但我没有牺牲没有死。为什么没死？让别人去总结吧。历史是后人写的。我们就是不断往前冲，逢山开道，遇水架桥，这是我们这一代人应该做的事。不管别人怎么看，我们经历过，创造过，挺好！”

两年之后的2007年8月，马云又对媒体说："阿里巴巴原来只有一个董事会，投资者都在里面，如果一个脑袋坏了，就全坏掉了，风险较大。现在分成5家公司，每家都成立独立的董事会，基本摆脱了某一天被某家投资方控制的风险。具体的业务发展交给集团五虎将，他们比我聪明。淘宝网总裁孙彤宇有90%的时间在考虑淘宝的发展，我最多20%，怎么可能比他聪明？

"我要用最远的眼光看，用最大的胸怀去包容。我去做了孙正义的董事，了解日本发展怎么样；我到雅虎，了解美国整个的趋势发展。然后就是招人，建文化，建组织。以前我自己拿着斧头往前冲，到后来指挥下面的兵马往前冲。以前睡两三个小时，起来就往前冲，没有累的感觉，有的是精力。今天突然发现，精力体力跟10年以前不一样了，跟年轻人去拼这些，就像老将黄忠，一刀就被杀了。我们凭的是经验、胸怀和眼光。年轻人精力体力聪明都比你强，他们可能干得更好。

"我强迫自己和原先所谓的高层团队全部脱离。我觉得自己过渡得还可以。当然，我放手的时候，知道已经没有大问题。淘宝看不出来有人可以打败它，更看不出来有谁能在三五年内灭了阿里巴巴。

"收购雅虎的时候，我一直想回学校教书。但我答应过投资者2010年一定还在，而不是2010年之后一定把我开掉。外界关心我退休的人一直比较多，但舆论在退休问题上存在误解。我想走，谁也拦不住。我走了想改变这个公司，谁也挡不住，投资者在中国就得听我们的。"

看来若干年之内退休还不是马云考虑的问题。他所考虑的是自己角色的转换，是何时"重操旧业"。

马云没有说阿里巴巴什么时候做到100亿，但他说过，阿里巴巴要在10年之内进入世界500强。

马云的思维是跳跃性的，阿里巴巴的发展也是超常规的。2007年的阿里巴巴收入就比2006年增长了两倍。的确，要实现马云的宏伟蓝图，阿里巴巴每年都得翻番。

即使是阿里巴巴做到了100个亿，按照马云自己的标准，他还够不上一个罗汉，又怎么去培养天王和金刚呢？按马云的标准，目前，世界上最大的互联网企业之一的雅虎的年收入也只有30多亿美元，折成人民币也就300亿，也就是说，杨致远也刚是个罗汉。

马云的蓝图岂止宏伟两字可以形容的！这又是一个梦想，一个神话！

当然马云也说："我这一辈子不一定能实现，但可以为它奠基。"但他又说："四大天王出来，他们每个人都能影响国家影响世界。我相信这批人，也就三五年。阿里巴巴第三代有些很厉害！"

我认识马云整整12年了。12年来我发现他改变了许多，成熟了也成长了。但马云12年没变的是激情依旧梦想依旧。

激情似乎永不衰竭，而梦想似乎永无止境。旧的梦想实现，新的梦想又冒出来，而且更离奇更不可思议更像神话！

无论是人还是公司，马云本身就是神话，阿里巴巴本身就是神话。

谁能说马云的新梦想和新神话不会变成现实呢？

让我们拭目以待马云和阿里巴巴续写神话。